D1622944

BASTEI
LÜBBE
TASCHENBUCH

Weitere Titel des Autors:

Die Kommissar-Erlendur-Reihe:

1. Menschensöhne
2. Todesrosen
3. Nordermoor
4. Todeshauch
5. Engelsstimme
6. Kältezone
7. Frostnacht
8. Kälteschlaf
9. Frevelopfer
10. Abgründe
11. Eiseskälte

Duell
Nacht über Reykjavík
Tage der Schuld

Thriller:

Gletschergrab
Tödliche Intrige
Codex Regius

Titel in der Regel auch als Hörbuch und E-Book
erhältlich

Arnaldur Indriðason
Schattenwege

Island Krimi

Übersetzung aus dem Isländischen
von Coletta Bürling

BASTEI LÜBBE TASCHENBUCH
Band 17559

Dieser Titel ist auch als Hörbuch und E-Book erschienen

Vollständige Taschenbuchausgabe
der bei Lübbe Ehrenwirth erschienenen Hardcoverausgabe

In Island duzt heutzutage jeder jeden.
Man redet sich nur mit dem Vornamen an.
Dies wurde bei der Übersetzung beibehalten.

Titel der isländischen Originalausgabe: »Skuggasund«
Published by arrangement with Forlagið, www.forlagid.is

Für die deutschsprachige Ausgabe:
Copyright © 2015 by Bastei Lübbe AG, Köln
Textredaktion: Anja Lademacher, Bonn
Umschlaggestaltung: © Johannes Wiebel, punchdesign, München
unter Verwendung von Motiven von shutterstock/BABAROGA;
shutterstock/digieye
Satz: Dörlemann Satz, Lemförde
Gesetzt aus der DTL Documenta
Druck und Verarbeitung: CPI books GmbH, Leck – Germany
ISBN 978-3-404-17559-8

5 4 3 2 1

Eins

Die beiden Polizisten hatten sich entschlossen, in die Wohnung zu gehen, doch statt die Tür aufzubrechen, bestellten sie den Schlüsseldienst. Ihrer Meinung nach würden ein paar Minuten mehr oder weniger ohnehin keine Rolle spielen.

Eine Nachbarin des Mannes hatte die Polizei benachrichtigt. Sie hatte nicht beim Notruf, sondern beim Hauptdezernat angerufen und verlangt, mit einem Polizeibeamten zu sprechen. Die Frau sagte dem Mann, mit dem sie verbunden wurde, dass sie ihren Nachbarn etliche Tage nicht mehr gesehen hatte.

»Er schaut manchmal bei mir vorbei, wenn er einkaufen geht«, sagte sie. »Ich höre auch, wenn er die Wohnung verlässt, und ich kann vom Fenster aus sehen, wenn er nach Hause kommt. In den letzten Tagen hab ich ihn aber überhaupt nicht gesehen.«

»Könnte es nicht sein, dass er einfach mal aus der Stadt gefahren ist?«

»Meinst du aufs Land? Er fährt nie aus der Stadt.«

»Auch nicht, um Freunde oder Verwandte zu besuchen?«

»Ich glaube, er hat nicht viele Freunde. Und er hat nie von irgendwelchen Verwandten geredet.«

»Wie alt ist er?«

»Um die neunzig. Aber sehr rüstig. Er kommt allein zurecht.«

»Könnte es sein, dass ihm etwas passiert ist, dass er vielleicht im Krankenhaus liegt?«

»Nein, ich ... Das hätte ich bestimmt mitgekriegt. Er wohnt schließlich direkt gegenüber.«

»Vielleicht ist er in ein Altersheim gezogen? Es hört sich so an, als wäre es an der Zeit gewesen.«

»Ich ... Mein Gott, was sind denn das für Fragen. Was soll ich dazu sagen? Wer will schon ins Altersheim. Er war sehr rüstig.«

»Vielen Dank, dass du angerufen hast, meine Liebe. Am besten schicke ich ein paar Leute vorbei.«

Und jetzt standen also zwei Polizisten vor der Tür des alten Mannes und warteten auf den Schlüsseldienst. Die Nachbarin hieß Birgitta, sie wartete mit ihnen. Einer der Polizisten war stämmig und hatte einen Kugelbauch. Der andere war jünger und so hager, dass die Uniform an ihm herunterhing. Sie gaben ein komisches Paar ab, wie sie da auf dem Treppenabsatz standen und sich über alles Mögliche unterhielten. Der Dicke war älter und erfahrener, er hatte sich schon öfter mit Hilfe eines Schlüsseldienstes Zutritt zu einer Wohnung verschafft. Es kam immer mal wieder vor, dass die Polizei gebeten wurde, bei Menschen nach dem Rechten zu sehen, die keine Angehörigen hatten und durch irgendwelche Maschen im Sozialsystem gerutscht waren. Der Mann vom Schlüsseldienst hieß Ómar und war mit ihm verwandt, er war ein Profi und konnte sich im Handumdrehen Zutritt zu verschlossenen Wohnungen verschaffen.

Sie begrüßten sich vertraut, als Ómar die Treppe hinaufkam. Nach ein paar Handgriffen am Schloss ging die Tür auf.

»Hallo!«, rief der Dicke in die Wohnung hinein.

Er erhielt keine Antwort und bat seinen Verwandten und die Nachbarin, auf dem Flur zu warten. Sein dünner Kollege folgte ihm in die Wohnung.

»Hallo!«, rief er noch einmal, aber wieder erfolgte keine Reaktion.

Die beiden Polizisten gingen bedächtig vor. Der Dicke schnupperte, denn ein penetranter Geruch lag in der Luft, und sie hielten sich Mund und Nase zu. Sämtliche Vorhänge waren zugezogen. In der kleinen Diele, im Wohnzimmer und in der Küche brannte Licht.

Die Stimme des Dünnen klang ein wenig schrill, als er rief: »Hallo! Ist hier jemand?«

Er bekam keine Antwort. Der Mann vom Schlüsseldienst und Birgitta warteten immer noch draußen vor der Tür.

Die Küche war klein und ordentlich aufgeräumt, zwei Stühle standen an einem Tisch, und auf der Arbeitsplatte neben der Spüle war eine Kaffeemaschine mit halbvoller Kanne. Sie war ausgeschaltet. Im Waschbecken waren ein Teller und zwei Tassen abgestellt worden. Außerdem gab es in der Küche noch einen kleinen Kühlschrank und einen altmodischen Herd mit drei Platten. Im Wohnzimmer befand sich eine Sofagarnitur mit einem Couchtisch, und vor einem Fenster, das nach Süden ging, stand ein Schreibtisch. Es gab auch einige Regale mit Büchern, aber keinerlei Nippes. Das Wohnzimmer war genauso ordentlich wie die Küche.

Abgesehen von Bad und Küche war die ganze

Wohnung mit Teppichboden ausgelegt. Auf den meistbegangenen Wegen zwischen Wohnzimmer, Küche, Toilette und Schlafzimmer war er verschlissen, und an einer Stelle war er sogar so abgetreten, dass man nur noch die weißen Fäden sah, die ihn zusammenhielten. Die Polizisten öffneten die Tür zum Schlafzimmer, und dort lag ein Mann in seinem Bett. Die Augen waren halb geöffnet, die Arme lagen zu beiden Seiten. Er war vollständig angekleidet, trug Hemd, Hose und Socken. Es machte ganz den Eindruck, als hätte er sich tagsüber etwas zur Ruhe gelegt und wäre nicht wieder aufgestanden. Auf den ersten Blick sah er keineswegs wie neunzig aus. Der ältere Polizist ging zu dem Bett und fühlte am Hals und an den Handgelenken nach dem Puls. Einen angenehmeren Tod kann man sich nicht wünschen, war das Erste, was ihm einfiel.

»Ist er tot?«, fragte der Dünne.

»Sieht ganz so aus«, antwortete sein Kollege.

Birgitta konnte auf dem Flur nicht länger an sich halten, sie betrat die Wohnung und spähte in das Zimmer, in dem ihr Nachbar einsam und friedlich in seinem Bett lag.

»Ist er ... Ist er tot?«

»So viel steht fest«, sagte der ältere Polizist.

»Der Arme, er war bestimmt froh, Ruhe zu finden«, sagte sie leise.

Später am Tag wurde die Leiche ins Krankenhaus gebracht, wo die diensthabende Pathologin sie registrierte. Wie in solchen Fällen vorgeschrieben, war der Bezirksarzt noch in der Wohnung hinzugerufen worden, um den Totenschein auszustellen. Von Seiten der

Polizei bestand kein Anlass, den Todesfall genauer zu untersuchen, es sei denn, dass sich bei der Obduktion etwas Unnatürliches ergeben würde. Bis das Gutachten aus der Gerichtsmedizin vorlag, würde die Wohnung versiegelt bleiben.

Die Pathologin hieß Svanhildur. Sie verschob die Untersuchung der Leiche in die zweite Wochenhälfte. Es handelte sich nicht um einen dringlichen Fall, und die vielbeschäftigte Ärztin hatte zuvor noch einige wichtigere Aufgaben zu erledigen, bevor sie ihren dreiwöchigen Urlaub antrat, den sie auf den schönen Golfplätzen in Florida verbringen wollte.

Deswegen lag die Leiche erst zwei Tage später auf dem Seziertisch. Eine kleine Gruppe von Medizinstudenten war anwesend, und sie ging die Prozedur Schritt für Schritt mit ihnen durch. Sie informierte sie über die äußeren Umstände, unter denen die Leiche gefunden worden war – eine Nachbarin hatte sich bei der Polizei gemeldet. Nichts deutete auf etwas anderes hin, als dass der Mann eines natürlichen Todes gestorben war. Der Ärztin gelang es allerdings, das Interesse der Studenten zu wecken. Einer nahm sogar die Stöpsel seines iPods aus dem Ohr.

Sie ging davon aus, dass die Todesursache ein Herzschlag gewesen war, und es sollte sich später herausstellen, dass diese Vermutung stimmte. Der Mann war an einem Herzschlag gestorben.

Sie untersuchte die Augen.

Sie schaute ihm tief in den Hals.

»Nanu?«, flüsterte sie, und die Studenten beugten sich tief über den Seziertisch.

Zwei

Immer wenn sie über die belebtesten Straßen der Stadt gingen, bemühten sie sich, es nicht so aussehen zu lassen, als seien sie ein Pärchen. Ihre Eltern hatten sich fürchterlich aufgeregt, als sie von der Beziehung erfuhren, und sie hatten verlangt, dass sie unverzüglich Schluss mit ihm machen müsste. Ihr Vater hatte ihr angedroht, sie aus dem Haus zu werfen, und sie wusste, dass er zu seinem Wort stehen würde. Sie hatte sich nicht vorstellen können, dass die Reaktion so heftig und hasserfüllt sein würde. Es fiel ihr schwer, etwas gegen den Willen der Eltern zu tun, aber sie konnte ihre Beziehung zu dem jungen Mann auf gar keinen Fall beenden. Sie redete einfach nicht mehr über ihn, sie tat, als sei die Sache vorbei. Aber sie trafen sich immer noch heimlich, so wie jetzt, als sie an den Sandsäcken vor dem Nationaltheater vorbeiliefen.

Es gab nicht viele Stellen, wo sie sich lieben konnten. Zu Beginn ihrer Beziehung im Spätherbst hatten sie sich bei gutem Wetter manchmal in dem Wald unterhalb der Heißwassertanks getroffen. Jetzt aber herrschte tiefster Winter, und es gab nicht viele Möglichkeiten. Ein Hotelzimmer zu mieten oder sich in eine der Militärbaracken zu schleichen kam absolut nicht in Frage. Sie hatten sich schon einmal im Dunkeln hinter dem Nationaltheater getroffen, das wie eine Felsbastion an der Hverfisgata aufragte. Umrahmt von Basaltsäulen sollte sich in diesem Haus die isländische Schauspielkunst entfalten. Die Architektur des Theaters signalisierte ehrgeizige Pläne, doch es war noch nicht weit über den Rohbau hinausgekommen. Bereits während der Weltwirtschaftskrise wurde ein Baustopp verhängt. Und als der Krieg ausgebrochen war, wurde das Gebäude von der britischen Besatzung beschlagnahmt, die dort ein großes Depot einrichtete. Diesem Zweck diente es auch noch, nachdem die Briten von den Amerikanern abgelöst worden waren. Und zudem trafen sich dort Liebespaare, die ungestört sein wollten.

»Diesen Mann wirst du nie wieder treffen!«, hatte ihr Vater sie wutschäumend angeschrien. Zum ersten Mal in ihrem Leben hätte er sie beinahe geschlagen, wenn ihre Mutter nicht dazwischengetreten wäre.

Sie hatte es ihrem Vater hoch und heilig versprochen, aber das Versprechen sofort wieder gebrochen. Ihr Freund hieß Frank und kam aus Illinois, ein geschniegelter, gestriegelter und wohlriechender junger Mann mit schönen weißen Zähnen, der sich ihr gegenüber immer wie ein Gentleman verhielt. Sie hatten darüber gesprochen, zusammen nach Amerika zu gehen, wenn der Krieg vorüber war. Sie war überzeugt, dass ihr Vater bestimmt noch Gefallen an dem Amerikaner finden würde, wenn der sture Alte nur erst bereit sein würde, ihn zu treffen.

Ihre Beziehung zu Frank war keineswegs etwas Einmaliges, und sie war nicht allein mit ihrem Problem. Bei Ausbruch des Krieges war Reykjavík eine Stadt von vierzigtausend Einwohnern, in die es in den ersten Jahren des Kriegs Tausende von Soldaten der Besatzungsmächte verschlug. Dass sich dabei gewisse Beziehungen zwischen ihnen und den isländischen Frauen anbahnen würden, war unvermeidlich. Zuerst ging es um die Tommys, aber die Liebe wurde nicht geringer, als die Briten von den Amis abgelöst wurden. Sie waren wesentlich gepflegter, warfen mit Dollars um sich und traten sehr viel eleganter auf. Fast so wie Filmstars. Die Sprache war kein Hindernis. Im Bett verstand jeder jeden. In Island wurde eigens eine Kommission eingerichtet, um dem entgegenzusteuern. Diese angespannte Situation spiegelte sich in nur einem einzigen Wort wider, im Volksmund wurde sie als »der Zustand« bezeichnet.

Ihr selber waren die Kommission und der sogenannte »Zustand« völlig egal, als sie mit Frank aus Illinois über die Hverfisgata lief. Es war Mitte Februar und ziemlich kalt. Der Wind heulte um diese Felsbastion von Menschenhand, die an die isländischen Volkssagen über Elfen und anderen verborgenen Wesen erinnern sollte. Die zukünftigen Theatergäste sollten in die glänzend schöne und märchenhafte Welt der Elfen versetzt werden, die dem Volksglauben zufolge überall im Land in Felsen und Hügeln lebten. Die Soldaten, die sich in ihrer Sandsackstellung gegen die Kälte zu schützen versuchten, schenkten den beiden kaum Aufmerksamkeit, als sie um die Ecke des Theaters bogen und dorthin gingen, wo es keine Straßenbeleuchtung gab. Sie trug einen dicken Wintermantel, den sie zu Weihnachten geschenkt bekommen hatte, und er steckte in seiner Uniform, die sie so sehr bewunderte. Darüber trug er einen Militärmantel. Er war Sergeant, aber sie wusste nicht so recht, was für eine Funktion so ein Sergeant hatte. Ihr Englisch beschränkte sich auf nicht viel mehr als *yes* und *no* und *darling*, und nicht anders verhielt es sich mit seinen Isländischkenntnissen. Trotzdem hatte es zwischen ihnen bislang keinerlei Verständigungsprobleme gegeben. Doch heute musste sie ihm etwas sagen, was ihr große Sorgen bereitete.

Sobald sie Schutz vor dem Wind gefunden hatten, begann Frank, sie leidenschaftlich zu küssen. Sie spürte seine tastenden Hände unter dem Mantel und musste an ihren Vater denken. Wenn der sie jetzt sehen würde! Sie hörte die zärtlichen Worte, die Frank ihr ins Ohr flüsterte, spürte seine kalten Hände auf der Bluse, die sie sich nach Neujahr bei Jacobsen gekauft hatte. Er streichelte ihre Brüste unter der Bluse, er knöpfte sie auf und berührte ihre nackte Haut. Sie hatte kaum Erfahrung in Sachen Liebe und verhielt sich deswegen eher zurückhaltend. Aber sie liebte es, ihn zu küssen, und wenn er sie berührte, spürte sie, wie eine siedend heiße Welle durch ihren Körper lief. In diesem Moment aber war ihr kalt und ganz und gar nicht danach zumute, weil der Zorn ihres Vaters allzu präsent war. Und auch das, worüber sie mit Frank reden wollte, ließ ihr keine Ruhe.

»Frank, ich muss dir etwas sagen ...«

»My darling.«

Er bedrängte sie so sehr, dass sie das Gleichgewicht verlor und auf irgendetwas trat, das sie beinahe zu Fall gebracht hätte. Er hielt sie fest und wollte weitermachen, aber sie bat ihn, damit aufzuhören. Sie standen bei einem der Seiteneingänge, und dort lag etwas, worüber sie fast gestolpert wäre. Sie sah ein Stück von einem Pappkarton und dachte, er stamme aus dem Depot. Den hatte sie gar nicht bemerkt, als er sie in die Nische gedrängt hatte. Jetzt sah sie, dass unter dem braunen Karton zwei halbnackte Beine herausragten.

»*Jesus*«, stöhnte Frank.

»Was ist das?«, fragte sie. »Wer ist das?«

Sie starrten auf die Beine – in Schuhen mit Schnürriemen, in Socken, die knapp bis über die Knöchel reichten, darüber weißlich blaue Haut. Mehr war nicht zu sehen. Frank zögerte einen Augenblick, bevor er sich bückte und nach dem Pappkarton griff.

»Was machst du denn da?«, flüsterte sie. Er zog die Pappe weg, und zum Vorschein kam eine junge Frau, kaum älter als zwanzig. Sie lag auf der Seite, mit dem Rücken zur Wand. Im selben Augenblick wussten beide, dass sie tot war.

»Um Gottes willen«, stöhnte sie und klammerte sich an Frank, der seine Blicke nicht von der Leiche losreißen konnte.

»*What the hell?*«, hörte sie ihn flüstern, als er neben dem Mädchen niederkniete. Er griff nach ihrem Handgelenk, um den Puls zu fühlen, doch er spürte nichts. Er legte ihr zwei Finger an den Hals, obwohl er wusste, dass es sinnlos war. Ein Schauder durchfuhr den amerikanischen Soldaten. Er hatte noch nie an einem Gefecht teilgenommen und hatte noch keine Leichen gesehen. Ihm war klar, dass sie dem Mädchen nicht mehr helfen konnten, und er suchte hastig nach Spuren, die auf die Todesursache hindeuten konnten. Er fand aber nichts.

»Was sollen wir machen?«

Frank richtete sich auf und nahm seine isländische Freundin in die Arme. Er mochte sie, aber er verstand auch gut, warum sie ihn noch nie zu sich nach Hause eingeladen und ihrer Familie vorgestellt hatte. Soldaten waren nicht überall willkommen.

»*Let's get the hell out of here*«, sagte er und blickte sich um, ob noch andere Leute unterwegs waren.

»Müssen wir nicht die Polizei verständigen?«, fragte sie. »*Get police.*«

Es waren keine anderen Menschen in der Nähe, und als er um die Ecke spähte, sah er, dass die Wachsoldaten hinter den Sandsäcken immer noch an Ort und Stelle waren.

»*No police. No! Let's go. Come on!*«

Er packte sie bei der Hand, und sie liefen rasch zur Lindargata und dann zu dem Hügel mit der Statue des ersten Siedlers. Frank war schneller als sie und musste sie mehr oder weniger hinter sich herziehen. Die beiden fielen aber einer alten Dame auf der Lindargata auf, die unterwegs zur Hverfisgata war. Sie bemerkten sie nicht, doch die Frau sah, wie die beiden aus einer dunklen Nische am Theater auftauchten und wegrannten. Die jungen Mädchen waren heutzutage wirklich nicht mehr ganz normal, dachte sie. Und dieses Mädchen kannte sie nämlich, aber sie hatte nicht gewusst, dass sogar sie sich mit Soldaten herumtrieb.

Als die alte Dame am Theater vorbeiging, warf sie einen Blick in die dunkle Ecke, aus der das Pärchen zum Vorschein gekommen war. Sie hielt inne, als sie die nackten Beine bemerkte. Dann trat sie einen Schritt näher heran, um besser sehen zu können, und da sah sie die Leiche einer jungen Frau, die offensichtlich unter Pappkartons und Abfallpapier versteckt worden war. Sie bemerkte sofort, wie unpassend das Mädchen für diese Jahreszeit gekleidet war, sie trug nur ein ganz leichtes Kleid.

Der Wind heulte um das Gebäude.

Die junge Frau war auch im Tod noch schön, ihre gebrochenen Augen schienen an dem Bauwerk hochzublicken, so als sei sie in jene verborgene Welt der Felsbewohner eingegangen, auf die die Gestaltung der Außenwände Bezug nahm.

Drei

Marta saß in einem thailändischen Restaurant. Der Schweiß stand ihr auf der Stirn. Sie hatte die Nummer sieben bestellt, ein Schweinefleischgericht, das angeblich das schärfste auf der Speisekarte war. Konráð hatte davon probiert, aber nichts geschmeckt außer Chili. Zunge und Lippen und Rachen brannten. Er hatte Zitronenwasser geschluckt und nach Luft geschnappt wie ein Fisch auf dem Trockenen. Er selber hatte sich ein Gericht mit Hühnchenfleisch bestellt, das ihm durchaus geschmeckt hatte, da es gut zubereitet war.

Das Lokal befand sich am Rande von Reykjavík in einem Gewerbegebiet. Von außen sah es nicht besonders einladend aus, die Straßenfront erinnerte eher an eine Autowerkstatt als an ein Restaurant. Marta fand ein spezielles Vergnügen daran, in solchen gastronomischen Einrichtungen zu essen. Sie waren nicht teuer, die Bedienung war fix und aufmerksam, und das Essen gut. Zudem bestand keine Gefahr, dass sich irgendwelches versnobte Pack dorthin verirrte.

Sie hatte Konráð vom Dezernat aus angerufen und gefragt, ob er Lust hätte, mit ihr essen zu gehen. Konráð hatte zugesagt, denn es war schon einige Zeit her, seit er von Marta gehört hatte. Da er bereits pensioniert war, wusste er kaum viel Besseres mit seiner Zeit anzufangen. Als Kollegen bei der Kriminalpolizei hatten sie trotz des relativ großen Altersunterschieds gut zusammengearbeitet, aber nachdem Konráð aufgehört hatte, war das Verhältnis zwischen ihnen ein ganz anderes geworden, sie sahen sich nur noch selten und unter völlig anderen Umständen als früher. Alles war irgendwie anders, seitdem er nicht mehr arbeitete, so als seien sie nicht mehr in derselben Mannschaft. Konráð hatte sich ausgestempelt, doch Marta steckte immer noch mittendrin, und noch nie war so viel für sie zu tun gewesen.

»Ist dein Schwein nicht ein bisschen scharf?«, fragte Konráð, als er die Schweißtropfen über Martas Stirn perlen sah.

»Kann sein, aber es schmeckt gut. Ich hab schon Schärferes gegessen.«

»Ja, bestimmt«, entgegnete Konráð und verzichtete darauf, Marta auf die Schippe zu nehmen. Marta war manchmal ein viel zu leichtes Ziel dafür. Sie konnte erst nachgeben, wenn sie selber merkte, dass sie unrecht hatte. Sie musste immer alles besser wissen als alle anderen.

»Wie geht es dir?«, fragte Marta.

»Ganz gut. Und dir?«, antwortete Konráð.

Marta war fertig mit ihrem Teller und trocknete sich den Schweiß ab. Sie war mollig, hatte dicke Finger, ein Doppelkinn und schwere Augenlider, die dazu neigten herabzusinken, vor allem nach einer ausgiebigen Mahlzeit. Ihr Haar war meist unordentlich, und sie trug fast nur Hosen und weite Hemden, weil sie nicht viel Lust hatte, sich zurechtzumachen. Sie hätte nicht gewusst, für wen. Von den hämischen Kollegen bei der Polizei wurde sie oft die smarte Marta genannt. Sie hatte einige Zeit mit einer Frau von den Westmänner-inseln zusammengelebt, doch die hatte sie verlassen und war auf ihre Inseln zurückgekehrt. Seitdem lebte sie allein.

»Hast du in letzter Zeit mal was von deiner Freundin Svanhildur gehört?«, fragte Marta. Sie griff nach einem Zahnstocher und fing an, ihre Zähne damit zu bearbeiten. Eine Unsitte, die Konráð auf die Nerven ging, vor allem wenn sie anschließend lautstark die Luft zwischen den Zähnen einsog.

»Nein«, sagte Konráð. Er hatte in letzter Zeit nicht viel von Svanhildur, der Pathologin am Nationalkran-kenhaus, gehört.

»Sie hat sich mit uns wegen eines Mannes in Ver-bindung gesetzt, der tot bei sich zu Hause aufgefunden wurde. Er hieß Stefán þórðarson. Hast du das nicht mitbekommen?«

Konráð nickte. Er erinnerte sich dunkel an eine Zei-tungsmeldung vor einigen Tagen, dass ein alter Mann tot in seiner Wohnung aufgefunden worden war. Ein alleinstehender Mensch, der anscheinend auch allein und verlassen gestorben war. Eine Nachbarin hatte die Polizei verständigt, nachdem sie den Mann einige Tage lang nicht gesehen hatte.

»Und was ist damit?«, fragte Konráð.

»Ich dachte, Svanhildur hält dich auf dem Laufen-den, wenn was Ungewöhnliches passiert?«

»Da irrst du dich.«

»Sie hat was Erstaunliches herausgefunden, das dem Arzt, der den Totenschein ausgestellt hat, völlig ent-gangen ist.«

»Sie ist ganz schön clever.«

»Sie glaubt, dass dieser Stefán erstickt worden ist. Wahrscheinlich mit seinem eigenen Kopfkissen.«

»Im Ernst?«

»Sie glaubt, es war Mord.«

»Wieso das denn? Der Mann war doch schon steinalt?«

»Willst du wissen, weshalb er umgebracht wurde, oder weshalb Svanhildur glaubt, dass er umgebracht wurde?«, war Martas Gegenfrage.

Sie sah Konráð offensichtlich gesättigt und zufrieden an und stocherte weiter zwischen ihren Zähnen. Konráð musste lächeln und bedauerte es, dass er die Gelegenheit nicht genutzt hatte, sie auf den Arm zu nehmen.

»Na schön«, sagte er. »Beginnen wir mit der ersten Frage: Weshalb wurde er umgebracht?«

»Das wissen wir nicht.«

»Und weshalb glaubt Svanhildur, dass er umgebracht wurde?«

»Wegen irgendwelcher Partikel im Rachen und den Atemwegen. Außerdem hat sie geplatzte Äderchen in den Augen gefunden. Die ganze Palette.«

»Was für Partikel? Von seinem Kopfkissen?«

»Ja. Svanhildur meint, dass jemand ihm das Kopfkissen aufs Gesicht gedrückt hat, bis er seinen letzten Schnaufer getan hat. Buchstäblich. Er hat sich gar nicht wehren können, er war ja auch schon über neunzig. Lange hat es wohl nicht gedauert, aber es hat trotzdem Spuren hinterlassen.«

»War er schon so alt?«

»Ja, und deswegen waren keine großen Kräfte erforderlich, um ihn zu ersticken. Die Polizisten, die zuerst bei ihm eintrafen, haben keinen Verdacht geschöpft. Es gab zwei Kopfkissen, eins hatte er unter dem Kopf und das andere befand sich am Fußende des Betts. Er... Es sah so aus, als wäre er im Schlaf gestorben.«

»Mit anderen Worten, jemand wollte es so aussehen lassen, als sei er im Schlaf hinübergegangen.«

»Genau.«

»Und dieses Täuschungsmanöver ist euch entgangen?«, fragte er, weil er der Versuchung nicht widerstehen konnte. »Warst du etwa dabei?«

Marta sog wieder die Luft zwischen den Zähnen ein.

»Der hinzugerufene Arzt hat nichts Auffälliges bei dem Mann bemerkt. Wir sind keine Ärzte. Die beiden Polizisten haben ihm nicht mit einem Vergrößerungsglas in den Hals geschaut.«

»Aber warum hat Svanhildur es getan?«

»Wieso fragst du sie nicht selber?«

»Vielleicht mach ich das.«

»Tu das.«

»Was war das für ein Mann? Habt ihr ihn gekannt?«

»Meinst du, ob er ein guter Bekannter der Polizei war? Nein, das war er nicht. Wie gesagt, er war alleinstehend. Ist nie mit der Polizei in Berührung gekommen, oder zumindest nicht in den letzten Jahrzehnten. Wir haben niemanden auftreiben können, der ihn kannte, abgesehen von der Nachbarin.«

»Keine Freunde oder Anverwandte?«

»Unseres Wissens nicht. Jedenfalls hat sich noch niemand gemeldet. Vielleicht ändert sich das jetzt. Die Nachricht wird heute Abend noch im Internet zu lesen sein, morgen steht sie in der Zeitung. Warten wir ab, was dabei herauskommt.«

»War es ein Einbruch? Wurde etwas gestohlen?«

»Dafür gibt es keine Anzeichen. Die Wohnung ist von der Spurensicherung durchkämmt worden, die Leute waren heute den ganzen Tag dort.«

»Also muss dieser Stefán den Täter gekannt haben? Ihm die Tür geöffnet und ihn in die Wohnung eingelassen haben?«

»Bist du nicht pensioniert?«, fragte Marta.

»Doch«, antwortete Konráð. »Glücklicherweise.«

Vier

Als Konráð abends in seine Wohnung zurückkehrte, legte er eine Platte mit isländischen Schlagern der sechziger Jahre auf, öffnete eine Flasche *The Dead Arm* – diesen Rotwein mochte er sehr. Er setzte sich an den Küchentisch. Das Fenster ging nach Westen und bot Aussicht auf eine milde Abendröte. Er hörte sich häufig alte Schlager an und kannte sie in- und auswendig. Sie fielen ihm oft ohne jeden Anlass ein und ließen Erinnerungen aufleben, die mit dieser Musik verbunden waren. Als die Combo von Ingimar Eydal *Frühling im Vaglaskógur* spielte, musste er an den Sommer 1966 denken, als er das Lied zum ersten Mal gehört hatte. Seine Erinnerungen wurden aber vom Telefon unterbrochen, das im Wohnzimmer klingelte. Es war schon nach elf, es konnte also höchstens Marta sein. Sie hatte die Angewohnheit, zu allen möglichen und unmöglichen Tages- und Nachtzeiten anzurufen. Meist wegen irgendwelcher Lappalien, aber oft auch nur, um zu reden. Sie war einsam, seitdem die Frau von den Inseln nicht mehr bei ihr war.

»Hast du schon geschlafen?«, fragte Marta. Sie hörte sich aber nicht so an, als hätte sie deswegen irgendwelche Gewissensbisse.

»Nein.«

»Und was machst du gerade?«

»Nichts. Gibt's was Neues in dem Fall mit dem alten Mann?«

»Wir haben die ganze Wohnung durchsucht.«

»Natürlich.«

»Was Besonderes haben wir nicht gefunden. Er hat allein gelebt, und wir haben immer noch nicht herausgekriegt, ob es irgendwelche lebende Verwandte gibt. In seiner Wohnung waren zumindest keine Familienfotos an den Wänden, und wir haben auch kein Familienalbum gefunden. In der Schublade des Nachtschränkchens neben seinem Bett lag das Foto eines jungen Mannes. Er hat einige Bücher besessen, aber sonst gibt es kaum was Persönliches. Das einzig Interessante sind vielleicht Zeitungsausschnitte, die er vor langer Zeit ausgeschnitten und aufbewahrt hat.«

»Ach ja?«

»Ja, aber denen kann man nicht viel entnehmen. Ich erinnere mich nicht, jemals von diesem Fall gehört zu haben.«

»Was für einem Fall?«

»Um den Fall, um den es in den Zeitungsausschnitten geht. Es sind drei Artikel, wahrscheinlich sogar aus der gleichen Zeitung, aber alle ohne Datum oder andere Angaben. Man kann aus ihnen nicht entnehmen, ob der Fall aufgeklärt wurde, oder ob das amerikanische Militär den Fall übernommen hat. Im letzten Artikel ist davon die Rede, dass dem Fall weiter nachgegangen würde, auch wenn die Polizei bislang noch kaum Erfolge gehabt hat.«

»Wovon redest du da? Wieso geht es auf einmal um amerikanisches Militär?«

»Ich rede über die Ermittlung in einem Mordfall von 1944«, sagte Marta. »Im Zweiten Weltkrieg. Ein Mädchen, das hinter dem Nationaltheater erwürgt aufgefunden wurde. Bist du nicht in dem Jahr geboren?«

»Ja.«

»Die polizeilichen Akten des Falls scheinen sich irgendwie in Luft aufgelöst zu haben«, sagte Marta. »Ich finde bei uns jedenfalls nichts darüber.«

»Ein Mädchen, das hinter dem Nationaltheater gefunden wurde?«

»Ja. Ist was?«

»Nein …«

»Weißt du vielleicht mehr darüber?«

Konráð zögerte.

»Nein, ich weiß nichts«, sagte er.

»Was ist los?«

»Nichts«, erklärte Konráð.

»Warum bist du auf einmal so komisch?«

»Ich bin einfach nur müde«, sagte Konráð abwesend. »Es ist ganz schön dreist, so spät am Abend bei jemandem anzurufen. Lass uns morgen darüber reden.«

Er wünschte Marta eine gute Nacht, trank sein Glas aus und ging zu Bett, hatte aber Probleme mit dem Einschlafen. Die Gedanken an seinen Vater und das tote Mädchen beim Nationaltheater hielten ihn noch lange wach. Er hatte gezögert, Marta davon zu erzählen, dass er deswegen von dem Fall wusste, weil sein Vater etwas damit zu tun gehabt hatte. Konráð legte aber keinen Wert darauf, über ihn zu sprechen. Das Mädchen wurde in dem Jahr ermordet aufgefunden, als Konráð zur Welt kam. Seltsamerweise war sein Vater in diesen Fall verwickelt gewesen, wenn auch nur ganz am Rande.

Der Vater hatte sich eine Zeit lang mit übersinnlichen Phänomenen beschäftigt und Verbindung zu Sehenden gehabt, die nicht unbedingt in einem guten Ruf standen. Eines Tages hatten die Eltern dieses Mädchens Kontakt mit einem Medium aufgenommen, mit dem sein Vater zusammenarbeitete. Die Eltern hatten den Mann gebeten, Verbindung zu ihrer toten Tochter herzustellen, und Konráðs Vater hatte dem Medium assistiert. Doch das, was bei dieser Séance geschah, war an die Öffentlichkeit gelangt.

Konráð strich sich über den linken Arm, der sehr viel schwächer als der rechte war. Ein Geburtsfehler, der ihn aber nur selten störte. Und andere Leute bemerkten meist gar nicht, dass der linke Arm verkümmert war und weniger Kraft besaß. Konráð wälzte sich im Bett und überlegte hin und her, ob er Marta besuchen sollte oder nicht. Irgendwo in der Leere zwischen Wachen und Traum hörte er wieder die ersten Klänge von *Frühling im Vaglaskógur*, und er glitt mit schönen Erinnerungen an einen hellen Strand in Nauthólsvík, an Kinder, die am Ufer spielten, und an einen Kuss, der nach Blumen duftete, in den Schlaf hinüber.

Fünf

Sie zuckte zusammen, als unten an die Tür geklopft wurde. Es war spät am Abend, und ihr Gefühl sagte ihr sofort, dass es nur die Polizei sein konnte, die nach ihr suchte.

Sie und Frank waren den Hügel mit der Statue von Islands erstem Siedler zum Kalkofnsvegur heruntergelaufen, und von da aus waren sie zur Lækjargata spaziert und hatten so getan, als sei nichts vorgefallen. Sie sah noch das Mädchen vor sich, das an einem Hintereingang des Nationaltheaters lag, und sie wusste, dass sie diesen Anblick nie vergessen würde. Franks Reaktion verstand sie überhaupt nicht, und die hektische und seltsame Flucht war ihr unerklärlich. Er hatte sofort entschieden, dass sie sich aus dem Staub machen mussten, während sie lieber die Polizei verständigt hätte. Als sie endlich an der Hverfisgata ihr Tempo verlangsamten, versuchte er ihr zu erklären, warum er nichts damit zu tun haben wollte. Die Leiche war nicht ihr *business*. Das Mädchen war tot, ihr konnte nicht mehr geholfen werden. Irgendein anderer würde sie bald finden, und damit wäre die Sache für sie beide aus der Welt.

Die Menschen flüchteten vor dem scharfen Wind in die Kinos oder die Kaffeestuben, oder sie schneiten bei Freunden und Bekannten herein. Soldaten in Jeeps fuhren die Lækjargata entlang und bogen nach rechts in die Bankastræti. Frank hielt es für das Beste, dass sie sich sofort trennten und sich erst in ein paar Tagen wieder trafen, und zwar dort, wo sie normalerweise verabredet waren, hinter der Domkirche. Dann würde alles ausgestanden sein. Er küsste sie zum Abschied, und sie machte sich quer durchs Stadtzentrum auf den Weg nach Hause.

Sie wusste zwar, dass es nicht richtig gewesen war wegzurennen, aber andererseits verspürte sie auch Erleichterung. Vielleicht hatte Frank ja recht. Es wäre alles andere als angenehm gewesen, den Polizisten oder jemand anderem zu erklären, warum sie sich mit einem amerikanischen Soldaten bei dem Theater herumgetrieben hatte. Und falls das ihrem Vater zu Ohren käme, würde er wieder einen Wutanfall kriegen.

Noch einmal wurde unten an der Tür geklopft, diesmal etwas energischer. Ihre Eltern waren schon ins Bett gegangen, und ihre beiden jüngeren Brüder schliefen fest. Sie hatte sich klammheimlich ins Haus und auf ihr Zimmer geschlichen und versucht, einen Liebesroman zu lesen – aber sie konnte an nichts anderes denken als an das tote Mädchen hinter dem Nationaltheater – und an Frank. An Schlaf war nach den Ereignissen des Abends einfach nicht zu denken.

Blöde Gans, dachte sie – so als wäre die tote junge Frau schuld an ihren Problemen.

Sie hörte, dass ihr Vater aufstand und die Treppe hinunterging, jede Stufe knarrte. Sie horchte an der Tür, um herauszufinden, was da unten vor sich ging. Vielleicht war es ja gar nicht die Polizei, sondern jemand anders.

Aber das war nur eine Wunschvorstellung. Sie fuhr zusammen, als ihr Vater nach ihr rief, und wich unwillkürlich zurück in ihr Zimmer.

»Ingiborg!«, rief er noch einmal. Und ein drittes Mal. Bei jedem Ruf steigerte sich die Ungeduld in seiner Stimme.

Die Tür zu ihrem Zimmer öffnete sich, ihre Mutter steckte den Kopf herein.

»Dein Vater ruft nach dir, mein Kind, hörst du das nicht?«, sagte sie. »Die Polizei will mit dir reden. Was hast du getan?«

»Nichts«, antwortete sie, wusste aber, dass es nicht überzeugend klang.

»Geh sofort nach unten«, befahl die Mutter. »Nun mach schon! Was soll denn das Theater?«

Sie folgte ihrer Mutter bis zum Treppenabsatz und sah zwei Männer und ihren Vater im Eingang stehen. Sie blickten zu ihr hoch.

»Da bist du ja endlich«, sagte ihr Vater sichtlich erregt. »Hier sind zwei Herren von der Polizei, die ...«

Er wendete sich an einen der Männer.

»Entschuldigung, wie war noch Ihr Name?«

»Flóvent«, sagte der Mann. »Und das hier ist Thorson«, fügte er hinzu und deutete auf den Mann, der mit ihm gekommen war. »Er ist bei der amerikanischen Militärpolizei, aber er ist Kanadier isländischer Abstammung. Sein Isländisch ist besser als meins.«

»Ja. Ich bin West-Isländer«, sagte Thorson. »Ich komme aus Manitoba.«

Beide waren in Zivil. Der isländische Polizist ging auf die vierzig zu, er war schlank und hochgewachsen und wirkte athletisch. Der ebenfalls athletisch gebaute

Thorson war etwas kleiner und etwa zehn Jahre jünger. Sie trugen beide lange Wintermäntel und hatten die Hüte abgenommen, als sie das Haus betreten hatten.

»Manitoba, sieh mal einer an«, sagte ihr Vater. »Die beiden wollen mit dir sprechen, Ingiborg«, sagte er wütend zu ihr. »Über etwas, was beim Nationaltheater passiert ist. Sie wollen mir nicht sagen was, sie wollen zuerst mit dir reden. Was ist passiert? Was hattest du dort zu suchen?«

Sie traute sich kaum, ihrem Vater ins Gesicht zu sehen, geschweige denn, ihm zu antworten. Die Polizisten bemerkten sofort, dass sie verängstigt war.

»Wenn es Ihnen recht ist, würden wir gerne allein mit ihr reden«, sagte Flóvent.

»Allein?«, schnaubte der Vater. »Wieso das denn?«

»Wenn Sie es uns bitte gestatten wollen. Wir können uns dann später mit Ihnen unterhalten, wenn Sie möchten, im Beisein Ihrer Tochter.«

»Was hat das zu bedeuten, Ingiborg, antworte mir gefälligst!«, sagte ihr Vater mit erhobener Stimme. »Wieso steht hier auf einmal jemand von den Amerikanern vor der Tür? Kannst du mir das bitte erklären? Hast du vielleicht immer noch was mit diesem Amisoldaten? Hab ich dir das nicht strengstens untersagt, Mädel?«

»Ja doch«, antwortete sie zögernd.

»Und du hast immer noch was mit ihm? Trotzdem?«

Es sah so aus, als würde er sie am liebsten packen und runter in die Diele schleifen.

»Jetzt beruhige dich, Ísleifur«, sagte seine Frau energisch. Sie stand neben ihrer Tochter auf dem Treppenabsatz. »Es sind Gäste im Haus. Rede nicht so in Anwesenheit von Fremden.«

Der Hausherr knickte ein wenig ein und starrte seine Frau an. Dann blickte er wieder zu den beiden Polizisten, die mit ihren Hüten in den Händen immer noch im Hauseingang standen. Ihnen war in der Zwischenzeit warm in den dicken Wintermänteln geworden. Draußen hatte es angefangen zu schneien, und drinnen perlten Wassertropfen von den Mänteln.

»Entschuldigen Sie bitte«, sagte Ísleifur.

»Keine Ursache«, entgegnete Thorson. »Es ist Ihnen sicher unangenehm, am späten Abend einen Besuch wie diesen zu bekommen.«

»Ich habe ihr jeglichen Umgang mit Soldaten strikt verboten, aber sie hört überhaupt nicht auf das, was ich sage. Das hat sie von ihrer Mutter, die erzieht sie zu diesem Ungehorsam.«

»Könnten wir vielleicht ... Gibt es nicht einen Raum, wo wir uns mit Ingiborg allein unterhalten können, das wäre sehr gut«, erklärte Flóvent. »Es dauert bestimmt nicht lange. Und wir bitten noch einmal um Entschuldigung für die späte Störung. Aber aus unserer Sicht duldet die Angelegenheit leider keinen Aufschub.«

»Sie können ins Wohnzimmer gehen«, sagte Ingiborgs Mutter und kam nach unten. Die Tochter folgte ihr, hielt aber immer noch ängstlich ihren Vater im Blick. Sie wollte ihn auf gar keinen Fall noch wütender machen, denn trotz allem hatte sie Respekt vor ihm. Ihr war klar, dass sie ihn hintergangen hatte, weil sie sich trotz seines Verbots mit Frank getroffen hatte.

Und jetzt war die Polizei im Haus, und es war ihre Schuld.

Ihre Mutter führte die Männer ins Wohnzimmer und schob Ingiborg hinterher. Ísleifur wollte ihnen folgen, aber seine Frau hielt ihn zurück.

»Wir können später mit ihnen reden«, sagte sie und schloss die Tür zum Wohnzimmer.

»Aber auch mit ihr«, entgegnete Ísleifur. »Sie soll uns Rede und Antwort stehen, die dumme Göre!«

»Sag doch nicht sowas«, entgegnete seine Frau, die jetzt ebenfalls wütend war. »Hör auf, so über deine Tochter zu reden!«

»Red doch kein dummes Zeug, Frau«, fuhr er sie an. »Begreifst du denn gar nichts? Das Mädchen hat sich mit einem Ami eingelassen. Und hier in unserem Haus ist die Polizei. Warum tut sie mir das an? Was werden die Leute sagen? Verstehst du denn nicht, dass die sich die Mäuler über uns zerreißen werden? Ich muss auf meinen Ruf achten. Ist dir das nicht klar? Daran denkst du wohl gar nicht, an meine gesellschaftliche Stellung?«

Sechs

Sie waren froh, die dicken Mäntel ausziehen zu können. Sie legten sie über eine Stuhllehne im Wohnzimmer. Flóvent setzte sich, nachdem Ingiborg Platz genommen hatte, Thorson blieb aber hinter ihm stehen. Vor fast zwei Stunden hatte Flóvent die Meldung erhalten, dass eine ältere Frau auf dem Weg ins Schattenviertel hinter dem Nationaltheater auf die Leiche einer jungen Frau gestoßen war. Außerdem hatte sie zwei Personen beobachtet, die Hals über Kopf davongerannt waren, und eine von ihnen konnte nur ein amerikanischer Soldat gewesen sein. Flóvent hatte sich mit Thorson in Verbindung gesetzt. Sie hatten schon vorher in einigen Fällen zusammengearbeitet, bei denen sowohl die isländische Polizei als auch die amerikanische Militärpolizei zuständig waren.

Bei Ausbruch des Krieges hatte Thorson sich sofort zur Armee gemeldet und war bald darauf als Dolmetscher nach Island versetzt worden, nachdem die Briten die Insel besetzt hatten. Erst arbeitete er für die britische Militärpolizei und später für die amerikanische, nachdem die Amerikaner die Briten abgelöst hatten. Als Kind isländischer Auswanderer war er in Kanada zur Welt gekommen. Da er fließend Isländisch sprach, war er ein wichtiger Verbindungsmann der Besatzungsmächte zur isländischen Polizei. Thorson hatte zwar kaum Erfahrung mit polizeilichen Ermittlungen, aber sein Interesse daran war groß. Deswegen war es zwischen ihm und Flóvent zur Zusammenarbeit in allen wichtigen Fällen gekommen, bei denen isländische Staatsbürger und Angehörige der Besatzungsmächte involviert waren. Sie verstanden sich gut, weil sie beide immer darauf bedacht waren, die anliegenden Fälle unbürokratisch zu lösen und soweit wie möglich eine komplizierte Abwicklung über offizielle Kanäle zu vermeiden, denn die beanspruchte enorm viel Zeit.

Flóvent war allein im Büro der Kriminalpolizei im Haus am Fríkirkjuvegur 11 gewesen, als der Leichenfund gemeldet wurde. Das Haus am Stadtteich ähnelte mit seinen Säulen und Balkons einer italienischen Villa. Es hatte lange einer der reichsten Familien des Landes gehört, doch vor dem Krieg war es in den Besitz des Anti-Alkoholiker-Verbands übergegangen, der einen Teil der Räumlichkeiten weitervermietete, unter anderem auch an die Kriminalpolizei. Flóvent arbeitete gern dort. Die Wenigen, die sich mit schweren kriminellen Delikten befassten, mussten sich wegen des Krieges mit anderen akuten und wichtigeren Dingen befassen. Die Arbeit der Kriminalpolizei lag sozusagen danieder.

Als das Telefon klingelte, war Flóvent gerade wieder ins Büro zurückgekehrt. Er hatte mit seinem Vater zu Abend gegessen und hatte vor, sich mit der Fingerabdrucksammlung zu beschäftigen. Sie hatten wieder einmal über die Grabstätte auf dem Friedhof an der Suðurgata gesprochen. Flóvent war alles andere als angetan von der Idee seines Vaters, herausfinden zu wollen, wo auf dem Friedhof sich die sterblichen Überreste seiner Mutter und seiner Schwester befanden. Der Vater wollte sie in ein neues Grab umbetten lassen, in dem auch sie beide zu gegebener Zeit eine Ruhestätte finden könnten. Flóvent hielt es für besser, nicht an vergangene Dinge zu rühren, versprach aber doch mit halbem Herzen, sich darum zu kümmern und herauszufinden, wer sonst noch in der alten Grabstätte lag, und ob es möglich war, sie zu öffnen. Das Grab war während der Spanischen Grippe ausgehoben worden, die 1918 auch in Island grassiert hatte. Damals starben oft so viele Menschen an einem Tag, dass sie nur in einem Massengrab bestattet werden konnten.

Auf dem Weg zum Büro blies der Wind kräftig aus dem Norden, als Flóvent schnellen Schritts die Lækjargata entlangging. Er hatte es sich zur Angewohnheit gemacht, den großen Dichter Jónas Hallgrímsson zu grüßen, wenn er an dessen Statue vorbeikam. Wie selbstverständlich hob er entweder die Hand zum Gruß oder rief sich die ein oder andere Zeile aus einem seiner Gedichte in Erinnerung. Es kam fast einem bösen Omen gleich, wenn er es vergaß. *Wer weint um einen Isländer, einsam und gestorben . . .*

Am Nationaltheater standen ein paar Gestalten, die Frau, die die Leiche gemeldet hatte, sowie zwei, drei andere Passanten und die Wachsoldaten aus der provisorischen Sandsackstellung.

Thorson hatte den Einsatzbefehl bekommen, als er sich im Militärbarackenviertel der amerikanischen Marine in der Nähe der Nauthólsvík-Bucht im Süden von Reykjavík aufgehalten hatte. Ihm stand ein Militärjeep zur Verfügung. Er fuhr so schnell wie möglich in die Stadt und traf genau in dem Augenblick beim Nationaltheater ein, als die Leiche abtransportiert werden sollte. Er begrüßte seinen isländischen Kollegen Flóvent und kniete neben der Leiche nieder.

»Sind das nicht Verletzungen am Hals?«, fragte Thorson.

»Es sieht so aus, als sei sie erwürgt worden«, antwortete Flóvent.

Beide kamen zu der Ansicht, dass die junge Frau nicht an diesem Ort ums Leben gekommen war, sondern wahrscheinlich erst nach dem Tod in dieser Nische abgelegt wurde. Das schlossen sie vor allem daraus, wie sie angezogen war. Sie trug nur ein dünnes Kleid, in dem hätte sie sich sicherlich nicht lange draußen aufhalten können. Zudem sah es danach aus, als hätte jemand versucht, ihre Leiche zwischen Pappkartons und anderem Abfall zu verstecken.

»Kein sonderlich gutes Versteck«, sagte Thorson und sah an den bedrohlich wirkenden dunklen Wänden des Gebäudes hoch.

»Nein, ganz gewiss nicht.«

»Vor dem Gebäude ist sogar eine militärische Stellung.«

Flóvent zuckte die Achseln. »Man kann von hinten an das Haus heranfahren, und man braucht nicht viel Zeit, um sich hier einer Leiche zu entledigen.«

»Aber wieso am Nationaltheater?«

»Ja genau, wieso hier?«

»Vielleicht wollte der Mörder dem Ganzen so etwas wie einen dramatischen Rahmen verleihen, als er sie genau hier platzierte«, sagte Thorson.

»Was ist mit den Soldaten in diesem Depot?«, fragte

Flóvent. »Kam sie von dort? Hat sie hier jemanden gekannt?«

»Wieso ist die Frau so sicher, dass es ein Amerikaner war?«, fragte Thorson, statt auf die Frage zu antworten. Er sah zu der Frau hinüber, die die Leiche gefunden hatte. Sie stand etwas abseits bei zwei Polizeibeamten und beklagte sich, sie habe keine Zeit, sie müsse schon längst zu Hause sein.

»Sie ist sich anscheinend ganz sicher.«

»Es gibt aber doch noch anderes Militär hier. Es sind immer noch ein paar Engländer da, aber auch Kanadier und Norweger.«

»Die Frau hat das junge Mädchen erkannt, das bei diesem Soldaten war.«

»Tatsächlich?«

»Sie sagt, sie hat das Mädchen unterrichtet. Sie ist Lehrerin am Gymnasium.«

»Es ist anscheinend kein allzu schwieriger Job«, sagte Thorson und zog den Mantel dichter an sich.

»Was?«

»Polizeibeamter in Reykjavík zu sein.«

»Mag sein«, entgegnete Flóvent. »Ich werde jetzt einen Fotografen hierher bestellen. Wir brauchen Fotos vom Tatort.«

Ingiborg traute sich kaum hochzublicken, sie hatte sich auf einen Sessel gekauert und stellte sich die ganze Zeit ihren Vater draußen in der Eingangshalle vor. Flóvent und Thorson war klar, dass sie äußerst behutsam vorgehen mussten, weil sonst die Gefahr bestand, dass das Mädchen zusammenbrechen würde.

»Sie sind nicht die Einzige, die sich heimlich mit

Soldaten trifft«, sagte Thorson freundlich. »Nicht die Erste und auch nicht die Letzte.«

Ingiborg versuchte zu lächeln.

»Wie heißt er?«, fragte Flóvent. »Der Soldat, mit dem Sie zusammen waren?«

»Könnten wir uns nicht lieber duzen?«, bat sie.

»Selbstverständlich«, sagte Flóvent.

»Frank«, erklärte sie. »Er heißt Frank. Habt ihr schon mit ihm gesprochen?«

»Nein. Kennst du seinen Nachnamen?«, fragte Thorson.

»Natürlich kenne ich seinen Nachnamen. Frank Caroll. Er ist Sergeant. Wieso wisst ihr, dass ich dort war? Hat mich jemand gesehen?«

»Reykjavík ist eine sehr kleine Stadt«, sagte Thorson.

»Eine Frau hat euch gesehen, die dich kennt«, sagte Flóvent. »Es spielt keine Rolle, wer sie ist – aber sie hat dich zusammen mit einem amerikanischen Soldaten gesehen. Sie dachte, dass ihr etwas mit dem toten Mädchen zu tun hattet und dass ihr deswegen weggelaufen seid. Stimmt das?«

»Nein!«, sagte Ingiborg. »Das Mädchen habe ich noch nie gesehen. Niemals. Frank und ich, wir waren ... Wir sind dort hingegangen, um ... Ihr wisst schon ...«

»Um euch zu lieben?«, fragte Thorson.

»Mein Vater ist dagegen, dass ich mit ihm zusammen bin. Das habt ihr ja mitbekommen. Er hat mir verboten, ihn zu treffen. Es ist alles so schwierig hier. Ich wollte auf keinen Fall in die Soldatenquartiere gehen, aber ich mochte auch nicht meine Freundinnen bitten, uns ihr Zimmer zu überlassen. Deswegen sind wir meist unter freiem Himmel zusammen. Wir waren auch schon vorher mal hinter dem Nationaltheater.«

»Gehört er zu den Bodentruppen?«

»Ich weiß nur, dass er Sergeant ist. Wir reden nicht viel über militärische Dinge. Er ist nicht gern Soldat, und er hat Angst davor, nach Europa versetzt zu werden.«

»Wo habt ihr euch kennengelernt?«

»Beim Tanz im Hotel Borg. Im vergangenen Herbst, oder eigentlich eher zu Beginn des Winters. Er ist ein ganz toller Mann, so höflich und zuvorkommend.«

»Ihr habt euch also meist bei Tanzveranstaltungen getroffen?«

»Ja. Er ... Er tanzt unglaublich gut.«

»Du findest es also schön, mit ihm zu tanzen?«, fragte Thorson, um die Atmosphäre etwas aufzulockern.

»Ja.«

»Was weißt du sonst noch über Frank?«

»Er kommt aus Illinois. Er ist fünf Jahre älter als ich. Wenn er aus dem Militärdienst entlassen wird, möchte er Autohändler werden. In Amerika haben alle ein Auto. Er geht gern ins Kino, aber ich wollte nicht mehr mit ihm ins Kino gehen, nachdem mein Vater mir verboten hatte, mich mit ihm zu treffen. Er hat zwei Brüder, und er wohnt noch bei seinen Eltern. Sein Vater ist aber schon tot.«

»Hat er dieses Mädchen erwürgt?«, fragte Flóvent abrupt.

Ingiborg schrak zusammen. Die Frage traf sie völlig unerwartet.

»Um Himmels willen, nein! Er hat ihr überhaupt

nichts getan! Ich weiß nicht, wer das Mädchen war. Mein Gott, wie kommt ihr denn auf so etwas? Ist sie erwürgt worden?«

»Hast du ihm dabei zugesehen, als er die Tat verübt hat?«

»Ich?! Nein, ich … Nein, wie kannst du so etwas sagen!«

»Habt ihr sie hinter das Nationaltheater geschafft und dort wie Abfall deponiert?«

»Mein Gott, wie kannst du so etwas sagen …«

Sie fing an, leise zu schluchzen.

»Weshalb seid ihr dann weggelaufen?«

»Er wollte es. Frank hielt es für das Vernünftigste. Er hat gesagt, es sei nicht unser *business*. Und … er hatte ja auch völlig recht. Wir hatten nicht das Geringste damit zu tun. Absolut gar nichts. Es ist einfach schrecklich. Wirklich schrecklich. Natürlich hätten wir nicht weglaufen sollen, aber …«

»Weiß dein Freund, dieser Frank, dass dein Vater ein hochgestellter Ministerialbeamter ist?«

»Nein.«

»Er wird nach der Gründung der Republik im Sommer einer der wichtigsten Ratgeber der isländischen Regierung sein.«

Ingiborg sah Flóvent an.

»Frank weiß nur eines, nämlich dass mein Vater ihn verachtet und nichts mit ihm zu tun haben will.«

»Hast du das Mädchen schon früher mal getroffen?«

»Nein, noch nie. Ich hab sie noch nie gesehen, und ich habe keine Ahnung, wer sie ist. Wisst ihr schon, wer sie ist?«

»Weshalb hat dieser Frank gesagt, dass es am besten

sei wegzulaufen?«, fragte Thorson, ohne auf Ingiborgs Frage einzugehen.

»Weil sie uns gar nichts anging«, erklärte Ingiborg. »Das stimmt wirklich. Wir haben sie nur gefunden. Wir haben ihr nichts getan. Wir haben ihr wirklich nichts getan.«

»Woher weißt du das?«

»Was?«

»Dass sie euch nichts anging?«

»Ich weiß ja noch nicht einmal, wer sie ist. Ich hab sie nie zuvor gesehen.«

»Und was ist mit deinem Freund Frank?«

»Was soll mit ihm sein?«

»Kannte er das Mädchen?«

»Frank? Nein.«

»Woher weißt du das?«

»Weil ... Ich weiß es einfach. Wieso fragst du danach? Wieso glaubst du, dass er sie gekannt hat?«

»Weil er abgehauen ist«, erklärte Thorson. »Es könnte eine Erklärung dafür sein, dass er die Flucht ergriffen hat. Weil er sie kannte.«

Ingiborg starrte ihn entgeistert an, während sie zu begreifen versuchte, was Thorson gerade angedeutet hatte.

»Er hat sie nicht gekannt«, sagte Ingiborg. Sie klang aber nicht mehr so überzeugt wie zuvor, denn wenn sie es recht bedachte, wusste sie nicht sehr viel über ihren Liebsten, Frank Caroll aus Illinois.

»Na schön, Ingiborg«, sagte Flóvent, »ich glaube, es reicht für den Augenblick.«

»Nehmt ihr mich jetzt fest?«, fragte sie.

»Nein«, sagte Flóvent. »Wir werden dich nicht festnehmen. Aber wir müssen vielleicht später noch mal mit dir reden. Vielleicht sogar gleich morgen. Es macht dir hoffentlich nichts aus.«

Ingiborg nickte zustimmend.

»Vielleicht solltest du jetzt ihre Eltern hereinholen«, sagte Flóvent zu Thorson. Er sah die entsetzte Miene, die sich auf dem Gesicht der jungen Frau ausbreitete.

Am Spätnachmittag des nächsten Tages, als Thorson sämtliche Rekrutierungslisten der in Island stationierten Amerikaner sowie sicherheitshalber auch die Listen mit Armeeangehörigen anderer Nationalitäten durchforstet und einige Telefonate geführt hatte, rief er im Fríkirkjuvegur 11 an.

»Sie hat uns angelogen«, sagte er, als Flóvent ans Telefon ging.

»Was genau meinst du damit?«

»Wir finden ihren Sergeanten nicht.«

»Ihr findet diesen Frank nicht?«

»In Island gibt es keinen Soldaten mit dem Namen Frank Caroll.«

»Bist du sicher?«

»Ja. Diesen Mann gibt es nicht.«

»Und dass er womöglich aus Illinois stammt, hilft auch nicht weiter?«

»Nein. Das ist selbstverständlich auch eine Lüge«, erklärte Thorson.

Sieben

Marta war sehr beschäftigt, als Konráð im Polizeidezernat vorbeischaute. Nach seiner Pensionierung hatte
er sich nur noch sehr selten dort blicken lassen. Meist
erfuhr er nur aus den Nachrichten, welche Fälle gerade
bearbeitet wurden.

»Ich wüsste gern, ob du vielleicht Hilfe gebrauchen
kannst, was den Fall mit dem alten Mann betrifft«,
sagte er, als Marta für einen Augenblick den Hörer nie-
derlegte. Sie saßen in ihrem Büro, das mit Stapeln von
Papieren, Aktenordnern, Zeitungen und anderen Dingen vollgestopft war, die Marta im langen Lauf der
Jahre angesammelt hatte. Das wenigste davon gehörte
in ein Büro. So gab es dort den eindrucksvollen Säbel
eines dänischen Offiziers, der um die Jahrhundert-
wende gelebt hatte. Sie war in einem Antiquitäten-
laden auf ihn gestoßen. Er steckte in der Scheide und
beschwerte einen Papierstapel auf der Fensterbank.
Konráð hatte nie danach gefragt, weshalb sie dieses
Objekt gekauft hatte, aber er erinnerte sich dunkel,
dass jemand ihm gesagt hatte, ihr Großvater sei Kom-
mandant bei der isländischen Küstenwache gewesen.

»Im Ernst?«, fragte Marta.

»Fehlen denn nicht immer Leute?«

»Hast du nicht aufgehört?«

»Ja, natürlich. Und ich möchte auch nicht wieder einsteigen, mach dir keine Sorgen. Ich dachte nur, ich könnte dir bei diesem Fall helfen, wenn du möchtest.«

»Warum?«

»Ich langweile mich«, erklärte Konráð. »Du brauchst niemandem etwas davon zu sagen. Ich würde in Verbindung mit dir bleiben, und falls ich was Wichtiges herausfinde, melde ich mich bei dir.«

»Konráð ... Ich ... Du bist doch pensioniert«, sagte Marta. »Ist es nicht am besten, es dabei zu belassen? Du kannst nicht einfach so einen Deal mit mir machen, das geht nicht. Du kommst vielleicht auf Ideen.«

»Du entscheidest natürlich«, sagte Konráð.

»Klar tu ich das«, entgegnete Marta.

»Na gut.«

»Ja. Wir bleiben in Verbindung«, sagte Marta und griff nach ihrem Mobiltelefon.

»Es ist nur ...«

»Was?«

»Ich bin in dem Stadtviertel aufgewachsen«, sagte Konráð. »Und ich habe von dem toten Mädchen gehört, als ich noch dort lebte. Also bin ich ...«

»Du bist neugierig?«

»Ich wüsste zu gern, weshalb dieser Mann die Zeitungsausschnitte über diesen Fall aufbewahrt hat. Ich glaube, er ist nie aufgeklärt worden.«

»Konráð ...«

»Du würdest mir einen großen Gefallen tun, Marta, aber dazu müsste ich in seine Wohnung kommen, alles andere kriege ich geregelt. Du kannst nicht verhindern, dass ich mich über einen Mordfall informiere, der vor fünfundsechzig Jahren geschehen ist. Sobald die Leute von der Spusi ihren Job gemacht haben, besteht doch keine Gefahr mehr, dass ich irgendwelche Spuren vernichte.«

»Uns fehlen natürlich immer Leute«, sagte Marta nach längerem Schweigen. »Willst du dich wirklich mit so einem uralten Fall beschäftigen?«

»Ja.«

»Du musst mir aber eins versprechen.«

»Was?«

»Wenn du etwas herauskriegst, sagst du mir Bescheid. Und zwar umgehend.«

Zwei Tage später durfte Konráð in die Wohnung des Toten. Die Techniker von der Spurensicherung hatten alles untersucht, es bestand keine Notwendigkeit mehr, die Wohnung zu versiegeln. Konráð öffnete die Eingangstür mit einem Schlüssel, den er sich bei Marta im Büro geholt hatte. Er machte die Tür sorgfältig hinter sich zu.

Er wusste nicht genau, wonach er suchte. Außer dem Schlüssel hatte Marta ihm auch die Kopien der Zeitungsausschnitte gegeben, er hatte sie bereits im Auto gelesen. Sie hatten sich in einem Buch auf dem Schreibtisch im Wohnzimmer befunden. In diesen Artikeln gab es drei Varianten von Nachrichten über das Mädchen, das an einem Hintereingang des Nationaltheaters tot aufgefunden worden war. Alle drei waren nicht datiert, doch sie schienen aus der Zeitung *Tíminn* zu stammen. Die erste Nachricht besagte, dass ein junges Mädchen tot aufgefunden worden war, wahrscheinlich war sie erwürgt und nach der Tat zu einem der Hintereingänge des Nationaltheaters befördert worden. Der Kriminalbeamte namens Flóvent, der mit der Ermittlung betraut war, hatte zu verstehen gegeben, dass es sich um ein abscheuliches Verbrechen handelte, eine sorgfältig geplante und vorsätzliche Tat. Im nächsten Artikel hieß es, dass die Ermittlung gute Fortschritte machte. Bei der Obduktion wurde Tod durch Ersticken festgestellt, und die Abdrücke und Hämatome am Hals deuteten darauf hin, dass die junge Frau mit bloßen Händen erdrosselt worden war. Über die Hintergründe des Mordes war nichts bekannt, man wusste nicht einmal, wer die Tote war. Die Polizei bat um sachdienliche Hinweise aus der Bevölkerung, auch wenn sie noch so unbedeutend erscheinen würden, selbst die kleinsten Hinweise zählten. Die dritte Nachricht besagte, dass nach einem amerikanischen Militärangehörigen gesucht wurde, der sich als Frank Caroll ausgegeben und behauptet hatte, Sergeant zu sein, doch ein Mann dieses Namens sei nirgendwo in den Registraturlisten der amerikanischen Besatzungsmacht zu finden. In dem Artikel wurde darauf hingewiesen, dass der betreffende Soldat zusammen mit seiner isländischen Freundin am Fundort der Leiche beobachtet worden sei. Das junge Mädchen sei die Tochter eines hochgestellten Ministerialbeamten. Sie hätte von Anfang an mit der Polizei kooperiert, und alles deutete darauf hin, dass sie nichts mit dem Verbrechen zu tun hatte.

Konráð sah sich in aller Ruhe in der Wohnung um und überlegte, weshalb der Tote die Zeitungsausschnitte von einem Mord aufbewahrt hatte, der mehr als ein Menschenalter zurücklag. Er versuchte, sich in die Psyche dieses Menschen hineinzuversetzen, ausgehend von dem, was er in der Wohnung sah. Der alte Mann hatte sich zuletzt Haferbrei gekocht. Den Topf hatte er nicht mehr gewaschen. Er hatte sich Leberbrot in den Haferbrei gebrockt, im Kühlschrank lag noch die andere Hälfte davon. Und im Waschbecken stand der Teller, von dem er anscheinend gegessen hatte. Vom Inhalt des Kühlschranks her zu schließen, hatte der Mann sich nach traditioneller Art ernährt. Im Brotkasten befanden sich angeschimmeltes isländisches Fladenbrot und Roggenbrot. Im Küchenschrank gab es nur ein paar wenige Tassen und Teller. Auf der Arbeitsplatte stand ein Radio. Es war auf das erste Programm des isländischen Rundfunks eingestellt.

Im Schlafzimmer stand ein altes Einzelbett, und in ihm war der alte Mann aufgefunden worden. Neben dem Bett stand ein Nachtschränkchen mit einer Lampe darauf, und darunter ein amerikanischer Roman, *Die Früchte des Zorns*. Im Kleiderschrank fand sich nur ganz normale Kleidung, Hosen und Hemden, aber auch ein schwarzer Anzug, der aber anscheinend nicht viel getragen worden war. Im Badezimmer standen eine kleine Waschmaschine und schmutzige Wäsche in einem Korb daneben. Eine Zahnbürste ragte aus einem Glas.

Das Wohnzimmer war ordentlich aufgeräumt. In den Bücherregalen waren isländische und ausländische Bücher zu finden, alle schon etwas älteren Datums. In einigen ging es um Brückenbau. In einer Ecke stand ein Fernsehapparat, und an einer Wand hingen zwei billige Nachdrucke. Eine alte Couch und zwei dazugehörige Sessel umrahmten einen kleinen Couchtisch. Und außerdem war da noch der Schreibtisch mit etlichen

Rechnungen, die auf den Namen des Toten ausgestellt waren.

Konráð setzte sich an den Schreibtisch. Alles deutete darauf hin, dass der Tote in seinen letzten Jahren ein einfaches und anspruchsloses Leben gelebt hatte, wie in Anbetracht seines hohen Alters auch nicht anders zu erwarten gewesen war. Es überraschte Konráð allerdings, dass es keinerlei persönliche Erinnerungsstücke gab, die darauf hindeuteten, dass der Mann Verbindung zu Familienangehörigen oder Freunden gehabt hatte. Keinerlei Korrespondenz, keine Fotos von Familienangehörigen, keinen Computer, mit dem er Emails hätte verschicken können. Ein stilles Alleinsein sprach aus jedem Gegenstand in dieser Wohnung – am meisten vielleicht wegen der Dinge, die es dort nicht gab.

Konráð fand keine Hinweise auf das, wonach er suchte. Weshalb hatte das Leben des Mannes gewaltsam geendet, und was für Erklärungen gab es dafür, dass der alte Mann die Zeitungsartikel mit den Nachrichten über den alten Mordfall aufbewahrt hatte? Das Buch, in dem sie sich befunden hatten, lag auf dem Schreibtisch. In ihm ging es um übersinnliche Phänomene, um isländische Volkssagen und Märchen.

Konráð war sehr erstaunt gewesen, als er von den Zeitungsausschnitten erfuhr. Er war in diesem Viertel auf der Lindargata aufgewachsen, nur einen Steinwurf vom Nationaltheater entfernt. Es wurde Skuggasund, Schattenviertel, genannt, denn es war auf dem Land eines ehemaligen Bauernhofs entstanden, der Skuggi hieß – Schatten. Die Geschichte der toten jungen Frau hatte er schon früh von seinem Vater gehört. Er war fest davon überzeugt gewesen, dass amerikanische

Soldaten die Schuld an ihrem Tod trugen. Sein Vater hatte anscheinend viele Soldaten gekannt und es ihnen durchaus zugetraut, dass sie isländische Mädchen erst verführten und sie dann hinter irgendeinem Haus in die Ecke warfen. Seiner Meinung nach war der Fall unter den Tisch gekehrt worden, weil ein hoher Offizier bei den Amerikanern involviert war; dementsprechend hatten die Militärbehörden dafür gesorgt, dass er das Land verlassen konnte. Konráð bekam aber niemals zu wissen, was für Gründe sein Vater für diese Behauptung hatte. Erst kurz vor dem Tod des Vaters hatte er von ihm erfahren, was auf der Séance mit den Eltern des ermordeten Mädchens passiert war. Er war zwar nicht stolz darauf, aber wie gewöhnlich bereute er auch nichts. Konráðs Vater war kein Spiritist und hatte deswegen überhaupt nichts mit Séancen zu tun – er arrangierte sie nur, um Leute reinzulegen und abzukassieren. Und das war ihm häufig genug gelungen. Trotzdem behielt er dank seiner Schwester so etwas wie eine Verbindung zur jenseitigen Welt. Sie jedenfalls glaubte an all das, was normale Menschen als Aberglauben abtaten. Sie glaubte an Bannflüche und Verwünschungen, sie glaubte an ein Weiterleben nach dem Tod, an Gespenster und Unholde, an Elfen und andere okkulte Wesen. Sie kannte unzählige Geschichten, die ihr Bruder sich bei seinen Täuschungen zunutze machte. Sie war überzeugt, dass es immer gute Gründe dafür gab, wenn Verstorbene keine Ruhe im Grab fanden und zu Wiedergängern wurden. Diese Gründe musste man finden und das Problem lösen, damit die Toten ihre Ruhe fanden. Diese spökenkiekerische Tante väterlicherseits, die in Nordisland den Hof der Eltern bewirtschaftete, hielt sich für seherisch begabt. Sie behauptete, dass der verkrüppelte Arm von Konráð von einem Fluch herrührte, der auf der Familie lastete.

Konráð ging noch einmal durch die Wohnung, schaute sich die Bücherregale an, ging in die Küche und ins Schlafzimmer. Als er die Schublade in dem Nachtschränkchen neben dem Bett herauszog, fand er dort ein vergrößertes Foto, das auf einer alten, zerlesenen Bibel lag. Es zeigte einen schönen jungen Mann um die dreißig, und Konráð glaubte zu erkennen, dass die Aufnahme aus den fünfziger Jahren stammen musste. Schwarzweiß, unbeschriftet und ungerahmt. Die Rückseite war vergilbt, aber ansonsten war das Foto bis auf ein paar Flecken in einer Ecke gut erhalten. Der Mann auf dem Foto sah direkt in die Kamera. Er hatte dunkles Haar und dichte Augenbrauen. Um seine Lippen spielte ein schwaches rätselhaftes Lächeln.

Konráð nahm das Foto mit ins Wohnzimmer und setzte sich auf den Schreibtischstuhl des alten Mannes. In der einen Hand hielt er die kopierten Zeitungsartikel, in der anderen das Foto, und seine Blicke wanderten nachdenklich von diesen Gegenständen zu dem Buch, das auf dem Schreibtisch lag. Er dachte an seinen Vater zurück, an das ermordete Mädchen, an die Besatzungszeit, an die Séancen mit den geplagten Seelen von Verstorbenen – und an den alten alleinstehenden Mann, der wie schlafend in seinem Bett gelegen hatte, aber keines natürlichen Todes gestorben war.

Acht

Konráð schreckte aus seinen Überlegungen hoch, als an die Tür geklopft wurde. Dreimal. Er stand vom Schreibtisch auf und ging etwas zögerlich in die Diele, weil er nicht wusste, wie er reagieren sollte. Noch einmal klopfte es, diesmal etwas entschlossener.

»Hallo«, hörte er rufen. »Ist jemand da drinnen?«

Er musste darauf reagieren und öffnete die Wohnungstür. Vor ihm stand eine ziemlich große dunkelhaarige Frau mittleren Alters.

»Ich hab gehört, dass jemand in die Wohnung gegangen ist«, sagte sie. »Bist du vielleicht mit Stefán verwandt?«

»Nein«, entgegnete Konráð. »Ich bin hier im Auftrag der Polizei.«

»Ach ja? Ich habe dich aber nicht vorher hier gesehen.«

»Nein. Ich wollte auch gerade gehen«, sagte Konráð, ohne näher auf seine Anwesenheit einzugehen.

»Ich bin Björg«, stellte sich die Frau vor. »Meine Wohnung im zweiten Stock liegt genau über der von Stefán. Ich hab schon mit einer von euch gesprochen, sie hieß glaube ich Marta.«

»Genau«, sagte Konráð.

»Wisst ihr schon, was hier passiert ist?«, fragte

Björg, die verständlicherweise neugierig war, mehr über das Schicksal ihres Hausgenossen zu erfahren. Sämtliche Medien hatten von seinem Tod und den möglichen Todesursachen berichtet.

»Nein«, sagte Konráð. »Wir sind noch keinen Schritt weitergekommen.«

»Wer tut so was, wer fällt über so einen alten Mann her? Er hatte doch sowieso nicht mehr lange zu leben.«

»Hast du ihn gut gekannt?«, fragte Konráð.

»Nein, das kann ich nicht behaupten. Er lebte sehr zurückgezogen. Wir sind schon seit – ja, seit acht Jahren Nachbarn, aber gekannt habe ich ihn kaum.«

»Wer lebt hier unten in der Wohnung gegenüber?«

»Das ist Birgitta, sie ist Witwe. Wahrscheinlich hat sie ihn am besten gekannt, sie wohnt auch am längsten im Haus.«

Die Frau beugte sich zu Konráð hinüber und senkte die Stimme.

»Mit der solltest du mal reden. Da war was zwischen den beiden. Vor allem, seit ihr Mann vor zwei, drei Jahren gestorben ist, würde ich meinen.«

»Da war was?«

»Ja. Vielleicht sogar mehr als nur Freundschaft. Ich möchte aber auf keinen Fall irgendwelchen Klatsch und Tratsch verbreiten, verstehst du. Mich geht es ja nichts an.«

»Hast du bemerkt, dass er in letzter Zeit Besuch hatte?«

»Nein. Danach habt ihr schon gefragt. Er hat nicht viel Besuch bekommen. Aber ich hab auch nicht besonders darauf geachtet.«

Kurze Zeit später klopfte Konráð bei Birgitta. Sie war klein und hatte silbergraues Haar. Ihre Bewegungen waren langsam, und in ihrem milden und gütigen Gesichtsausdruck lag ein melancholischer Zug. Sie schien nicht sonderlich daran interessiert zu sein, mit Konráð zu sprechen, weil sie der Polizei bereits alles gesagt und dem nichts mehr hinzuzufügen hatte.

»Entschuldige bitte, wenn ich einfach so hereinplatze, aber es dauert nur ein paar Minuten«, sagte Konráð in dem Versuch sie umzustimmen.

»Na schön«, sagte sie schließlich, weil sie nicht unfreundlich sein wollte. »Bitte komm herein.«

Sie setzten sich ins Wohnzimmer und Konráð fragte, ob sie und Stefán sich schon lange gekannt hatten.

»Seit dem Tag, als er hier einzog. Das ist sicher schon fünfundzwanzig Jahre her«, sagte Birgitta. »Davor hatte er lange in Hveragerði gelebt. Mein verstorbener Mann Eyólfur hat zuerst Bekanntschaft mit ihm geschlossen, es war sozusagen eine Flurbekanntschaft. Sie haben sich über alles Mögliche unterhalten. Als Eyólfur starb, hat Stefán mir liebenswürdigerweise angeboten, mir bei diversen Sachen behilflich zu sein. Er kam oft auf einen Kaffee zu mir herein, bevor er einkaufen ging. Er hat immer nur hier im Viertel eingekauft.«

»Hatte er keine Familie?«

»Nein. Er hat nie geheiratet. Über Privates redete er nicht gerne. Wir hatten auch genug anderes, über das wir uns unterhalten konnten.«

»Hat er sich in seinem Alter wirklich noch ganz allein versorgen können?«

»Ja. Er war sehr rüstig für sein Alter, und er hatte eine Gesundheit wie ein Pferd, wie er sich selber ausdrückte. Er fand, dass er in einem Altersheim nichts verloren hatte.«

»Weißt du, ob er in letzter Zeit Besuch bekommen oder sich mit Leuten getroffen hat? Es kommt mir so vor, als sei er ein ziemlich einsamer Mensch gewesen.«

»Ja, er hat nicht viele Bekannte gehabt, und er hat so gut wie nie irgendwelche Freunde oder Verwandte erwähnt. Ich wüsste nicht, dass er in letzter Zeit Besuch bekommen hätte, aber vielleicht habe ich es auch einfach nicht bemerkt.«

»Was hat er beruflich gemacht?«

»Er war Bauingenieur, hat in ganz Island Brücken gebaut. Aber natürlich hatte er schon lange aufgehört zu arbeiten. Was glaubt ihr, was mit ihm passiert ist?«

»Schwer zu sagen.«

»Es heißt, dass er erstickt wurde. Dass jemand ihm ein Kissen aufs Gesicht gedrückt hat, und er war zu schwach, um sich zu wehren.«

»Ja, ungefähr so hat es sich wohl zugetragen«, sagte Konráð.

»Das kann nur ein Unmensch gewesen sein«, sagte Birgitta leise wie zu sich selber.

»Was ist mit den Nachbarn. Gab es da irgendwelche Feindschaften?«

»Mit den Nachbarn? Nein! Wieso?«

»Es war nur so eine Idee.«

»Nein. Ich dachte, ihr hättet mit allen geredet und festgestellt, dass niemand hier im Haus etwas damit zu tun gehabt haben kann. Hier leben lauter anständige Leute, die würden so etwas nie machen.«

Die Kripobeamten hatten tatsächlich mit allen Hausbewohnern geredet. Das Haus hatte drei Etagen mit insgesamt acht Wohnungen, in denen zumeist ältere Menschen lebten, die ihre Häuser verkauft und sich verkleinert hatten, nachdem die Kinder ausgezogen waren. Die meisten Wohnungen waren nicht sehr groß. Die Polizisten hatten sich auch mit den Anwohnern in den umliegenden Häusern unterhalten. Nur die wenigsten wussten überhaupt von Stefáns Existenz.

»Hat er jemals mit deinem Mann oder dir über das Nationaltheater gesprochen?«, fragte Konráð.

»Über das Nationaltheater? Soweit ich weiß, ist er nie ins Theater gegangen.«

»Ich meinte auch nicht unbedingt die Aufführungen dort, sondern eher Ereignisse, die etwas mit dem Nationaltheater zu tun hatten.«

»Was für Ereignisse denn?«

»Es geht um etwas in den Kriegsjahren.«

»In den Kriegsjahren?«

»Ja. Im Zweiten Weltkrieg«, sagte Konráð. Er achtete sehr auf seine Worte, er wollte nicht zu viel sagen, weil er ja schließlich selber auch nicht allzu viel wusste.

»Was denn für Ereignisse in den Kriegsjahren?«, fragte Birgitta neugierig.

Konráð wechselte das Thema. »War er ein gläubiger Mensch?«, fragte er.

»Darüber hat er nie gesprochen. Es kam mir aber nicht so vor, als wäre er gläubig gewesen oder hätte an irgendwas geglaubt.«

»Auch nicht an Übersinnliches?«

»Nein, ich denke nicht. Zumindest hat er nie über so

etwas geredet. Meinst du etwa ... Sag mal, was meinst du eigentlich?«

»Glaubte er an ein Leben nach dem Tod, hat er Séancen besucht?«

Birgitta sah Konráð lange an.

»Was hast du eigentlich da drinnen bei ihm gefunden?«, fragte sie.

»Viel war es nicht«, sagte Konráð lächelnd. »Er hat sich anscheinend mit isländischem Volksglauben beschäftigt. Weißt du vielleicht etwas darüber?«

»Nein«, erklärte Birgitta.

»Hat er mit dir über isländische Sagen und Märchen gesprochen?«

»Mir gegenüber hat er so etwas niemals erwähnt. Aber ...«

»Ja?«

»Du hast vorhin den Krieg erwähnt und gefragt, ob er Besuch bekommen hat oder andere besucht hat. Er hat mir erzählt, dass er jemanden in einem Altersheim hier in der Nähe besucht hat. Er wollte irgendetwas über eine Begebenheit in den Kriegsjahren herausfinden. Ich habe versucht, ihn danach zu fragen, aber er ist nicht darauf eingegangen. Anscheinend wollte er nicht darüber sprechen. Ich habe auch nicht weiter nachgebohrt. Ich wusste, dass er mir schon von sich aus davon erzählen würde, wenn es wichtig für ihn war.«

»Du weißt also nicht, was er in diesem Altersheim wollte?«

»Nein.«

»Ihr habt euch gut verstanden?«

»Ja, sehr gut. Wir waren befreundet.«

»Kennst du vielleicht noch andere Freunde oder

Bekannte von ihm, mit denen ich sprechen könnte?«, fragte Konráð. Er dachte an das Foto in der Nachttischschublade.

»Nein, da kenne ich niemanden.«

»Woher kam Stefán? Stammte er aus Südisland?«, fragte Konráð. Von Marta hatte er nicht viele Informationen über den Toten erhalten. »Du hast gesagt, dass er von Hveragerði hierher gezogen ist.«

»Stefán stammte aus Kanada«, sagte Birgitta. »Er wurde in Manitoba geboren und war das, was man einen West-Isländer nennt. Er ist während des Krieges nach Island gekommen.«

»Und hatte trotzdem diesen isländischen Namen Stefán þórðarson?«

»Nein. Oder ja, später schon. Zuerst hatte er seinen kanadischen Namen, aber später hat er ihn ändern lassen.«

»Seinen kanadischen Namen?«

»Zuerst hat er den Namen verwendet, den er in Kanada trug«, sagte Birgitta geduldig. »Als er sich in Island niederließ, hat er ihn in Stefán þórðarson ändern lassen.«

»Und wie hieß er, als er noch in Kanada lebte?«

»Dort hieß er Thorson. Stephan Thorson.«

Neun

Beim Ingenieurverband musste Konráð feststellen, dass nicht viel über Stefán þóðarson oder Stephan Thorson bekannt war. Seit seiner Pensionierung war bereits viel Zeit vergangen. Die ihm zustehenden monatlichen Rentenzahlungen wurden überwiesen, aber die Angestellten bei der Rentenversicherung für Ingenieure kannten ihn gar nicht. Marta war überrascht, als Konráð sie anrief und ihr sagte, dass der alte Mann aus Manitoba stammte. Davon hatte ihr Birgitta bei ihrem Gespräch nichts erzählt. Stefán hatte, soweit bekannt, nie geheiratet und auch keine Kinder gehabt. Niemand hatte ihn im Leichenschauhaus sehen wollen oder sich nach ihm erkundigt. Deswegen war es so schwierig, etwas über diesen Mann herauszufinden, und deswegen war Marta sowohl mürrisch als auch pampig.

»Es kann doch wohl niemand so vollkommen allein auf der Welt sein«, sagte sie zu Konráð am Telefon.

»Wieso nicht?«, entgegnete Konráð. Er hatte sich gerade von Birgitta verabschiedet und war auf dem Weg zu dem Seniorenheim, das der alte Mann besucht hatte. »Sämtliche Freunde und Bekannte befanden sich wahrscheinlich in Kanada, und seine engsten Verwandten sind womöglich schon längst gestorben. Einige Freunde hat er gehabt, zum Beispiel diese Birgitta.

Vielleicht gelingt es dir ja, noch andere ausfindig zu machen.«

»Das will ich hoffen«, sagte Marta. »Ich halte es für sehr wahrscheinlich, dass es einer von denen war, die ihm nahestanden.«

»Du meinst den Mörder?«

»Ja. Der alte Zausel öffnet die Tür für jemanden, den er kennt, und er lässt ihn in seine Wohnung. Sonst hätten wir Spuren eines Einbruchs oder einer Auseinandersetzung finden müssen. Gestohlen wurde nichts. Also ging es nur um den alten Mann. Trotzdem ...«

»Das kann nicht stimmen«, hielt Konráð dagegen. »Wir haben keine Ahnung, ob er denjenigen kannte, dem er die Tür geöffnet hat. Hier in Island macht man doch immer auf, wenn jemand klingelt oder anklopft. Wer das nicht macht, muss extrem misstrauisch sein. Es muss nicht sein, dass der alte Mann die Person oder die Personen gekannt hat, die ihm das angetan haben. Du kannst das nicht einfach als Gewissheit voraussetzen.«

»Es ist aber sehr wahrscheinlich. Ich werde mich mit der Polizei in Manitoba in Verbindung setzen, ob die etwas über diesen Stephen Thorson herausfinden können. Hast du nicht gesagt, dass er so hieß?«

»Stefán, nicht Stephen. Stefán Thorson.«

»Gibt es sonst noch etwas? Zum Beispiel über diese Zeitungsausschnitte?«

»Nein, außer ...«

»Außer was?«

»Es ist ein seltsam stiller Tod in diesem Schlafzimmer gewesen, aber dennoch ...«

»Dennoch was? Was willst du damit andeuten?«

»Dennoch passt es irgendwie zu der Art und Weise, wie dieser Mann gelebt hat. Er ist nie aufgefallen. Niemand weiß etwas über ihn. Um ihn herum passierte nichts Auffälliges, er lebte völlig zurückgezogen, und genauso ist er gestorben.«

Der Direktor des Seniorenheims, ein großgewachsener, lauter und vielbeschäftigter Mann, konnte kaum Zeit für Konráð erübrigen. Konráð war der Stimme nachgegangen, die ihm schon aus einiger Entfernung auf dem Korridor des Verwaltungstrakts an die Ohren drang. Soweit Konráð hören konnte, schnauzte er am Telefon einen Lieferanten an. Außer ihm waren noch zwei Männer in seinem Büro. Als der Direktor das Gespräch fluchend beendet hatte, sagte er etwas zu den beiden Männern und blickte dann Konráð an.

»Was kann ich für dich tun?«, fragte er. Im gleichen Augenblick klingelte das Telefon auf seinem Schreibtisch wieder. Er nahm den Hörer ab, sagte dreimal mit gleichen Abständen dazwischen nein und legte wieder auf.

Konráð begrüßte ihn und stellte sich vor.

»Ich versuche, Nachforschungen über einen Mann anzustellen, der vor einiger Zeit hier war und vermutlich einen der Heimbewohner besucht hat.«

»Wer soll das gewesen sein?«

»Er hieß Stefán. Er war selber sehr alt, an die neunzig. Stefán Þórðarson.«

»Das ist doch heutzutage kein Alter mehr«, sagte der Direktor. »Die alten Leute sterben einfach nicht mehr.«

»Möglich. Mir fiel nur ein, ob er sich vielleicht an dich oder einen der Angestellten gewandt hat.«

»Stefán Þórðarson?«

»Ja.«

»Der Name kommt mir bekannt vor. Ist das nicht der Mann, der bei sich zuhause ermordet wurde? An den erinnere ich mich. Ein paar Tage vorher war er nämlich hier. Er hat nach unserer Vigga gefragt.«

»Vigga?«

»Sie ist Patientin bei uns. Sie ist praktisch bettlägerig und die meiste Zeit nicht mehr so richtig auf dieser Welt. Sie hat früher in dem Viertel beim Nationaltheater gewohnt. Im Schattenviertel.«

Konráð starrte den Mann an.

»Weißt du, was er von ihr wollte?

»Nein. Ich glaube, er hat gesagt, dass sie früher mal befreundet waren.«

»Ich kenne eine Frau, die Vigga genannt wurde und im Schattenviertel lebte«, sagte Konráð. »Sie muss steinalt sein. Hat er vielleicht bei euch nach ihr gesucht?«

»Hier bei uns gibt es nur *eine* Vigga. Möchtest du mit ihr sprechen? Was hast du gesagt, wer du bist? Bist du von der Polizei?«

Das Telefon klingelte wieder, und der Mann nahm ab.

»Vielen Dank«, sagte Konráð. »Ich finde mich schon zurecht«, fügte er hinzu und beeilte sich, aus dem Büro zu kommen. Als er über den Korridor ging, erinnerte er sich an seine Kindheit im Schattenviertel. Vor nichts hatte er sich mehr gefürchtet als vor der Frau, die auf der Lindargata wohnte und Vigga genannt wurde. Erst sehr viel später hatte er herausgefunden, dass sie 1915 geboren war. Damals alterten die Menschen rasch, weil sie schwer arbeiten mussten, und in seinen Augen war sie immer schon eine alte Schachtel gewesen, obwohl sie damals noch nicht einmal vierzig gewesen war.

Vigga war alleinstehend, und den Kindern fiel sie wegen ihrer merkwürdigen Kleidung und ihrer seltsamen Angewohnheiten auf. Sie nannten sie die fiese Vigga, sie fürchteten sich vor ihr und gingen ihr möglichst aus dem Weg, wenn sie allein unterwegs waren. In der Gruppe waren sie aber mutig genug, um sich über die Frau lustig zu machen. Das geschah nicht oft, aber wenn, dann reagierte sie jedes Mal fuchsteufelswild, was die Sache nur noch spannender machte. Wenn die Kinder Vigga aus der Tür kommen sahen und sie Anstalten machte, ihnen nachzusetzen, stoben sie kreischend auseinander. Es konnte vorkommen, dass sie wirklich einen oder zwei von ihnen erwischte, und dann setzte es Prügel und schlimmere Schimpfworte, als sie je gehört hatten. Für siedendes Blei schien sie eine besondere Vorliebe zu haben, denn sie drohte den Kindern, sie damit zu übergießen. Einmal hatten sie ihr Haus mit Schneebällen bombardiert, und bei der Gelegenheit hatte sie sich Konráð geschnappt, der damals sechs Jahre alt war. Sie sprang in voller Montur aus dem Haus, einer Strickjacke und drei verschlissenen Pullovern, die sie genau wie ihre verschiedenen Röcke übereinandertrug. Ihre Beine steckten in enormen Gummistiefeln, die ihr bis übers Knie reichten. Konráð hätte entwischen können, wenn er sich nicht so dumm und tolpatschig angestellt hätte. Er rutschte aus und fiel hin, und sie packte ihn und verpasste ihm eine so heftige Ohrfeige auf die kalte Backe, dass ihm die Tränen kamen. Dann ließ sie ihn wieder los, drohte ihm aber, ihn unten in den Kohlenkeller zu stecken, wenn er sich nicht auf der Stelle fortscheren würde.

Konráð hatte nie Bekanntschaft mit diesem Keller gemacht, aber er wusste nur zu gut, wovon sie redete. Die schrecklichsten Geschichten über den Keller waren im Umlauf; über Kinder, die im Schattenviertel und im Nachbarviertel þingholt verschwunden und nie wieder zum Vorschein gekommen waren, weil Vigga sie in ihrem Keller verschmachten ließ. Vigga lebte allein in einem kleinen, wellblechverkleideten Haus am Rande des Viertels, und das ganze Haus schepperte, wenn man es mit Steinen bewarf. Bei starkem Frost bildeten sich an den dünnen Glasscheiben der Fenster Eisblumen. Viele Bekannte schien diese Frau nicht zu haben. Der Kohlenmann war der Einzige, der regelmäßig vorbeikam, abgesehen davon bekam sie kaum je Besuch. Der Mann kam alle zwei Wochen, bis Vigga sich eines Tages entschloss, ihrer Abneigung gegen jede Art von Fortschritt ein Ende zu setzen und ihr Haus an die städtische Heißwasserversorgung anschließen zu lassen. Sie verdiente sich ihr Geld mit Wäschewaschen für andere Leute, hatte Konráðs Mutter ihm gesagt und ihm aufs Strengste verboten, Vigga zu belästigen oder zu verspotten, weil die Frau es auch ohne ihre mutwilligen Kinderstreiche schon schwer genug hatte.

Konráð betrat das Zimmer, in dem Vigga unter einem weißen Oberbett lag und schlief. Ihm fiel unwillkürlich ein, wie es das Viertel seiner Kindheit immer wieder schaffte, sich auf verschlungenen Pfaden bei ihm in Erinnerung zu rufen. Er dachte an das Mädchen aus den Zeitungsausschnitten, die der alte Thorson bei sich aufbewahrt hatte, und an die Séancen seines Vaters. Und an Vigga, von der nur die grauen Haare und die runzlige Stirn zu sehen waren. Was konnte der alte Mann von dieser Frau gewollt haben, vor der er sich als Kind so sehr gefürchtet hatte und die der Tod immer noch nicht besiegt hatte?

Zehn

Der Arzt war ein Mann um die sechzig. Er hieß Baldur, stammte von Hornstrandir im äußersten Nordwesten und wirkte in jeder Hinsicht etwas grobschlächtig, was zu seiner tiefen Bassstimme passte. Er stand neben der Leiche des Mädchens, als Flóvent den Obduktionsraum betrat, und genehmigte sich gerade nach einem festen Ritual eine Prise Schnupftabak. Er streute sich die passende Menge Tabak zwischen Daumen und Zeigefinger auf den Handrücken und sog nacheinander erst ein wenig durchs linke und dann durchs rechte Nasenloch hoch. Anschließend zog er ein rotes Schnupftuch aus der Tasche seines Arztkittels und schneuzte sich.

»Grüß dich, mein lieber Flóvent«, sagte er und steckte das Schnupftuch wieder ein. »Du hast da wirklich einen leidigen Fall zu bearbeiten. Schrecklich, so ein junges Mädchen.«

»Hast du sie bereits untersuchen können?«

»Ich bin noch dabei. Sie ist anscheinend mit bloßen Händen erwürgt worden«, sagte der Arzt und strich mit dem Finger am langen, schlanken Hals der Toten entlang. Man konnte Hämatome in unterschiedlichen Farbschattierungen sehen, die den Hals wie dicke Finger umschlossen. »Ich gehe davon aus, dass es die Tat eines Mannes war, Flóvent. An den Hämatomen hier kann man erkennen, dass es kräftige Pranken gewesen sind. Er hat ihr ohne Mühe die Luftröhre zudrücken können, obwohl das Mädchen sich gewehrt hat. Sie hat versucht, um sich zu schlagen, und er hat ihr einen Hieb ins Gesicht versetzt. Und ihre Nägel sind abgebrochen, wie du siehst«, sagte Baldur und hob den Arm des Mädchens, um Flóvent die Finger zu zeigen.

»Kann das am Nationaltheater stattgefunden haben?«

»Nein, ich glaube nicht, dass es draußen geschehen ist. Dann müsste man Spuren vom harten Straßensplitt finden können. Ich sehe aber keine Kratzer und Schrammen dieser Art. Ich glaube nicht, dass sie unter freiem Himmel ermordet wurde.«

»Man hat sie also zum Theater geschafft, nachdem sie umgebracht worden war?«

»Das halte ich für sehr wahrscheinlich. Und sie muss bereits tot gewesen sein. Aber da ist noch etwas anderes, was du wissen solltest, ich muss es allerdings noch genauer untersuchen. Es kommt mir so vor, als habe das arme Mädchen eine Abtreibung machen lassen.«

»Tatsächlich?«

»Ja, und zwar erst vor Kurzem. Und fachmännisch wurde da nicht vorgegangen, es war eine verdammte Pfuscharbeit.«

»Was meinst du damit?«

»Ich kann mir kaum vorstellen, dass ein Arzt die Abtreibung vorgenommen hat«, erklärte Baldur. »Aber ausschließen kann man es natürlich nicht. Auch in meinem Beruf gibt es Stümper wie in jedem anderen. Hat das Mädchen einen Freund gehabt?«

»Wir wissen noch nicht einmal, wer sie ist«, sagte Flóvent. »Möglich wäre es.«

»Vielleicht hat sie sich mit einem Soldaten eingelassen?«

»Wir suchen nach dem Mann, der sie gefunden hat«, sagte Flóvent. »Ein amerikanischer Sergeant, der sofort die Flucht ergriffen hat, als er die Leiche sah. Er hat sich dort mit seiner isländischen Freundin herumgedrückt. Mit ihr haben wir schon gesprochen, sie konnte uns nicht viel sagen. Wir halten es für möglich, dass er das Mädchen erkannt hat. Weißt du, an wen sich das Mädchen mit ... mit diesem Problem hätte wenden können?«

»Du meinst die Abtreibung? Nein, da kenne ich mich nicht aus. In Island ist das zwar seit ein paar Jahren erlaubt, aber an strengste Bedingungen geknüpft – beispielsweise falls Gefahr für das Leben der Mutter besteht oder wenn eine Frau vergewaltigt wurde. Und auch bei Inzest. Aber das muss einwandfrei medizinisch nachgewiesen sein, bevor ein Arzt einen solchen Eingriff vornehmen darf. Es reicht nicht, dass das Kind von einem Ami stammt.«

»Das ist bestimmt für viele eine sehr heikle Angelegenheit«, sagte Flóvent.

»Ich gehe davon aus, dass es in der gegenwärtigen Situation nicht schwierig ist, einen solchen Eingriff vornehmen zu lassen«, entgegnete Baldur. »Aber das meiste brodelt unter der Oberfläche, so wie vieles andere in diesen seltsamen Zeiten.«

— — —

Die Suche nach Frank Caroll, Sergeant der amerikanischen Besatzungsmacht, hatte immer noch nichts ergeben. Thorson war überzeugt, dass der Mann seine Ingiborg angelogen hatte. Es war bekannt, dass Soldaten, die sich auf diese Weise amüsieren wollten, wesentlich mehr aus sich machten, als sie waren. Sie versprachen den Mädchen das Blaue vom Himmel herunter, und sie machten ihnen sogar weis, dass sie nach Endes des Krieges mit ihnen auf den Armen nach Amerika zurückkehren und ihnen die neue und wunderschöne Welt jenseits des großen Teichs zu Füßen legen würden. Thorson und Flóvent statteten Ingiborg noch einen Besuch ab, um sie nach dem Mann zu fragen, der sich Frank Caroll nannte. Ihrer Meinung nach bestand kein Grund, das Mädchen festzunehmen und einem offiziellen Verhör zu unterziehen.

Immer noch war nicht bekannt, wer die Tote war, die am Fuße der dunklen Mauern des Nationaltheaters gelegen hatte. Niemand hatte sie bei der Polizei als vermisst gemeldet. Die Nachricht von dem Leichenfund hatte sich überall herumgesprochen, in den Zeitungen war darüber berichtet worden, und auch im Rundfunk. Flóvent ging davon aus, dass sich über kurz oder lang irgendwelche Personen melden würden, die das Mädchen gekannt oder es vermisst hatten. Er unterrichtete Thorson darüber, dass die junge Frau kurz vor ihrem Tod eine Abtreibung hatte machen lassen.

Ingiborg war nicht mehr ganz so nervös, als Thorson und Flóvent ein zweites Mal vorsprachen, um sie nach ihrem amerikanischen Freund zu befragen. Sie und ihre Mutter waren allein zu Hause, als die beiden eintrafen. Nach dem ersten Besuch hatte der Vater seiner Tochter eine richtige Szene gemacht. Jetzt war er aber nicht dabei, und Ingiborg schien ein wenig lockerer zu sein. Ingiborgs Mutter durfte bei der Vernehmung nicht anwesend sein, sie wurde höflich gebeten, den Raum zu verlassen. Genau den Raum, in dem sie schon das erste Mal mit Ingiborg gesprochen hatten.

»Um die Wahrheit zu sagen, Ingiborg, wir finden keinen Frank Caroll unter den amerikanischen Militärangehörigen«, sagte Flóvent.

»Und das bedeutet, dass einer von euch beiden lügt«, sagte Thorson. »Entweder du lügst uns an, oder er dich.«

»Wenn sich herausstellen sollte, dass du uns belügst, Ingiborg«, sagte Flóvent, »dann müssen wir dich ins Dezernat bringen, und anschließend ins Gefängnis am Skólavörðustígur. Wir haben dich bislang schonend behandelt, wir haben Verständnis für deine Situation gehabt, aber wenn du uns nicht die Wahrheit sagst, können wir auch anders.«

»Ich lüge nicht«, sagte Ingiborg. »Ich würde euch nie die Unwahrheit sagen. Ich hab doch gar nichts getan. Wir haben da nur die Leiche gefunden, und…«

»Und was, Ingiborg?«, fragte Thorson.

»Er muss mich angelogen haben«, sagte Ingiborg leise. »Er hat mir gesagt, dass er Frank Caroll heißt. Mehr weiß ich einfach nicht.«

»Bist du schon öfter mal mit einem von den Soldaten ausgegangen?«, fragte Flóvent.

»Nein, ich bin doch kein Flittchen.«

»Hat er dir versprochen, er würde dich mit nach Amerika nehmen?«

Ingiborg schwieg.

»Hat er gesagt, dass er dich heiraten will?«

»Darüber haben wir geredet.«

»Wollte er dich schon bald heiraten oder erst nach dem Krieg?«

»Nach dem Krieg. Er hat furchtbare Angst davor, dass er nach Europa geschickt wird, direkt an die Front. Erst musste der Krieg zu Ende sein. Ich fand das auch vernünftig.«

»Und dann wollte er zu dir zurückkommen?«, fragte Thorson.

Ingiborg nickte.

»Ich bin keine dumme Gans, auch wenn ihr das vielleicht glaubt«, sagte sie. »Und ich bin auch kein Soldatenflittchen. Frank war mir gegenüber immer sehr aufrichtig. Er wusste, wie sehr mein Vater gegen unsere Beziehung war, und das hat ihm leidgetan. Er wusste, dass meine Familie unsere Liebe nie gutheißen würde. Dass wir ganz auf uns gestellt waren.«

»Und damit hast du dich abgefunden?«

»Du hast keine Ahnung, was es heißt, mit meinem Vater zusammenzuleben«, erklärte Ingiborg abweisend.

»Was weißt du sonst noch über diesen Frank?«, fragte Flóvent. »Hast du irgendwelche Rangabzeichen an seiner Uniform erkannt? Hat er irgendwann gesagt, welcher Kompanie er angehörte? Hat er irgendwelche Freunde erwähnt?«

»Nein, hat er nicht. Freunde von ihm habe ich höchstens im Hotel Borg getroffen, aber auf irgendwelche Abzeichen habe ich nie geachtet.«

»Erinnerst du dich an die Namen von seinen Freunden?«

»Nein.«

»Besitzt du irgendwelche Briefe von ihm? Oder Fotos?«

»Nein.«

»Hast du in letzter Zeit vielleicht mal darüber nachgedacht, dass alles, was er dir nach dem Fund der Leiche über sich selber gesagt hat, eine Lüge sein könnte?«, fragte Thorson.

Ingiborg hatte natürlich über Frank nachgedacht, wenn sie vor Sorge und Unruhe nachts keinen Schlaf fand. Frank hatte nicht sehr viel über sich und seine Verhältnisse erzählt, aber sie hatten sich wegen der Sprachschwierigkeiten kaum anders unterhalten können als im Telegrammstil. Dass er sich sehr für Autos interessierte, wusste sie, aber kaum etwas über seinen familiären Hintergrund. Sie kannten sich ja auch erst seit ein paar Monaten, und sie ging davon aus, dass sie ihn näher kennenlernen und mehr über ihn erfahren würde, je besser sie Englisch lernte. Er dagegen gab sich nicht die geringste Mühe, Isländisch zu lernen.

»Er muss auf jeden Fall Frank heißen«, sagte sie. »Im Hotel Borg haben ihn alle mit Frank angeredet. Die anderen Soldaten, die er dort traf. Seine Freunde.«

»Tja, vielleicht reicht es jetzt erst mal«, sagte Flóvent. »Wenn dir noch etwas einfallen sollte, meldest du dich bei uns.«

»Wisst ihr vielleicht schon, wer das Mädchen war?«, fragte Ingiborg.

»Nein, das wissen wir noch nicht«, antwortete Thorson.

»War sie vielleicht genau wie ich mit einem Soldaten zusammen?«

»Auszuschließen ist das nicht.«

»Mit jemandem wie Frank, der mit ihr hinters Nationaltheater gegangen ist?«

»Das werden wir noch herausfinden«, sagte Thorson, denn er wollte sie nicht verletzen. »Gab es einen besonderen Grund dafür, warum ihr euch ausgerechnet da getroffen habt?«

»Es war seine Idee«, sagte Ingiborg. »Er wusste davon, weil irgendwelche Freunde sagten, dass sie manchmal dorthin gingen. Die GIs.«

»Mit ihren Mädchen?«

»Ja.«

Den wachhabenden Soldaten in den Sandsackstellungen vor dem Nationaltheater war nicht aufgefallen, dass dort ein Mädchen allein unterwegs gewesen war. Sie konnten der Polizei nicht weiterhelfen. Andere Personen hatten sich nicht gemeldet; niemand, der an diesem Abend im Schattenviertel unterwegs gewesen war und möglichweise über Informationen verfügte, hatte sich bei der Polizei gemeldet – mit Ausnahme der Lehrerin. Es gab keinerlei Anhaltspunkte, auf welche Weise die Tote in die Nische an der Kirche befördert worden war, und erst recht nicht auf den Täter, der sie dorthin geschafft hatte. Das gesamte Gelände um das Nationaltheater herum war durchkämmt worden, aber man hatte nichts gefunden, was Hinweise auf das Schicksal der jungen Frau geben konnte.

Thorson leitete die Vernehmungen der Soldaten des amerikanischen Depots im Nationaltheater. Es gab wohl kaum einen Ort, der weniger einem Theater glich. Das Gebäude war noch im Bau, es gab nicht ein-

mal eine Bühne. In dem, was einmal der Zuschauer-
raum werden sollte, stapelten sich Kisten und Kästen
mit zivilem und militärischem Versorgungsmaterial.
Flóvent schlug vor, sich für die Ermittlung proviso-
risch im Kohlenkeller des Hauses einzurichten. Ursprünglich sollte das Gebäude mit Kohle beheizt werden, aber da es inzwischen die Heißwasserversorgung
gab, plante man, im Keller ein Restaurant einzurichten.

Im Depot herrschte viel Betrieb. Es sollte verlegt
werden, denn die Isländer hatten beschlossen, die Arbeiten am Bau des Theaters fortzusetzen.

Keiner der Soldaten, mit denen sie sich unterhielten,
hatte die tote junge Frau gekannt. Nur zwei Soldaten gaben zu, mit isländischen Mädchen befreundet zu sein.

»Soweit ich sehen kann, sind hier in Reykjavík ziemlich viele Leute mit dem Vornamen Frank stationiert«,
sagte Thorson, als er und Flóvent zu dessen Büro am
Fríkirkjuvegur gingen. »Das habe ich festgestellt, als
wir nach diesem Mann suchten, der sich Caroll nannte.
Der hat ihr ganz schön was vorgelogen. Sowas ist natürlich weder eine neue noch eine sehr originelle Masche.«

Flóvent trug einen Hut und den einzigen Wintermantel, den er besaß. Thorson hatte seine Uniform-
mütze auf, und unter dem Militärmantel trug er seine
Uniform. Wegen der Kälte gingen sie schnellen Schrit-
tes die Hverfisgata hinunter, die Hände tief in den Taschen vergraben. Die Turmuhr der Domkirche schlug
zweimal.

»Nein, das ist wirklich keine neue Masche«, sagte
Flóvent.

»Trotzdem müssten wir ihn finden können, vorausgesetzt, dass er nicht auch einen falschen Vornamen verwendet hat.«

»Wir kümmern uns um all die Franks, auf die Ingiborgs Beschreibung zutreffen könnte«, entgegnete Flóvent. »Und dann werden wir sehen, ob das Mädchen einen von ihnen identifizieren kann. Es wäre vielleicht nicht schlecht, wenn sie auch aus Illinois stammten.«

»Aber keiner von ihnen ist Sergeant.«

»Nein, damit habe ich auch nicht gerechnet.«

Sie verabschiedeten sich. Thorson fuhr zum Hauptquartier der amerikanischen Militärpolizei im Camp Laugarnes, während Flóvent zu Fuß zu seinem Büro in Haus Nummer elf am Fríkirkjuvegur marschierte. Als er dort eintraf, saß ein älteres Ehepaar auf der Wartebank in der Eingangshalle. Er marschierte an ihnen vorbei, ohne ihnen Aufmerksamkeit zu schenken. Die beiden standen auf und sahen ihm nach, als er zu seinem Büro ging. Die Sekretärin fing Flóvent ab und hielt ihn zurück.

»Die beiden da vorne möchten mit dir reden«, sagte sie und deutete mit einer Kopfbewegung auf das Paar.

»Wer?«

»Die beiden alten Leutchen da«, sagte die Sekretärin. »Wegen ihrer Tochter.«

Die letzten Worte betonte sie so, dass Flóvent begriff, was damit gemeint war. Er drehte sich um und sah zu den alten Leuten hinüber, die dicht beieinander standen. Ihre Blicke waren auf ihn gerichtet.

»Aber die sind doch viel zu alt«, flüsterte er.

»Sie war ihr Pflegekind«, sagte die Sekretärin ebenso leise. »Sie hoffen so sehr, dass sie es nicht ist. Sie haben in den Nachrichten davon gehört. Sie haben ihre Pflegetochter seit ein paar Tagen nicht mehr gesehen und wissen nicht, wo sie ist.«

Flóvent ging zu dem Ehepaar in dicken Wintermänteln und begrüßte die beiden. Der Mann schüttelte ihm die Hand und stellte sich und seine Frau vor. Beide wirkten zwar gefasst, dennoch war ihnen anzusehen, wie besorgt sie in Wirklichkeit waren. Flóvent schätzte sie auf etwa siebzig. Die Frau hatte einen lieben Gesichtsausdruck, ihr Mann dagegen war ziemlich schmal gebaut und hatte ein hageres Gesicht. Aber seinem Händedruck nach zu urteilen war er es gewohnt, hart anzupacken.

»Wir wollten Ihnen auf keinen Fall unnötige Scherereien machen«, sagte er. »Wir haben von dem Mädchen gehört, das da beim Nationaltheater gefunden wurde, sie soll um die zwanzig gewesen sein, und ...«

»Ich hab ihm gleich gesagt, dass er sich an die Polizei wenden soll, aber er wollte lieber noch abwarten, falls sie doch nach Hause kommen würde«, sagte die Frau. »Wissen Sie schon, wer die junge Frau war, die Sie da gefunden haben?«

»Nein, das wissen wir noch nicht«, sagte Flóvent. »Bisher hat niemand nach ihr gefragt.«

»Es ist nicht das erste Mal, dass sie sich einfach mal so abgesetzt hat«, sagte die Frau.

»Ach ja?«

»Aber sie ist immer wieder zurückgekommen.«

»Ich könnte mit Ihnen zum Leichenschauhaus gehen. Traut ihr euch das zu?«, fragte Flóvent.

Die Eheleute sahen sich an.

»Sie müssten sie identifizieren«, sagte Flóvent. »Nur so können wir Gewissheit bekommen.«

»Da bin ich noch nie gewesen«, sagte die Frau.

»Nein«, sagte Flóvent. »Es ist wohl auch kein Ort, den man unbedingt besuchen möchte.«

Er rief Baldur in der Pathologie an und bat ihn, sich bereitzuhalten. Anschließend ging er mit den Eheleuten zu einem Polizeiwagen und fuhr mit ihnen zum Nationalkrankenhaus, das eines der größten Gebäude in Island war. Baldur erwartete sie bereits am Eingang zur Pathologie und begrüßte sie. Er hatte die Leiche der jungen Frau wieder aus der Kühlung geholt. Sie lag unter einem dünnen weißen Laken auf dem Seziertisch. Die Eheleute standen dicht beieinander und hielten sich bei der Hand, als der Arzt das Laken vom Kopf des Mädchens nahm.

Flóvent sah, dass sie sie sofort erkannten. Die Hoffnung in ihren Augen erlosch, als sie sahen, dass diese junge Frau ihre vermisste Tochter war.

Elf

Baldur legte das Laken wieder über das Gesicht der Toten.

»Wer hat ihr so etwas antun können?«, stöhnte die Frau und sah ihren Mann an. »Das arme Kind.«

»Wir müssen Ihre Aussagen zu Protokoll nehmen«, sagte Flóvent. »Es wäre gut, wenn Sie mit mir ins Büro zurückkommen könnten.«

»Dürften wir …« Die Frau sah Flóvent an. »Dürften wir vielleicht allein mit ihr sein? Nur einen Augenblick?«

»Selbstverständlich«, sagte Flóvent und ging mit dem Arzt hinaus auf den Flur.

»Seid ihr schon weitergekommen bei der Suche nach diesem Ami?«, fragte Baldur, als sie alleine waren.

»Bislang ist er nur ein Zeuge, der vom Tatort geflüchtet ist«, antwortete Flóvent. »Ich denke, wir sollten da momentan nicht mehr hineindeuten. Thorson arbeitet mit uns daran. Kennst du ihn?«

»Nein.«

»Ein prima Kerl, er kommt aus Kanada, hat aber isländische Eltern. Ein West-Isländer also. In allem, was die Besatzungsmacht betrifft, arbeitet er gut mit uns zusammen.«

»Tja, in einer großen Schafherde gibt es wohl solche und solche«, kommentierte Baldur lakonisch.

»Wäre es nicht richtig, wenn du als Arzt ihnen die genaueren Informationen geben würdest, was wir über ihre Tochter wissen? Woran sie gestorben ist, und dass sie eine Abtreibung hinter sich hatte?«

»Kann ich machen, wenn du möchtest.«

»Es ist vielleicht besser, wenn sie es aus dem Munde eines Arztes erfahren.«

Baldur nickte zustimmend und ging wieder hinein zu den alten Leuten. Geraume Zeit verstrich, und Flóvent wartete unterdessen auf dem Flur und versuchte sich vorzustellen, wie dem Ehepaar zumute sein mochte. Es gelang ihm nicht.

Schließlich öffnete sich die Tür zum Obduktionsraum, und die beiden Alten kamen zusammen mit dem Arzt heraus. Die Frau hatte geweint und wischte sich mit einem Taschentuch über die Augen. Ihr Mann hielt sie im Arm, als sie den Korridor entlanggingen. Flóvent verabschiedete sich von Baldur und fuhr mit dem Ehepaar wieder zu seinem Büro am Fríkirkjuvegur. Er konnte ihnen »richtigen« Kaffee anbieten, den Thorson aus dem amerikanischen Depot besorgt hatte. Er ließ den beiden Zeit, sich wieder zu fangen, und vermied es, sie in ihrer Trauer zu bedrängen.

»Haben Sie herausgefunden, wer ihr das angetan haben kann?«, fragte die Frau schließlich.

»Leider haben wir immer noch keine konkreten Anhaltspunkte. Nun wissen wir aber, wer sie ist, und wir hoffen darauf, dass Sie uns vielleicht weiterhelfen können.«

»Ich kann mir einfach nicht vorstellen, wer ihr so

etwas hat antun können«, sagte der Mann. »Es ist so vollkommen unwirklich, dass gerade unserem Mädchen so etwas widerfahren musste.«

»Soweit ich weiß, war sie Ihre Pflegetochter?«

»Das stimmt«, sagte der Mann. »Rósmunda kam mit anderthalb Jahren zu uns. Wir haben uns immer nach Kindern gesehnt, aber daraus ist leider nichts geworden.«

»Und woher stammte sie?«

»Aus dem Bezirk Húnavatn«, sagte die Frau. »Meine Schwester hat dort auf einem Bauernhof gearbeitet. Bei ihr in der Nähe ist eine Mutter im Kindbett gestorben, und meine Schwester hat sich eingeschaltet. So ist es dazu gekommen, dass der Vater uns das Mädchen überließ.«

Der Ehemann erzählte, dass sie beide sich lange mit dem Gedanken herumgetragen hatten, ein Kind zu adoptieren. Unterdessen waren sie aber zu alt für eine Adoption geworden, und so gesehen war es so etwas wie eine allerletzte Chance für die beiden gewesen, als der Brief der Schwester bei ihnen eintraf. Auf dem Hof da oben im Norden herrschte echte Not, drei Kinder waren bereits auf Nachbarhöfe verteilt worden, und der Bauer war nicht abgeneigt, eines von seinen Kindern guten Leuten in Reykjavík anzuvertrauen. Die Schwester hatte dem Mann von ihrer Schwester und dem Schwager in Reykjavík erzählt, und der Bauer hatte nichts dagegen, die beiden zu treffen. Die Eheleute hatten deswegen eine beschwerliche Reise in den Norden auf sich genommen und den Vater des Mädchens kennengelernt, einen armen Bauern, der auf seiner kleinen Kate ein kümmerliches Dasein fristete.

Dort hatten sie das Mädchen zum ersten Mal in die Arme schließen können. Ein gesundes und munteres Kind, das fast zwei Jahre alt gewesen war. Die Mutter war vier Monate zuvor im Kindbett gestorben, als sie ihr achtes Kind zur Welt gebracht hatte.

»So unterschiedlich sind die Schicksale der Menschen«, fügte die Frau hinzu und sah Flóvent an.

Sie nahmen die kleine Rósmunda zu sich, erzählte der Mann weiter. Sie hatte es gut gehabt bei ihnen in der Stadt. In der Oststadtschule schaffte sie die Abschlussprüfung. Lernen war allerdings nicht ihre Stärke, auch wenn sie immer fleißig war und sich Mühe gab. Sie redeten mit ihr darüber, ob sie nicht auf eine weiterführende Schule gehen wollte, aber sie interessierte sich nicht für Schulbuchwissen. Zu Beginn des Krieges ging sie in einer Schneiderei in der Nähe des Stadtzentrums in die Lehre. Nähen und Handarbeit hatten ihr immer schon Spaß gemacht, und sie war richtig glücklich, als sie in der Schneiderei angestellt wurde. Sie wollte unbedingt lernen, Kleider und andere Garderobe zu nähen, und legte sich sehr ins Zeug. Sie hatte sogar schon ein schönes Kleid für ihre Mutter genäht.

»Sie hat mit uns darüber geredet, dass sie später ein eigenes Schneideratelier aufmachen wollte«, sagte die Frau, und ihr Stolz war nicht zu überhören.

»Daraus wird jetzt nichts mehr«, sagte ihr Mann.

»Es war so ein schönes Kleid«, fuhr seine Frau fort. »Wirklich wunderschön, und so akkurat genäht. Ich hab noch nie ein Kleid besessen, das mir so gut passte. Sie hatte so flinke Hände, und alles ging ihr ganz leicht von der Hand.«

»Sie haben erwähnt, dass sie schon früher einmal plötzlich verschwunden ist«, sagte Flóvent.

»Ja«, entgegnete der Mann. »Das war ungefähr vor drei Monaten.«

»Und was ist damals passiert?«

»Sie ist zwei Tage lang nicht nach Hause gekommen«, sagte er.

»Und sie hat uns eigentlich keine Erklärung dafür gegeben«, sagte die Frau.

»Wirklich nicht?«

»Nein. Das Kind ist wahrscheinlich einfach mit einem jungen Burschen zusammen gewesen. Sie wollte uns nichts sagen, und wir haben es gut sein lassen. Vielleicht hätten wir versuchen sollen, den Grund dafür zu erfahren. Zumindest denke ich das jetzt. Wo es zu spät ist.«

»Hat sie Ihnen wirklich keine Erklärungen dafür gegeben?«

Flóvent sah die Eheleute an.

»Sie hat nur gesagt, sie hätte ein bisschen Zeit für sich selber gebraucht, mehr nicht. Sie ist zwei Tage lang nicht nach Hause gekommen, aber wir haben nicht erfahren, warum.«

»Ist ihr vielleicht irgendetwas zugestoßen?«

»Ihr war nichts anzumerken.«

»Und sie hat gar nicht darüber geredet?«

Die Eheleute sahen sich an, antworteten aber nicht auf die Frage.

»Ist so etwas früher schon einmal vorgekommen?«, fragte Flóvent.

»Nein, noch nie«, sagte der Mann. »Nur dieses eine Mal. Wir wollten sie auch nicht zu sehr bedrängen.

Wenn etwas passiert sein sollte, worüber sie nicht mit uns sprechen wollte, dann war das ihre Angelegenheit. Wir haben gedacht, sie würde es uns vielleicht später sagen. Wenn sie sich wieder gefangen hätte.«

»Und hat sie das getan?«

»Nein, dazu ist es nicht gekommen ...«

Der Mann verstummte. Flóvent sah die alten Leute an, die bedrückt vor ihm saßen. Es war ihnen anzusehen, dass sie sich wünschten, sie hätten seinerzeit anders reagiert, als ihre Tochter zwei Tage lang nicht nach Hause gekommen war. Jetzt war es zu spät.

»Sie hat nur gesagt, wir sollten uns keine Sorgen machen«, sagte die Frau. »Es gäbe nichts, worüber wir uns Gedanken machen müssten.«

»Hatte sie zu der Zeit einen Freund?«

»Nicht, dass ich wüsste«, sagte die Frau.

»Und was ist mit Freundinnen? Wussten die, was ihr passiert ist?«

»Viele Freundinnen hatte sie nicht«, sagte die Frau. »Und einen richtigen Freund hat sie nie gehabt, obwohl sie so hübsch war. Sie hatte eine Freundin, die zusammen mit ihr in dieser Schneiderei gearbeitet hat.«

»Hatte sie noch Kontakt zu ihrer Familie in Nordisland?«, fragte Flóvent.

»Nein, nur ganz wenig«, antwortete der Mann. »Erst in den allerletzten Jahren hat sie sich etwas mehr für ihre Herkunft interessiert. Sie hat an den ... an ihren Vater geschrieben, muss ich wohl sagen. Und sie hatte auch vor, demnächst in den Norden zu fahren.«

»Weiß sie schon lange, dass ihre Familienangehörigen im Norden leben?«

»Schon immer«, sagte die Frau. »Wir haben nie

ein Geheimnis daraus gemacht, falls Sie das meinen. Wir haben nichts vor ihr geheim gehalten. Unsere Verbindung war nicht so. Sie war aber trotzdem unsere Tochter.«

»Sie hat Ihnen aber nicht sagen wollen, weshalb sie zwei Tage lang nicht nach Hause gekommen ist?«

Die Eheleute schwiegen.

»Sie wird ihre Gründe gehabt haben«, sagte der Mann schließlich.

»Hat sie irgendwelche Kontakte zu amerikanischen Soldaten gehabt?«

»Soldaten?«, wiederholte die Frau verwundert. »Nein, auf gar keinen Fall. Das ist ausgeschlossen.«

»Weshalb sind Sie sich so sicher?«, fragte Flóvent.

»Weil sie nichts mit denen zu tun haben wollte«, antwortete die Frau. »Sie können mir glauben, sie kannte keine Soldaten. Ich meine persönlich. Natürlich können da vielleicht irgendwelche Soldaten in die Schneiderei gekommen sein, aber mehr war da nicht. Sie ist ganz bestimmt nicht mit ihnen ausgegangen. Sie hat nie etwas dergleichen erwähnt. Nie.«

»Wann haben Sie sie zuletzt gesehen?«

»An dem Tag, an dem Sie Rósmunda gefunden haben«, sagte der Mann. »Sie ist morgens zur Arbeit gegangen, und danach haben wir sie nicht mehr gesehen. Wir sind nämlich an dem Tag aufs Land gefahren und haben bei Freunden in Selfoss übernachtet. Sie wohnen ganz in der Nähe von dem schönen Haus bei der Brücke.«

»Wir waren ja nicht lange weg, und wir gingen davon aus, dass mit ihr alles in Ordnung war«, fügte die Frau hinzu. »Von dem toten Mädchen beim Nationaltheater haben wir in den Nachrichten gehört, aber das haben wir natürlich nicht mit unserer Rósmunda in Verbindung gebracht. Als wir gestern Abend nach Hause kamen, war sie nicht da und blieb auch die ganze Nacht aus. Am nächsten Morgen haben wir mit der Besitzerin der Schneiderei gesprochen, aber sie konnte uns auch nichts sagen, außer dass sie gestern nicht zur Arbeit erschienen war. Sie war davon ausgegangen, dass sie krank sein müsste. Erst dann kam uns dieser Verdacht...«

»Weshalb fragen Sie, ob sie etwas mit einem amerikanischen Soldaten hatte?«, fragte der Mann und lehnte sich vor.

»Der Arzt hat euch gesagt, was sich bei der Obduktion herausgestellt hat«, entgegnete Flóvent. »Auf welche Weise Ihre Tochter zu Tode gekommen ist, und dass sie...«

»Er hat gesagt, dass sie vor nicht allzu langer Zeit eine Abtreibung machen ließ«, sagte die Frau.

»Das stimmt. Wussten Sie von der Abtreibung?«

»Nein, wir hatten nicht die geringste Ahnung«, sagte die Frau sichtlich erregt. »Das arme Kind. Es tut mir schrecklich weh, daran zu denken. Sie hat uns nichts davon gesagt, und ich ... Ich habe keine Anzeichen bei ihr bemerkt. Hätte ich das nicht tun müssen? Aber sie ... Sie hat sich nichts anmerken lassen.«

»War das Kind von einem amerikanischen Soldaten?«, fragte der Mann. »Von dem, der ihr das angetan hat?«

»Das wissen wir nicht«, sagte Flóvent. »Wir müssen diese Möglichkeit aber auf jeden Fall in Betracht ziehen, so ist nun einmal die derzeitige Situation in Reykjavík.«

»War es womöglich derselbe, der sie geschwängert hat?«

»Nicht auszuschließen«, sagte Flóvent. »Aber wir wissen es nicht, wir haben noch viel zu wenig Informationen, um daraus irgendwelche Schlüsse ziehen zu können. Wir wissen nicht, was geschah, als Rósmunda ums Leben kam.«

Die alten Leutchen saßen noch eine Weile schweigend da, die Hände auf dem Schoß gefaltet. Flóvent hatte Mitleid mit ihnen, denn er spürte ihre stumme Trauer, ihre ungläubige Hilflosigkeit gegenüber unbegreiflichen Tatsachen.

»Sie war so ein hübsches und gutes Mädchen«, sagte die Frau. »Ich verstehe nicht, wie so etwas passieren kann. Ich verstehe es nicht, ich kann es einfach nicht verstehen.«

Zwölf

Konráð saß lange neben Viggas Bett und wartete darauf, dass sie aufwachte. Unterdessen dachte er an seine Kindheit im Schattenviertel zurück. Seine ersten Erinnerungen stammten aus der Zeit, als der Krieg schon ein paar Jahre zu Ende und der wirtschaftliche Aufschwung noch in vollem Gang war. Darauf folgten aber viele Jahre mit rigiden Devisenbestimmungen für den Import- und Exporthandel. In seiner Erinnerung war das Schattenviertel eine kleine Welt für sich gewesen, mit Geschäften und kleineren und größeren Unternehmen. Die Lindargata durchschnitt das Wohngebiet in westöstlicher Richtung, an einem Ende wurde es von einer Stätte der Kultur eingerahmt und am anderen Ende von einem großen Fleischverarbeitungsbetrieb. Auf der östlichen Seite verstummten Herbstlämmer auf dem Viehhof des südisländischen Schlachtverbands, und das Nationaltheater am westlichen Ende kehrte der Lindargata die Rückseite zu, so als sei es sich zu fein für dieses Viertel. In unmittelbarer Nachbarschaft befanden sich aber auch die Nationalbibliothek für alle Wissensdurstigen und das Oberste Gericht für diejenigen, die vom Pfad der Tugend abgewichen waren. Zwischen diesen beiden Polen standen wellblechverkleidete Wohnhäuser aus Holz oder

Zement, manche hatten sogar zwei oder drei Stockwerke. Einige davon wurden gut instand gehalten, andere machten einen verwahrlosten und ärmlichen Eindruck. Fast alle Häuser hatten kleine, von der Sonne beschienene Hintergärten an der Südseite. Konráð war in einer dieser einfachen Kellerwohnungen aufgewachsen.

Die Leute fühlten sich dort wohl, es gab keine nennenswerten Probleme unter den Anwohnern, es waren vornehmlich Arbeiter und Handwerker, aber auch Angestellte und Menschen mit bürgerlichem Hintergrund. Einige waren dem Alkohol nicht abgeneigt, andere rührten ihn nicht an. Manch einer ging sonntags zur Kirche und erfreute sich an der frohen Botschaft, wenn auch vielleicht mit einigen Schuldgefühlen, weil er am Abend vorher einen draufgemacht hatte. Alle stimmten immer kräftig ein, wenn der Pastor verkündete: Und vergib uns unsere Schuld. Wiederum andere setzten sich die Hüte auf und spazierten mit der Ehefrau am Arm, die sich vielleicht gerade einen neuen Mantel gekauft hatte, durch die Innenstadt. Hüte wurden zum Gruß gelüftet, und die Ehefrauen genossen den Schaufensterbummel und bewunderten elegante Kleider oder schöne Hüte direkt aus Kopenhagen oder London. Die Männer behielten den Schiffsverkehr auf dem Sund im Auge. Vielleicht blickten sie auch der einen oder anderen Luxuslimousine nach, die wie ein glitzernder Traum in die Austurstræti einbog. Um die Mittagszeit durchzog Sonntagsbratengeruch die Straßen und Gassen, und nach dem Essen hielten alle einen Verdauungsschlaf bis zur Kaffeezeit. So vergingen die Sonntage. Es konnte aber auch der ein oder andere verlotterte Kerl im Unterhemd an seinem Fenster stehen und einen Jungen dazu überreden, für ihn zum nächsten Kiosk zu laufen, um ihm ein kaltes Dünnbier gegen den Nachdurst zu besorgen. »Was du zurückkriegst, darfst du behalten!«, rief er dem Jungen hinterher.

All das stand Konráð immer noch sehr lebhaft vor Augen, und er dachte nicht selten an die Zeit, als er in diesem Viertel zuhause gewesen war. Seine Mutter unterschied sich insofern von anderen Frauen, als sie arbeiten ging und damit Geld zum Haushalt beisteuerte. Sein Vater hatte die meiste Zeit keine feste Anstellung, er übernahm alle möglichen Aufträge und Arbeiten, und vieles davon war nicht gerade als legal zu bezeichnen. Als Konráð älter wurde, fand er heraus, dass solche Gaunereien und krumme Geschäfte sozusagen des Vaters tägliches Brot waren. Die Familie war klein, es gab keine Kinder außer Konráð und seiner Schwester Beta. Konráð konnte sich sehr genau daran erinnern, dass früher viele Menschen bei ihnen ein und aus gegangen waren – Verwandte aus Nordisland, Freundinnen seiner Mutter und zweifelhafte Freunde seines Vaters. Er war noch nicht auf der Welt, als der Vater begann, sich mit spiritistischem Schwindel sein Geld zu verdienen. Aber er erinnerte sich noch genau an all die Geschichten, die ihm sein Vater von den Séancen in ihrer kleinen Kellerwohnung erzählt hatte. Der Vater hatte niemals vorgetäuscht, selber ein Medium zu sein, dazu war er seiner eigenen Einschätzung nach ein viel zu schlechter Schauspieler. Aber er hatte manchmal Frauen oder auch Männer als Medium angeheuert. Seherinnen oder Seher, die mit ganz banalen

Fragen eine Séance richtig in Schwung bringen konnten. Sie fragten zum Beispiel, ob jemand in der Runde eine Guðrún oder einen Sigurður kenne oder irgendein Gemälde vom Hausberg Esja, oder ob einer der Anwesenden auch diesen stechenden Geruch von Kampfertropfen verspürte, der dem Medium gerade in die Nase stieg.

Wenn es richtig hoch herging, bewegten sich die Tische im Wohnzimmer, und manchmal wurden wie auf magische Weise Stühle verrückt, man hörte raschelnde Geräusche und die unglaublichsten Einzelheiten aus vergangenen Zeiten, mit denen die Anwesenden entweder sehr vertraut waren oder die sie zumindest aus anderen Zusammenhängen kannten. Und genau das galt den Teilnehmern dann als Beweis dafür, dass das Leben über den Tod siegen konnte, dass der Tod nur das Tor zu einer anderen und besseren Welt war. Was sein Vater da zusammen mit seinen Kumpanen veranstaltete, war nichts anderes als Lug und Trug. Um zu Geld zu kommen, spielten sie mit den Gefühlen von trauernden Menschen. Als die dreisten Betrügereien später aufgedeckt wurden, zeigte Konráðs Vater keinerlei Anzeichen von Reue. Er hatte einfach nur seine Chance gewittert, als der isländische Verein für Parapsychologie großen Aufschwung erlebte, vor, in und nach dem Krieg. In einer urbanen Gesellschaft, die es bis dato nicht in Island gegeben hatte. Die Gebeine einer berüchtigten Spukgestalt im Skagafjörður, Sólveig von Miklibær, wurden gefunden und in geweihte Erde überführt, und über die erstaunliche Odyssee der sterblichen Überreste des Nationaldichters Jónas Hallgrímsson; seine Gebeine wurden zunächst von Kopenhagen zu dem Hof überführt, auf dem er in Nordisland zur Welt gekommen war, aber zum Schluss wurden sie auf dem nationalen Ehrenfriedhof in þingvellir beigesetzt. Geister wurden befragt, die sich bei den Zusammenkünften des Vereins zu Wort meldeten, und natürlich musste man deren Wünschen nach einer endgültigen Heimstatt nachkommen.

Genau in dieser Atmosphäre konnten die spiritistischen Aktivitäten von Konráðs Vater gedeihen. Es gab genug Leute, die von sich glaubten, sie hätten übersinnliche Fähigkeiten, doch sie brauchten fast immer ein wenig Starthilfe für eine derartige Séance. Und dann gab es noch die anderen, meistenteils begabte und geschickte Schauspieler, die sich darauf verstanden, das Mienenspiel und die Gestik der leichtgläubigen Teilnehmer zu deuten. Und sie waren auch raffiniert genug, um ihnen wichtige Informationen zu entlocken.

Konráð hörte Vigga leise stöhnen, und er zog das Oberbett ein wenig von ihrem Gesicht. Da lag sie zahnlos und mit ausgemergelten Wangen, ihre runzlige Haut war so trocken wie Wüstensand, und am Schädel klebten noch ein paar graue Haarbüschel. Sie öffnete eine Augenritze.

»Vigga«, flüsterte Konráð, »kannst du mich hören?«

Die alte Frau reagierte nicht.

»Vigga?«, sagte er noch einmal, diesmal etwas lauter.

Vigga rührte sich immer noch nicht, sie blickte mit ihren fast blinden Augen wohl schon in die Ewigkeit hinein. Anscheinend hörte sie auch gar nichts.

»Ich weiß nicht, ob du dich noch an mich erinnern kannst, ich heiße Konráð, und früher habe ich ganz bei dir in der Nähe im Schattenviertel gewohnt.«

Vigga regte sich immer noch nicht. Konráð blieb schweigend an ihrem Bett sitzen. Eine Pflegerin auf der Station hatte ihm gesagt, dass sie nur noch ganz selten klar war und wahrscheinlich nicht mehr lange zu leben hatte. Sie fügte allerdings hinzu, dass sie das auch schon vor einigen Jahren gesagt hatte und einfach nur staunen konnte, wie zäh sich Vigga an das Leben klammerte.

»Ich hätte gern gewusst, ob dich kürzlich ein Mann aufgesucht hat, der Stefán hieß«, sagte Konráð zu Vigga. »Stefán Þórðarson.«

Viggas Augenlider zuckten.

»Kannst du dich daran erinnern?«

Konráð wartete auf eine Reaktion, aber sie kam nicht.

»Es kann sein, dass er sich Thorson genannt hat«, sagte er in der vagen Hoffnung, dass die alte Frau ihn verstehen würde.

Das schien der Fall zu sein. Vigga bewegte den Kopf langsam in seine Richtung und starrte ihn aus farblosen Augen an.

»Thorson?«, fragte Konráð. »Kommt dir dieser Name bekannt vor?«

Die alte Frau starrte ihn stumm an.

»Hat er dich nicht hier vor ein paar Tagen besucht?«

Von Vigga kam keine Reaktion, aber ihr Blick blieb starr auf Konráð gerichtet.

»Thorson ist tot«, sagte er. »Ich dachte, du würdest es vielleicht gerne wissen, wenn du ihn gekannt hast.

Vielleicht hast du auch schon davon gehört. Soweit ich weiß, hat er dich vor Kurzem besucht.«

Vigga starrte ihn immer noch an.

»Ich weiß nicht, ob du dich noch an mich erinnern kannst. Ich bin im Schattenviertel aufgewachsen, ganz in der Nähe von dem Haus, wo du gewohnt hast. Ich heiße Konráð.«

»Ww…?«

Viggas Flüstern war so schwach, dass Konráð sie nicht verstehen konnte.

»Was hast du gesagt?«

»Ww… wie …?«

»Wie? Meinst du, wie er gestorben ist? Das war eine unschöne Sache. Er starb durch Ersticken. Sehr wahrscheinlich ist er ermordet worden.«

Viggas Gesicht verzerrte sich.

»Er … ermor … det?«, flüsterte sie beinahe tonlos mit ihren schwachen Kräften.

»Wir wissen nicht, wer es getan hat«, sagte Konráð. »Er lebte allein, und man hat ihn tot aufgefunden. Soweit ich weiß, ist er kurz vor seinem Tod hierhergekommen, und ich würde gern wissen, woher du ihn gekannt hast.«

»Er … ka…«

Vigga schloss die Augen.

»Ich habe Zeitungsausschnitte bei ihm gefunden, die über ein Mädchen berichteten, das im zweiten Weltkrieg tot hinter dem Nationaltheater aufgefunden wurde«, fuhr Konráð fort. »Das Mädchen wurde ermordet. Weißt du, weshalb er solche Zeitungsausschnitte aufbewahrte? Hat er deswegen mit dir sprechen wollen, oder kam er wegen etwas anderem? Und

woher kennt ihr euch? Woher kanntest du Stefán
þórðarson?«

Vigga schien all die Fragen, die Konráð ihr stellte,
gar nicht mehr zu hören.

»Weshalb hat er dich besucht, Vigga? Weswegen
hat er dir kurz vor seinem Tod einen Besuch abgestattet?«

Die alte Frau war wieder eingeschlafen. Konráð
machte keinen Versuch, sie zu wecken, sondern blieb
ruhig und geduldig an ihrem Bett sitzen. Ihm ging
durch den Kopf, dass Vigga keineswegs immer übel-
launig gewesen war. Als er sieben Jahre alt gewesen
war, hatte er sich früh an einem Sonntagmorgen dazu
aufgerafft, bei ihr anzuklopfen. Er war unterwegs, um
Plaketten für die Pfadfinder zu verkaufen, und hatte es
schon an den meisten Türen im Viertel versucht, doch
der Erfolg war sehr mäßig gewesen, er hatte nur ein
Abzeichen verkauft. Wahrscheinlich war er vor lauter
Eifer viel zu früh losgezogen und hatte die Leute aus
dem Bett gescheucht. Sie hatten sich über die Störung
geärgert und ihm deswegen nichts abkaufen wollen.
Erst hatte er sich gar nicht getraut, zu Vigga zu gehen,
er vermied die Begegnung mit ihr nach Möglichkeit,
aber aus irgendwelchen Gründen überwand er diesmal seine Angst und klopfte bei ihr an. Es verging
eine ganze Weile, ohne dass sich etwas rührte, und er
wollte schon davonlaufen, bevor es zu spät war, doch
da öffnete sich die Tür und Vigga sah auf ihn hinunter.

»Was willst du von mir, Freundchen?«, fragte sie
und blickte sich um, ob nicht irgendwo die anderen
Lausejungen lauerten, um ihr einen Streich zu spielen,
doch die waren nirgends zu sehen.

»Ich … ich … ich verkaufe Plaketten«, stammelte Konráð.

»Plaketten?! Was ist denn das für eine neue Verrücktheit?«

»Für die Pfa… die Pfadfinder.«

»So ein kleiner Rotzlöffel wie du möchte mir also Geld aus der Tasche ziehen? Willst du reinkommen?«

Konráð zögerte etwas, sagte dann aber wahrheitsgemäß nein.

Vigga sah ihn eine Weile böse an, und Konráð fiel ein, dass er vielleicht lieber »nein, danke« hätte sagen sollen. Er wollte diesen Fehler gerade korrigieren, als etwas in Vigga zu brodeln begann, und plötzlich brach sie in ein so schallendes Gelächter aus, dass sie sich an der Tür festhalten musste.

Konráð drehte sich um und wollte die Treppe wieder hinuntergehen, als das Lachen verstummte.

»Na komm schon her, Jungchen«, sagte Vigga. »Warte hier, ich hole das Geld.«

Sie kaufte ihm drei Abzeichen ab, aber er musste ihr versprechen, nie wieder an ihre Tür zu klopfen und sich bei ihr blicken zu lassen, egal aus welchem Grund.

Konráð betrachtete die alte Frau unter dem Oberbett und hatte fast das Gefühl, ihr Gelächter von jenem Sonntagmorgen zu hören. Plötzlich öffnete sie die Augen und sah ihn an.

»Tho… Thorson?«

Ihr Flüstern war kaum zu hören.

»Erinnerst du dich an ihn?«, fragte Konráð.

»Bist du … du das … Thorson?«

Konráð wusste nicht, was er sagen sollte. Hielt die alte Frau ihn für Thorson?

»Ich bin nicht Thorson, wenn ...«

Vigga schloss die Augen wieder.

»Weißt du, ob er immer noch dem Mord an dem Mädchen auf der Spur war, das während des Krieges hinter dem Nationaltheater gefunden wurde?«

Er erhielt keine Reaktion.

»Weißt du, warum Thorson die alten Zeitungsausschnitte die ganzen Jahre über aufbewahrt hat?«

Konráðs Fragen waren vergeblich, Vigga war wieder eingeschlafen. Er blieb noch eine Weile bei ihr sitzen, stand dann aber auf und schickte sich an zu gehen. Doch auf dem Weg zur Tür hörte er plötzlich ein Geräusch von Vigga.

Konráð drehte sich um.

»Hast du etwas gesagt?«

Vigga öffnete den Mund, es hatte aber den Anschein, als sei sie kaum noch imstande zu sprechen.

»Thorson? Bist ... du wieder da?«

»Geht es dir nicht gut, Vigga?«

»Bist du ... wieder da, um nach dem Mädchen zu fragen?«

»Ja«, sagte Konráð, nur um etwas zu sagen.

»... es war ... es war nicht ... nur sie ... Da ... da ... eine andere«, flüsterte Vigga heiser und tonlos. »... auch verschwunden ... und die verbor... verborgenen Wesen ...«

»Ein anderes Mädchen?« Konráð beugte sich über Vigga, um besser verstehen zu können. »Was meinst du damit?«

»... nie gefunden. Nie ... keine Lei... Keine Knochen.«

Dreizehn

Zwölf amerikanische Soldaten standen dicht nebeneinander in einem Raum der Militärpolizei im Camp
Laugarnes. Sie waren aus ganz Reykjavík zusammen-
getrommelt und ohne weitere Erklärungen auf die Po-
lizeistation gebracht worden. Neun von ihnen waren
einfache Gefreite, einer war Leutnant, und außerdem
befanden sich zwei Kantinenangestellte unter ihnen.
Sie wussten nicht, dass sie aufgrund der Tatsache ein-
bestellt worden waren, dass sie alle Frank mit Vornamen hießen. Die Tür öffnete sich, Thorson trat ein und
begrüßte alle. Vier bewaffnete Militärpolizisten waren
ebenfalls anwesend. Nach dem Treffen mit Rósmundas Eltern hatte Flóvent sich telefonisch mit Thorson
in Verbindung gesetzt und ihm mitgeteilt, dass es gelungen war, die Leiche zu identifizieren; den ersten Er-
kenntnissen zufolge sei es ausgeschlossen, dass die
junge Frau eine engere Verbindung zu amerikanischen
Soldaten oder überhaupt Bekanntschaft mit ihnen gehabt hatte.

Die Männer mussten sich in gerader Linie nebeneinander aufstellen und nach vorn blicken. Zwei oder drei
wollten wissen, wozu das alles gut sein sollte. Thorson
bat sie um Geduld und dankte ihnen dafür, die Arbeit
der Militärpolizei in einem etwas heiklen Fall zu unter-

stützen. Anschließend könnten sie auch sofort wieder gehen. Als Nächstes betraten Flóvent und Ingiborg den Raum. Sie konnte ihren Frank sofort identifizieren.

Sie ging zu ihm hin, er hatte aber nur ein verlegenes kaltes Lächeln für sie übrig. Die anderen Männer in der Reihe verfolgten die Szene genau mit, hatten aber immer noch keine Ahnung, weshalb die Militärpolizei ausgerechnet sie zur Teilnahme an dieser Gegenüberstellung beordert hatte.

Thorson trat zu Ingiborg.

»Ist er das?«

»Ja«, sagte Ingiborg, »das ist Frank Caroll. Falls er denn wirklich so heißt.«

Frank sah Thorson an und nickte zustimmend.

»*I'm Frank Caroll*«, sagte er leise.

»Warum hast du mich angelogen«, sagte Ingiborg und sah Frank in die Augen. Obwohl er nicht verstand, was sie sagte, spürte er doch, wie verletzt sie war. »Wie heißt du eigentlich wirklich? Wer bist du?«

»*Sorry*«, sagte er. »*I . . .*«

»War alles, was du mir gesagt hast, gelogen?«, flüsterte sie. »Was uns beide anging? Einfach alles?«

Frank wich ihrem Blick aus. Thorson wandte sich an die anderen Männer und dankte ihnen noch einmal für ihre Hilfe, und sie könnten jetzt gehen. Die Männer sahen sich verwundert an und brummten sich etwas in den Bart, als sie den Raum verließen. Ingiborg wandte sich an Flóvent.

»Darf ich auch gehen?«, fragte sie.

»Ja«, antwortete er. »Soll ich dich nach Hause fahren?«

»Nein, danke, ich komme schon zurecht«, sagte sie

und verließ den Raum, so schnell sie konnte, ohne Frank eines weiteren Blickes zu würdigen. Er schaute ihr nach, doch seiner Miene war nicht zu entnehmen, was er dachte. Thorson konnte zumindest keine Spur von Reue oder Bedauern erkennen.

Als Thorson und Flóvent allein mit Frank waren, setzten sie sich. Frank zündete sich eine Zigarette an und blickte die beiden abwechselnd an.

»Ist es wegen des Mädchens, das wir gefunden haben?«

»Ja«, sagte Thorson.

»Ich frage nur, weil sie mich nicht das Geringste angeht«, erklärte Frank. »Ich weiß nichts über ihren Tod. Ich kenne das Mädchen nicht. Ich kann euch nicht weiterhelfen. Das hab ich sofort kapiert, und bin deswegen lieber abgehauen. Hat Ingiborg sich an euch gewendet? Hat sie Schiss bekommen?«

»Wie ist dein richtiger Name?«, fragte Thorson, ohne auf die Fragen einzugehen.

»Frank Ruddy.«

»Weshalb hast du ihr einen falschen Namen genannt?«

Frank zuckte gleichgültig mit den Achseln, als müsse so etwas nicht erklärt werden.

»Du bist auch kein Sergeant«, fuhr Thorson fort. »Das hast du Ingiborg aber vorgelogen. Um Eindruck bei ihr zu schinden, war es wohl nicht genug, ein einfacher Gefreiter zu sein?«

»Die Weiber finden es einfach toller, wenn man einen Rang hat«, sagte Frank. »Aber sie können noch nicht mal die Uniformen unterscheiden, und von Rangabzeichen verstehen sie noch weniger.«

»Und deswegen ist es also völlig in Ordnung, ihnen etwas vorzulügen?«, fragte Flóvent.

Er hatte gute Englischkenntnisse, sprach aber mit schottischem Akzent, weil er eine Zeit lang bei der Kriminalpolizei in Edinburgh gearbeitet hatte.

Frank antwortete nicht auf seine Frage.

»Hier steht, dass du verheiratet bist und zwei Kinder hast«, schaltete sich Thorson ein, während er in seinen Unterlagen blätterte. »Bist du inzwischen geschieden?«

»Nein«, sagte Frank, der keinen Grund sah, weiter zu lügen. Er glaubte zu wissen, dass sie seine sämtlichen Aussagen überprüfen und alles herausfinden würden. »Ich wollte nicht, dass Ingiborg davon erfuhr, dass ich verheiratet bin. Deswegen bin ich weggelaufen.«

»Sie sollte nicht erfahren, dass du Ehemann und Vater von zwei Kindern in Illinois bist?«, fragte Flóvent.

»Ja, stimmt«, antwortete Frank. »Ich ging davon aus, dass wir als Zeugen auftreten müssten und dass dabei alles über mich herauskommen würde. Ich wollte Ingiborg nicht verletzen.«

»Außerordentlich ritterlich gedacht«, sagte Thorson. »Hast du außer mit ihr auch noch mit anderen Frauen was gehabt?«

»Mit anderen Frauen?«

»Ich meine, mit anderen isländischen Frauen. Gibt es da noch andere außer Ingiborg?«

Frank zögerte einen Augenblick.

»Okay, ich sag's euch doch gerade, damit ihr aufhört zu glauben, ich würde euch was vorlügen wollen«, sagte er. »Was ich sage, ist die Wahrheit. Es gab noch eine andere. Mehr nicht.«

»Weiß Ingiborg von dieser Frau?«, fragte Flóvent.

»Nein. Und die andere weiß auch nichts von Ingiborg.«

»Du hattest also ausreichend Grund, die Flucht zu ergreifen«, sagte Thorson ungehalten.

»Ich wollte mich nicht in Schwierigkeiten bringen.«

»Bist du sicher, dass es dir nur um deine Weibergeschichten ging?«

»Was meinst du denn damit?«

»Ist das nicht alles etwas an den Haaren herbeigezogen? Genau wie der Name, den du erfunden hast. Woher stammt der? Wer ist dieser Caroll?«

»Ein Hollywoodschauspieler. Hier wurde ein Film mit ihm gezeigt, *The Flying Tigers*, und danach habe ich Ingiborg kennengelernt.«

»Die fliegenden Tiger, mit John Wayne«, sagte Flóvent auf Isländisch zu Thorson. »Ich hab ihn gesehen. Der andere Schauspieler hieß John Caroll. Das ist also anscheinend nicht gelogen.«

»Genau«, sagte Frank ein wenig kleinlaut. »John Caroll. Wir standen da vor dem Kino, und sie hat mich gefragt, wie ich heiße, und als ich den Namen von John Caroll auf dem Plakat sah, da ... Es war nicht geplant, es passierte einfach so. Ich hab nicht darüber nachgedacht. Ich hab ihr einfach gesagt, ich hieße Frank Caroll.«

»Und weshalb bist du dort beim Theater weggelaufen, Frank?«, fragte Thorson.

»Das habe ich doch schon ...«

»War es nicht deswegen, weil du das Mädchen wiedererkannt hast, als du sie gesehen hast?«

»Nein. Ich hatte sie noch nie gesehen.«

»Sagt dir der Name Rósmunda etwas?«

»Nein. Wer soll das sein?«

»Das Mädchen, das ermordet wurde.«

»Den Namen hab ich nie gehört«, versicherte Frank. »Ich schwör's. Ich hab das Mädchen nicht gekannt, überhaupt nicht. Hab sie nie zuvor gesehen. Habt ihr schon mit dem Mann gesprochen, der an der Ecke stand?«

»Mit was für einem Mann?«, fragte Thorson.

»Der stand da an der Ecke hinter dem Theater.«

»An welcher Ecke?«

»Ich hab keine Ahnung, wie die Straßen hier heißen. Er stand dort an der Ecke und hat geraucht, als wir uns ein geschütztes Plätzchen gesucht haben. Als ich etwas später wieder hinsah, war er weg.«

»Wer war das?«

»Das weiß ich nicht. Auf jeden Fall war er kein Soldat, sondern wahrscheinlich ein Isländer, so wie er gekleidet war – in Zivil, nicht in Uniform. Ich hab ihn allerdings nicht genau gesehen, es war ja dunkel. Mir fiel bloß auf, dass dort ein Mann stand, der eine Zigarette rauchte. Als ich noch einmal hinsah, war er weg.«

»Stand er von dir aus gesehen links oder rechts hinter dem Theater?«

»An der nächsten Ecke rechts, auf der anderen Straßenseite«, sagte Frank und klopfte sich auf den rechten Arm, um seinen Worten Nachdruck zu verleihen.

Thorson wandte sich an Flóvent. »Wie heißt die Straße?«, fragte er.

»Skuggasund«, sagte Flóvent. »Er meint wohl die Ecke Lindargata und Skuggasund.«

»Ingiborg hat diesen Mann nicht erwähnt.«

»Dann hat sie ihn nicht bemerkt«, sagte Frank. »Ich hab ihn ja auch nur ganz kurz gesehen. Ehrlich.«

»Was hat der Mann dort gemacht?«

»Gar nichts. Er stand bloß da und rauchte. Und dann war er auf einmal verschwunden.«

Thorson schlug vor, zu der Straßenecke zu fahren, auch wenn es schon eine ganze Weile her war, dass Frank den Mann dort gesehen hatte. Sie parkten das Auto auf der Lindargata und gingen zur Ecke am Skuggasund, um zu sehen, ob der Raucher dort etwas hinterlassen hatte. Nur eine einzige Straßenlaterne verbreitete etwas Licht, ansonsten lag alles im Dunkeln, denn die nächste Laterne war kaputt, und bis zur übernächsten war es ziemlich weit. Thorson hatte eine Taschenlampe dabei und leuchtete die Straßenecke sorgfältig aus. Sie wussten nicht genau, wonach sie suchten, Thorson fand aber zwei Zigarettenstummel einer beliebten amerikanischen Marke, die auf der Straße ausgetreten worden waren.

»Was ist das für eine Marke?«, fragte Flóvent.

»Lucky Strike«, sagte Thorson.

Vierzehn

Am Abend bekam Konráð Besuch von seiner Schwester. Sie war unverheiratet, arbeitete in einer Bibliothek und führte ein ziemlich zurückgezogenes Leben. Ihre Arbeit passte perfekt zu ihr, denn von Kindheit an hatte ihr ganzes Interesse den Büchern gegolten. Sie besaß selber eine eindrucksvolle Büchersammlung, um die sie manch einer beneidete. Elísabet, oder Beta, wie sie genannt wurde, war eine Kommunistin der alten Schule, es gab nur Weniges, was in ihren Augen nicht kleinbürgerlich war. Nichts hasste sie mehr als das kapitalistische System, und der Begriff umfasste bei ihr ein sehr breites Spektrum.

»Stör ich dich?«, fragte sie anstandshalber. Das tat sie immer, aber auch wenn sie störte, störte sie sich nicht daran.

»Nein, komm rein«, sagte Konráð. »Magst du ein Glas Rotwein?«, fragte er und deutete auf die angebrochene Flasche *Dead Arm*.

»Nein, danke. Trinkst du nicht seit einiger Zeit ein bisschen zu viel?«

»Der Meinung bin ich nicht«, sagte Konráð. »Rotwein ist gesund.«

»Gesund?«

»Ja.«

»Mensch, plapper doch nicht diesen Rotweinkapitalisten all ihre Lügen nach«, sagte Beta und setzte sich an den Küchentisch. Sie merkte, dass ihr Bruder mit seinen Gedanken ganz woanders war.

»Warum bist du so abwesend?«, fragte sie.

»Abwesend? Ich?«

»Ich störe dich also doch?«

»Nein«, sagte Konráð. »Ich hab vorhin an unseren Vater gedacht, und an seine spiritistischen Sitzungen.«

»Warum das denn?«

»Es hängt mit einem Fall zusammen, mit dem ich mich beschäftige. Du erinnerst dich doch bestimmt noch an das Mädchen, das im Krieg tot beim Nationaltheater aufgefunden wurde.«

»Ich weiß nur das, was unser Vater gesagt hat, also dass er ihretwegen eine Séance zuhause arrangiert hat, die völlig danebenging. Worüber brütest du denn jetzt schon wieder? Hat es was mit ihm zu tun?«

»Nein, nicht direkt«, sagte Konráð. »Ein alter Kanadier, der während des Krieges hier gelebt hat und später ganz nach Island gezogen ist, bewahrte die Zeitungsausschnitte über den Mord an dem Mädchen auf. Er hieß Thorson. Und es kann sehr gut sein, dass er deswegen Vigga besucht hat.«

»Die alte Vigga? Lebt die tatsächlich noch?«

»Ja, aber kaum noch. Ich habe sie besucht, aber sie war kaum noch ansprechbar. Sie sagte aber etwas über ein anderes Mädchen. Erinnerst du dich vielleicht an einen ähnlichen Fall wie diesen?«

»Nein. Das ist doch alles passiert, als wir noch gar nicht auf der Welt waren. Wurde die andere auch im Schattenviertel gefunden?«

»Ich hab nie davon gehört, solange ich bei der Polizei war. Die Frage ist, ob in den Zeitungen von damals mehr über den anderen Fall zu finden ist.«

»Es dürfte doch kein Problem für dich sein, das herauszufinden.«

»Der alte Thorson wurde tot aufgefunden, kurz nachdem er bei Vigga gewesen war. Anscheinend hat er auf einmal wieder Nachforschungen über das tote Mädchen angestellt. Und möglicherweise auch über ein anderes Mädchen, über das Vigga mir gegenüber etwas angedeutet hat. Ich glaube, sie hat mich für Thorson gehalten. Die arme alte Frau ist wirklich sehr hinfällig.«

»Wie hieß sie noch? Das Mädchen beim Theater? Hieß sie nicht Rósa oder so ähnlich?«

»Rósmunda. Ich überlege, ob Thorson tatsächlich wieder an diesem uralten Fall gearbeitet hat. Wegen der Zeitungsausschnitte, die ich bei ihm gefunden habe, und wegen dem, was Vigga mir sagte. Wenn das stimmt, stellt sich natürlich die Frage, weshalb er wieder damit angefangen hat. Warum jetzt, fast siebzig Jahre später? Thorson war schon über neunzig. Weshalb hat er Vigga besucht? Wieso kannte er sie, und was kann sie über diesen Fall wissen?«

»Das Mädchen wurde doch in dem Stadtviertel gefunden, in dem Vigga ihr Leben lang gewohnt hat, und sie wusste so ziemlich über alles Bescheid, was dort vor sich ging.«

»Ja, klar. Aber Thorson muss doch auf irgendeine konkrete Spur in diesem alten Fall gestoßen sein, worin auch immer sie bestehen mag. Oder wie auch immer er auf diese Spur gekommen sein mag.«

»Vielleicht hat die alte Geschichte ihn ja sein Leben lang beschäftigt«, schlug Beta vor. »Oder er hat neue Informationen erhalten. Weißt du, was für ein Mensch er war?«

»Das muss ich erst noch herausfinden«, sagte Konráð. »Vigga hat mir etwas über ein anderes Mädchen gesagt. Sie war allerdings kaum zu verstehen, aber wenn ich sie richtig verstanden habe, hat sie angedeutet, dass eine Leiche oder die sterblichen Überreste dieses anderen Mädchens nie gefunden wurden. Ich weiß nicht, was das zu bedeuten hat, mehr war aus der alten Dame nicht herauszuholen.«

»Du willst also mit anderen Worten sagen, dass noch eine junge Frau das gleiche Schicksal erlitten hat, deren Leiche aber nie gefunden wurde?«, sagte Beta.

»Und das passt sogar zu der missglückten Séance, von der Vater mir erzählt hat, auch wenn es alles ziemlich verworren klang.«

»Du bist also wirklich der Meinung, dass es zwei junge Frauen mit einem ganz ähnlichen Schicksal gegeben hat? Rósmunda beim Nationaltheater und dann noch eine andere, über die du gar nichts weißt?«

»Ja. Eine junge Frau, die nie gefunden wurde«, sagte Konráð. »Wenn man etwas in die Worte von Vigga hineindeuten darf. Hat Thorson womöglich nach all dieser Zeit nach dem anderen Mädchen gesucht und hat er deswegen der alten Vigga einen Besuch in ihrem Pflegeheim abgestattet? Und eins verstehe ich überhaupt nicht, nämlich die Verbindung zu irgendwelchen verborgenen Wesen.«

»Zu verborgenen Wesen?«

»Vigga hat dieses andere Mädchen erwähnt, und in

dem Zusammenhang auch irgendwelche verborgene Wesen.«

»Und was hat das zu bedeuten?«

»Keine Ahnung, was sie gemeint hat. Mir ist nur eingefallen, ob es vielleicht um dieselbe junge Frau ging, auf die das Medium bei der spiritistischen Sitzung unseres Vaters anspielte.«

»Wie meinst du das?«

»Auch das Medium hat damals ein anderes Mädchen ins Spiel gebracht.«

»Das war doch alles Schwindel«, erklärte Beta ärgerlich. »Die Leute, die unser Vater angeheuert hat, waren doch alle Betrüger. Man konnte überhaupt nichts auf das geben, was sich bei diesen Séancen angeblich herausgestellt hat. Wann wirst du das endlich kapieren? Versuchst du immer noch ... Unser Vater war ein verdammt krummer Hund, und er hatte sein blutiges Ende ganz sicher verdient. Er war alles andere als ein guter Mensch, er hat so viele Leute übers Ohr gehauen und ihnen übel mitgespielt. Und er hat sich unserer Mutter gegenüber richtig bösartig verhalten – bis sie ihn zum Schluss verlassen hat. Gott sei Dank.«

»Aber mich hat sie bei ihm zurückgelassen.«

»Sie hat dich nicht zurückgelassen, Konráð – er hat dich einfach nicht losgelassen«, entgegnete Beta. »Er hat uns Kinder einfach zwischen sich und ihr aufgeteilt. So ein Mensch war er. Wir haben doch schon so oft darüber gesprochen. Was glaubst du, wie Mama sich gefühlt hat, als sie dich zurücklassen musste? Er wollte sich unbedingt an ihr rächen und hat deswegen die Familie entzweit. Mama konnte einfach nicht mehr mit ihm zusammenleben, und er hat ihr das auf seine

Weise heimgezahlt. So war er leider, und du solltest inzwischen wirklich zu alt dazu sein, um immer noch an ihn zu glauben und ihn immer noch zu verteidigen. Unser Vater war ein Versager und ein Gauner.«

»Ich weiß genau, wie er war«, sagte Konráð. »Du brauchst dich nicht zu ereifern. Ich weiß, wie er unsere Mutter behandelt hat. Das weiß ich nur zu gut, und du brauchst mich auch nicht jedes Mal daran zu erinnern, wenn wir über den Alten reden. Er war aber trotzdem nicht so schlecht, wie du behauptest.«

»Er war einfach ein ganz mieser Typ, und damit basta.«

»Warum sagst du, er hätte sein Ende verdient gehabt? Was weißt du schon davon? Du schwätzt irgendwas daher, ohne zu wissen, worüber du redest.«

»Der tut recht, der jedem tut, was ihm gebührt«, sagte Beta und stand abrupt auf, um zu gehen. Das kam nicht selten vor, wenn sie sich mit Konráð gestritten hatte.

Fünfzehn

Nach dem Verhör von Frank Ruddy gingen Flóvent und Thorson in ein Restaurant in der Hafnarstræti, das sich *Heitt og kalt* nannte, heiß und kalt. Das Lokal war nach Kriegsausbruch eröffnet worden und erfreute sich großer Beliebtheit unter den Soldaten der Besatzungsmächte. Dort gab es *Fish and Chips*, aber auch einheimisches Essen wie panierte Lammkoteletts, Rhabarberkompott, *rhubarb pudding*, zu isländischem Quark mit Sahne. Die Soldaten wussten das sehr zu schätzen. Als die beiden das Lokal betraten, war der größte Ansturm bereits vorbei. Der Wirt räumte die Tische ab, ein etwas klein geratener Mann mit lockigen Haaren, der Schuhe mit erhöhten Absätzen trug. Die beiden bestellten Salzfisch mit Pellkartoffeln und ausgelassenem Hammelschmalz. Sie aßen mit großem Appetit und unterhielten sich währenddessen über Frank und diesen Mann, den er angeblich an der Ecke von Lindargata und Skuggasund gesehen hatte. Beide hatten denselben Gedanken gehabt, dass Frank ihnen da wieder eine Lüge aufgetischt hatte, um sie auf eine falsche Fährte zu bringen und von sich selber abzulenken. Womöglich war das von Anfang an seine Absicht gewesen. Und es passte sehr gut zu seinem hinterhältigen und dreisten Umgang mit isländischen Frauen.

Frank Ruddy würde noch einige Zeit in Gewahrsam bleiben, seine Aussagen wurden in Amerika überprüft, nicht zuletzt auch im Hinblick auf eventuelle Vorstrafen. Er hatte ihnen den Namen des anderen isländischen Mädchens genannt, das auf ihn hereingefallen war, und Flóvent beabsichtigte, noch an diesem Abend mit ihr zu reden.

»Glücklicherweise sind nicht alle wie er«, sagte Thorson.

»Nein, isländische Frauen haben etwas Besseres verdient als so einen Armleuchter.«

»John Carroll?«, fragte Thorson. »Hat der nicht auch Zorro gespielt?«

»Ja genau, er war Zorro«, antwortete Flóvent, während er auf das heiße Schmalz blies. Er ging leidenschaftlich gern ins Kino. Zwei Leinwandstars mochte er besonders gern, Clark Gable und Humphrey Bogart, der sich seit Neuestem auch zu den Hollywoodberühmtheiten zählen durfte.

»Frank hält sich vielleicht für so etwas wie einen Zorro«, bemerkte Thorson. »Er wäre bestimmt gern ein Abenteurer und Frauenheld.«

»Ja, und was für ein Held!«

»Denkst du, dass Ruddy irgendwas mit dem Mord an dem Mädchen zu tun hat?«

»Soweit ich sehen kann, nein«, antwortete Flóvent. »Er ist ein unbedeutender Depp, und ich glaube auch nicht, dass er das Mädchen gekannt hat. Wieso sollte er sonst mit seiner neuen Flamme ausgerechnet dorthin gehen, wo sie lag? Für mich klingt das einfach zu weit hergeholt.«

»Und Rósmunda hatte keinerlei Kontakt zu amerikanischen Soldaten, falls man ihren Eltern Glauben schenken darf.«

»Das hat nicht viel zu besagen«, entgegnete Flóvent. »Ingiborg hat ihr Techtelmechtel mit dem Amerikaner auch vor ihren Eltern geheim halten können. So ist es doch in vielen Familien, die jeglichen Kontakt zu den Soldaten vehement ablehnen. Deswegen verschweigen viele junge Frauen ihre Liebschaften.«

»Das Schmalz ist übrigens richtig gut.«

»Gibt es das nicht in Kanada?«

»Nein, das ist wohl ziemlich isländisch.«

»Wahrscheinlich. Wie geht es dir eigentlich beim Militär?«

»Ganz gut. Ich hoffe trotzdem, dass der Krieg bald vorbei sein wird, damit ich wieder nach Hause kann.«

»Wartet dort jemand auf dich?«

Flóvent hatte Thorson gegenüber nie zuvor ein so persönliches Thema angeschnitten, weil er nicht aufdringlich sein wollte, doch nun hatte er sich getraut.

»Nein«, sagte Thorson lächelnd. »Niemand.«

Als Flóvent spürte, dass es Thorson nicht unangenehm war, über private Dinge zu sprechen, reizte es ihn, mehr über ihn zu erfahren. Denn über diesen Mann wusste er nicht viel mehr, als dass er ein angenehmer Kollege war. Er war klug, scheute die Arbeit nicht, und er war umgänglich. Und er war völlig frei von Überheblichkeit.

»Oder wartet vielleicht hier jemand auf dich?«, tastete Flóvent sich weiter vor.

»Nein, auch hier nicht«, sagte Thorson.

»Du bist natürlich auch nicht viel älter als zwanzig. Du hast noch genug Zeit.«

»Ja, das finde ich auch. Ich bin vierundzwanzig. Und wie steht es bei dir?«

»Ich bin auch nicht verheiratet«, erwiderte Flóvent. »Ich habe eigentlich keine Zeit gehabt, um ... um mich auf so etwas einzulassen.«

»Aber vielleicht gibt es doch jemanden ...«

»Im Augenblick nicht«, sagte Flóvent und wechselte das Thema. »Wirst du wieder nach Kanada zurückkehren, wenn der Krieg vorbei ist?«

»Ja, ich möchte zurück nach Manitoba«, sagte Thorson. »Ich will mein Ingenieurstudium zu Ende bringen. Um irgendwas Vernünftiges machen zu können.«

»Als Ingenieur?«

»Ich wollte schon immer Brücken bauen. Als der Krieg ausbrach, war ich mitten in einem Semester über Statik, Baustatik. Aber dann wurde ich nach Island geschickt.«

»Und was ist mit der Polizei? Dort könntest du doch auch etwas Sinnvolles machen.«

»So habe ich es nicht gemeint«, sagte Thorson und sah von seinem Teller auf. »Die Arbeit finde ich wirklich interessant und spannend, Verbrechen und Ermittlungen, aber ich bezweifle sehr, ob ich in Zukunft auf diesem Gebiet tätig sein möchte. Diesen Beruf möchte ich lieber an den Nagel hängen, wenn der Krieg vorbei ist.«

»Hast du irgendwelche isländische Verwandte von dir kennengelernt, seitdem du hier bist?«

»Nein«, sagte Thorson. »Von denen gibt es auch nicht sehr viele. Jetzt sag mir aber auch etwas von dir. Weshalb bist du bei der Kriminalpolizei?«

»Die Kripo in Reykjavík wurde erst vor ein paar Jahren ins Leben gerufen, und man brauchte dringend

Leute mit einigen Vorkenntnissen«, sagte Flóvent. »Ich war damals schon ein paar Jahre bei der Polizei gewesen. Ich wurde nach Schottland und Dänemark geschickt, um mich über die Verfahrenweisen bei Ermittlungen zu informieren. Die Arbeit gefiel mir, und ich wollte sowieso gern mal ins Ausland. Dabei habe ich sehr viel gelernt. Wir müssen hier sozusagen alles aus dem Nichts aufbauen. Zum Beispiel Archive mit Fingerabdrücken und Fotos von Straftätern anlegen – das hat es hierzulande bislang nicht gegeben. Und seit dem Ausbruch des Krieges hat diese Aufbauarbeit praktisch brachgelegen. Im Augenblick bin ich der Einzige, der sich damit beschäftigt.«

Flóvent nutzte jede freie Stunde, um eine isländische Verbrecherkartei aufzubauen. 1935 waren zum ersten Mal Fingerabdrücke von Straftätern genommen worden, die wurden inzwischen archiviert und nach einem bestimmten System geordnet. Ungefähr zur gleichen Zeit hatte man auch damit begonnen, Straftäter zu fotografieren. Dazu verwendete man eine enorm große stereoskopische Kamera, die sich im damaligen Hauptdezernat der Polizei in der Pósthússtræti befand. Das Polizeiarchiv, das Flóvent für außerordentlich wichtig hielt, steckte zum gegenwärtigen Zeitpunkt natürlich noch in den Kinderschuhen, ebenso wie die Behörde selbst. Zehn Jahre früher war auch eine Spezialabteilung für Gewaltverbrechen eingerichtet worden, bei der einige wenige Polizeibeamte beschäftigt waren, darunter einer, der für die Kriminaltechnik zuständig war. Die Mitarbeiter dieser Abteilung trugen ein eigenes Abzeichen, eine Plakette mit der Aufschrift *Kriminalpolizei*. Alle anderen Polizeibeamten trugen das Abzeichen mit dem mittelalterlichen Motto aus der Saga vom weisen Njáll: *Mit Recht und Gesetz soll das Land besiedelt werden.* Die Plakette der Kriminalpolizei war aber nur an einer silbernen Kette befestigt, man trug sie in der Hosentasche bei sich, doch Flóvent hatte bislang noch keinen Anlass gehabt, sie aus der Tasche zu ziehen.

»Und was … Was genau findest du eigentlich so spannend an deiner Arbeit?«, fragte Thorson.

»Spannend? Ich weiß nicht, ob das das richtige Wort ist. Man muss sich vor allem für diese Arbeit interessieren«, antwortete Flóvent. »Und daran glauben, dass man die Fälle lösen kann.«

»In einer so winzigen Gesellschaft wie hier braucht es dazu doch wohl keine Zauberei?«

»Mit jedem Tag, der vergeht, wird es schwieriger«, erklärte Flóvent lächelnd. »Ich weiß nicht, wo es enden wird, wenn eine arme bäuerliche Gesellschaft so rasant entwurzelt und in den Strudel der Weltereignisse katapultiert wird. Das kann kein gutes Ende nehmen.«

Als sie ihre Teller geleert hatten, fragte Flóvent: »Was machst du eigentlich in deiner freien Zeit hier? Hast du irgendwelche Hobbys?«

»Nein«, sagte Thorson. »Ich wandere manchmal in den Bergen, weil ich es schön finde, allein mit der Natur zu sein. Ich habe schon einige Male die Esja bestiegen, und auch diesen Berg, der wie ein Vulkankegel aussieht, heißt er nicht Keilir? Island ist … Es ist ein schönes Land. Und es ist nicht schwierig, Ruhe zu finden, wenn man in der Natur unterwegs ist und die reine Luft einatmet. Sich einfach ins Gras legt und zum heiteren Himmel aufschaut.«

Flóvent musste lächeln. Er hatte Thorson schon seit ihrer allerersten Begegnung gemocht.

»Falls Frank Ruddy die Wahrheit sagt, dass da ein Mann an der Ecke zum Skuggasund gestanden hat – könnte es dann nicht sein, dass dieser Mann beobachtet hat, wie das Mädchen dort hingeschafft wurde? Oder war es vielleicht sogar der Mörder?«

»Möglich.«

»Können wir diesen Mann finden?«

»Wir können es zumindest versuchen.«

»Hätte er sich nicht mit uns in Verbindung setzen müssen?«

»Vielleicht hat er ja gar nichts gesehen.«

»Oder vielleicht gibt es ihn gar nicht«, sagte Flóvent. »Frank Ruddy kann lügen wie gedruckt, das wissen wir ja.«

»Das stimmt. Ich denke, wir sollten nicht ausschließen, dass Militärangehörige in den Fall involviert sind«, erklärte Thorson.

»Über eine Sache habe ich sehr viel nachgedacht, aber ich weiß nicht, ob es wirklich eine Rolle spielt«, sagte Flóvent nach kurzem Schweigen.

»Worüber?«

»Über die Tatsache, dass Rósmunda vor drei Monaten zwei Tage lang nicht nach Hause gekommen ist. Und ob es etwas damit zu tun hat, dass sie später eine Abtreibung hatte«, sagte Flóvent. »Ich hätte ihre Eltern danach fragen sollen.«

»Du meinst, dass Rósmunda damals mit dem Vater ihres Kindes zusammen war?«

»Das denke ich. Ich finde es ziemlich naheliegend, das miteinander in Verbindung zu bringen.«

»Du meinst, dass sie bei jemandem übernachtet hat und niemandem etwas sagen wollte?«

»Ja, das ist möglich.«

»Aber warum? Was für Gründe könnte sie dafür gehabt haben?«

»Vielleicht hatte sie eine Affäre mit jemandem, die nicht gut ausging«, sagte Flóvent. »Vielleicht mit einem Soldaten. Aber ein Isländer kommt natürlich da auch in Frage.«

»Und weshalb wollte sie das Kind nicht?«, fragte Thorson.

»Dafür kann es viele Gründe geben. Sie war unverheiratet, sie wollte vielleicht erst mal eine Ausbildung machen. Um sich selber eine Lebensgrundlage zu verschaffen.«

»Eine moderne Frau also?«

»Ja. Eine moderne Frau.«

Nach dem Essen fuhren sie zu Rósmundas Eltern und durften sich ihr Zimmer ansehen. Die alten Leute wollten mehr erfahren und boten ihnen Kaffee und Schmalzkringel an, aber Flóvent und Thorson wollten keine Umstände machen. Sie fragten nur, ob Rósmunda sich irgendwann mal für das Nationaltheater interessiert oder darüber gesprochen hatte. Daran konnten sie sich nicht erinnern.

»Wir hatten vor, eine Nähmaschine für sie zu kaufen«, sagte die Frau, als sie in Rósmundas Zimmer standen. Überall lagen Handarbeiten, ausländische Modezeitschriften und Entwürfe von Blusen und Kleidern und anderem, woran Rósmunda gearbeitet hatte.

»Eine gebrauchte«, fügte der Mann hinzu. »Solche Maschinen sind teuer.«

»Sie hat immer gesagt, dass eine gute Nähmaschine sich ganz schnell bezahlt machen würde«, sagte die Frau. »Ihr Zimmer ist genauso, wie sie es verlassen hat. Bitte entschuldigt die Unordnung, das arme Kind hatte nicht viel Sinn fürs Aufräumen.« Die Frau kämpfte mit den Tränen.

»Viele junge Mädchen schreiben Tagebücher«, sagte Flóvent. »Wisst ihr, ob sie das auch getan hat?«

»Nein, das wissen wir nicht«, sagte der Mann und versuchte, seine Frau zu trösten.

»Würdet ihr uns gestatten, dass wir einen Blick in ihr Zimmer werfen?«

»Natürlich, bitte sehr«, sagte die Frau. »Seht ihr, sie hat an einem Kleid aus Velours gearbeitet, mit Spitzenbesatz. Es sollte ein Lana-Turner-Kleid werden, weil sie die Schauspielerin in einem Film in so einem Kleid gesehen hatte.«

Das Zimmer war so etwas wie eine kleine Schneiderwerkstatt. Rósmunda hatte einen kleinen Küchentisch als Nähtisch benutzt. An der Wand stand ihr Bett und daneben ein Kleiderschrank. In einer Ecke befand sich ein Koffer mit Stoffproben und Kästchen mit Knöpfen, Bändern und Rüschen. Das Zimmer ließ nur den einen Schluss zu, dass die junge Frau, der es gehört hatte, ganz genau wusste, was sie werden wollte, und sich ausschließlich damit beschäftigte.

Flóvent räusperte sich. »Als Rósmunda vor drei Monaten erst nach zwei Tagen wieder zurückkam, war sie da so wie immer? Hat sie sich ganz normal verhalten?«

»Ich habe keine Veränderung bemerkt«, sagte die Frau. »Sie hat immer so viel gearbeitet und war selten zu Hause. Sie ging frühmorgens aus dem Haus und kam erst spätabends zurück. Sie hat sich höchstens ein paar Stunden Schlaf gegönnt.«

Flóvent sah sich ein letztes Mal in dem Zimmer um. Sie hatten kein Tagebuch gefunden, dem Rósmunda ihre alltäglichen Erlebnisse, ihre Wünsche und Sehnsüchte anvertraut hätte, und keinerlei Hinweis auf etwas, das ihr schreckliches Ende hätte erklären können.

Flóvent hatte später am Abend eine kurze Unterredung mit der anderen Flamme von Frank Ruddy gehabt. Auch sie war sehr erstaunt, als sie hörte, dass Frank in Boston verheiratet war. Es überraschte sie aber keineswegs, dass sie nicht als einzige Frau in Reykjavík auf ihn hereingefallen war.

»Er stammt aus Illinois«, sagte Flóvent.

»Ja, aus Boston«, sagte das Mädchen.

»Boston liegt nicht in Illinois.«

»Ehrlich? Wo ist denn dieses Illidingsbums, ich hab noch nie davon gehört.«

»Illinois ist ein amerikanischer Bundesstaat. Und Boston ist die Hauptstadt in einem ganz anderen Bundesstaat.«

Das Mädchen war neunzehn. Mit den Eltern und ihrem jüngeren Bruder an der Seite saß sie auf dem Sofa im Wohnzimmer einer Kellerwohnung in der Nähe des Stadtflughafens. Frank hatte Flóvent gesagt, wie sie hieß und wo sie wohnte. Er hatte sie einmal nach Hause gebracht. Ihre Eltern beobachteten heimlich aus dem Küchenfenster, wie sie sich küssten. Er winkte ihnen zu, und sie winkten zurück. Sie waren aus Südisland in die Stadt gezogen.

Das Mädchen konnte Flóvent nicht viel sagen. Ihr gegenüber hatte Frank sich immer wie ein Gentleman aufgeführt, und er hatte auch immer genug Zigaretten und Kaugummi dabeigehabt. Sie waren zusammen tanzen gegangen, und obwohl ihr Englisch miserabel war, hatte sie doch so viel verstanden, dass er sie heiraten und mit nach Amerika nehmen wollte.

Sechzehn

Tags darauf besuchten Flóvent und Thorson die Schneiderei, in der Rósmunda gearbeitet hatte, weil sie nähen lernen wollte. Die Inhaberin hatte schon damit
gerechnet, dass die Polizei sie besuchen würde, weil
Rósmunda auf so schreckliche Weise zu Tode gekommen war, wie sie sich ausdrückte. Sie war eine schlanke
Frau um die vierzig, sie redete schnell und wirkte irgendwie angespannt. Sie konnte nicht begreifen, wie
so etwas möglich war, Rósmunda war so ein anstän-
diges Mädchen gewesen und hatte so flinke Hände
gehabt, an Geschicklichkeit hatte es bei ihr nicht gemangelt.

»Sie konnte wirklich gut nähen«, sagte die Frau.
»Dafür hatte sie ein ausgesprochenes Talent. Wenn sie
Kleidungsstücke ausbesserte, sah man nie auch nur
eine Spur davon, dass sie geflickt waren. Und sie hat
auch schon ein paar sehr hübsche Kleider genäht.«

»Wissen Sie, ob jemand einen Grund gehabt haben
könnte, ihr etwas anzutun?«, fragte Flóvent, während
er sich in der Schneiderei umsah. »Haben Sie mitbekommen, dass sie Streit mit irgendjemandem hatte?«

Er hatte nicht die geringste Ahnung von weiblicher Garderobe, und erst recht nicht davon, dass in
eine Schneiderei auch Kleider, Röcke, Hüte, Unter-

wäsche und alles Mögliche andere zur Änderung oder Reparatur gebracht wurden. Der Arbeitstag ging seinem Ende zu, nur noch die Besitzerin war anwesend. Vier elektrische Nähmaschinen standen hintereinander auf Tischen, und daneben lagen Stoffe, Nähnadeln, Scheren, Garnrollen und Stecknadeln. In einem kleinen Nebenraum befanden sich zwei alte Nähmaschinen mit Fußantrieb, außerdem Modezeitschriften und Schnittmuster sowie Stoffballen, Litzen, Borten und alle möglichen anderen Nähutensilien.

»Nein, das habe ich nicht«, sagte die Schneidermeisterin.

»Möglicherweise mit Kunden?«

»Sie war so ein liebes, gutes Mädchen, ich kann mir nicht vorstellen, dass irgendjemand etwas gegen sie hatte.«

»Ich gehe davon aus, dass die Kunden meistenteils weiblich waren«, sagte Flóvent.

»Gewiss.«

»Kommen vielleicht manchmal auch Soldaten hierher?«, fragte Thorson.

»In meine Schneiderei? Nein, nein, ganz sicher nicht.«

»Die gehören also nicht zu Ihren Kunden?«

»Ich habe den einen oder anderen mit seiner Freundin gesehen, aber sie nehmen unsere Dienste nicht in Anspruch, wenn Sie das meinen. Sie schauen höchstens mal mit ihren Freundinnen herein.«

»Ihre feste Kundschaft besteht also vor allem aus Isländerinnen?«

»Oh ja, unbedingt, und sie ist groß. Die meisten

Kundinnen sind seit vielen Jahren bei mir. Wir leisten hier erstklassige Arbeit, darauf habe ich von Anfang an Wert gelegt. Ich kann Ihnen versichern, dass meine Schneiderei zu den besten in Reykjavík gehört.«

»Könnte es sein, dass Rósmunda engere Beziehungen zu Soldaten hatte?«, fragte Thorson.

»Nein, nicht dass ich wüsste.«

»Oder zu anderen Männern?«

»Nein, das glaube ich nicht. Sie hat jedenfalls nie darüber gesprochen. Ich kümmere mich allerdings so gut wie gar nicht um das Privatleben meiner Angestellten. Sie hat schon seit ein paar Jahren für mich gearbeitet und ihre Sache gut gemacht, das muss ich sagen. Bei mir arbeiten etliche andere Näherinnen, und ich habe auch noch ein anderes Mädchen in der Lehre, aber mit Rósmunda sind sie alle nicht zu vergleichen. Sie war viel talentierter.«

Flóvent notierte sich den Namen des anderen Mädchens, das sich noch in der Ausbildung befand. Die Schneidermeisterin gestattete ihm und Thorson, sich im Hinterzimmer umzusehen. Rósmunda war seinerzeit aus eigener Initiative in dem Schneideratelier vorstellig geworden und hatte sich um eine Arbeit beworben, sie hatten sich vorher nicht gekannt. Weil kurz vorher ein Mädchen gekündigt hatte, beschloss die Schneidermeisterin, Rósmunda auf Probe anzustellen. Und es hatte sich als eine gute Entscheidung herausgestellt. Am Tag vor ihrem Tod hatte sie letzte Hand an das Abendkleid einer Stammkundin gelegt, der Frau eines Bankdirektors, die sich vor Ausbruch des Krieges normalerweise im *Magasin du Nord* einkleiden ließ. Die Bankdirektorsgattin hatte versichert, das die Schneiderei in Reykjavík dem Kopenhagener Kaufhaus in nichts nachstünde.

Sieh mal einer an, dachte Flóvent und schrieb sich den Namen der Frau auf.

»Ja, ich versuche immer … Oder sagen wir lieber so, meine Klientel hat sehr hohe Ansprüche. Und denen versuche ich zu entsprechen.«

Flóvent nickte.

»Derzeit leidet das Geschäft aber sehr darunter, dass wir kaum noch Lieferungen aus dem Ausland erhalten«, seufzte die Inhaberin der Schneiderei. »Wir versuchen, die Stoffe so gut wie möglich zu nutzen, und wir nähen auch neue Kleider aus alten, aber alles ist schwarz oder grau. Seidenballen habe ich wer weiß wie lange nicht mehr in meinen Händen gehalten.«

Flóvent und Thorson sahen sich in dem kleinen Raum um, konnten aber nicht feststellen, dass Rósmunda irgendwelche persönlichen Gegenstände am Arbeitsplatz aufbewahrt hatte. Sie hatte an einer der Nähmaschinen mit Fußtritt gesessen, das Abendkleid der Bankdirektorsgattin hing neben der Maschine auf einem Bügel, ein schwarzes, schmal und schlicht geschnittenes Kleid.

»Wissen Sie, wohin sie am letzten Tag, an dem sie hier war, nach der Arbeit gegangen ist?«, fragte Flóvent.

»Ich bin davon ausgegangen, dass sie einfach nach Hause gehen würde, auf jeden Fall hat sie nichts anderes erwähnt.«

»Ging sie immer von der Arbeit direkt nach Hause?«

»Ja, ich glaube schon. Wir haben nur sehr selten über

persönliche Dinge gesprochen. Bei mir gelten aber diesbezüglich strenge Regeln, ich halte das für notwendig – nicht zuletzt in diesen Zeiten.«

»Sie und Rósmunda haben sich gesiezt?«

»Selbstverständlich.«

»Und Sie wissen nicht viel über ihr Privatleben?«

»Fast gar nichts.«

»Hat sie Ihnen gegenüber mal das Nationaltheater erwähnt?«

»Das Nationaltheater? Nein. Fragen Sie danach, weil sie dort gefunden wurde?«

»Wir müssen dieser Spur nachgehen. Sie haben nie gehört, dass sie das Theater erwähnte?«

»Nein, nie.«

»Können Sie sich daran erinnern, dass sie vor einigen Monaten zwei Tage lang nicht zur Arbeit erschienen ist?«, fragte Flóvent.

»Nein«, erklärte die Schneidermeisterin, »daran erinnere ich mich nicht.«

Thorson begleitete Flóvent auch am Abend, um mit dem anderen Mädchen zu sprechen, das in der Schneiderei zur Lehre ging. Sie war in etwa so alt wie Rósmunda und hatte sie auch besser gekannt als die Inhaberin der Schneiderei. Das schlanke Mädchen war hübsch, das rabenschwarze Haar fiel ihr bis auf die Schultern, und die dichten schwarzen Augenbrauen über den dunkelbraunen Augen waren fast zusammengewachsen. Der Ebenholzton ihres Haares stand in augenfälligem Kontrast zu ihrer schneewittchenweißen Haut. Sie lebte in einem kleinen Kellerzimmer in der Nähe der Innenstadt zur Miete und war gerade dabei, eine Laufmasche in einem Seidenstrumpf aufzufangen, als sie eintrafen. Sie und Rósmunda waren befreundet gewesen, und das Mädchen sagte ihnen, was für einen Schock sie bekommen hatte, als sie von Rósmundas Tod und den Todesumständen erfahren hatte. Und sie sei auch zur Polizei gegangen, denn sie wusste einiges über Rósmunda.

»Es ist einfach entsetzlich«, sagte sie. »Ich muss immerzu an sie denken. Wie ... wie mag sie sich gefühlt haben? Was ist denn da eigentlich passiert? Wie kann so etwas überhaupt geschehen?«

»Das versuchen wir herauszufinden«, sagte Flóvent in beruhigendem Ton.

»Habt ihr schon mit unserer Chefin in der Schneiderei gesprochen?«, fragte das Mädchen. Sie hatte Flóvent und Thorson gegenüber erklärt, sie wolle nicht gesiezt werden.

Flóvent bejahte die Frage.

»Die hat die arme Rósmunda fürchterlich für sich schuften lassen, manchmal bis spät in die Nacht, ohne ihr was dafür zu bezahlen.«

»Ach so«, sagte Flóvent. »Uns wurde nur gesagt, Rósmunda sei sehr talentiert gewesen.«

»Das war sie«, bestätigte das Mädchen. »Und das wusste die Alte auch sehr genau. Rósmunda hatte nicht vor, lange bei ihr zu bleiben. Sie wollte ihre eigene Schneiderei. Ich bin mir ziemlich sicher, dass die Alte schon Lunte gerochen hatte. Und dass diese Vorstellung ihr ganz schön Angst gemacht hat. Da bin ich mir ziemlich sicher.«

»Hat es deswegen Streit zwischen ihnen gegeben?«

»Nein, Rósmunda hat nie über ihre Pläne gesprochen, zumindest nicht in meinem Beisein. Rósmunda träumte davon, eine Modeschneiderin zu werden. Nach dem Krieg wollte sie unbedingt ins Ausland gehen, um mehr zu lernen.«

»Kennst du ihre Eltern?«, fragte Thorson.

»Ich hab die beiden einmal getroffen, sie sind wirklich reichlich altmodisch. Aber sie hat immer gut über sie gesprochen. Ihr wisst doch, dass sie nur ihre Pflegetochter war?«

»Weshalb sagst du, dass sie altmodisch waren? Was genau meinst du damit?«

»Ich glaube, Rósmunda ist sehr streng erzogen worden. Und außerdem sind die beiden Spiritisten.«

»Spiritisten?«, hakte Thorson nach.

»Ja, das hat Rósmunda gesagt. Dass die beiden wirklich an solche Dinge glaubten. Die sind zu Séancen gegangen und haben viel über sowas gelesen, über Wiedergänger und Verbindungen zu irgendwelchen Leuten im Jenseits.«

»Interessierte sich Rósmunda auch für sowas?«

»Nein, überhaupt nicht. Sie hat nicht an dieses Zeugs geglaubt. Und als er ihr das gesagt hat, dieses verdammte Scheusal ...«

»Was für ein Scheusal?«

»Ich war wirklich schon auf dem Weg zu euch wegen Rósmunda. Sie wollte eigentlich nicht darüber reden und hat mich auch beschworen, niemandem davon zu erzählen.«

»Aber du weißt, worum es ging?«

»Sie wollte mir nicht sagen, wer der Mann gewesen ist, und auch nicht, was da genau passiert ist. Es war aber etwas passiert, und für sie muss es der reinste Horror gewesen sein. Als sie herausfand, dass sie schwanger war, kam für sie nie etwas anderes in Frage, als das Kind abtreiben zu lassen. Ich weiß nicht...«

Die junge Frau zögerte.

»Sie wurde vergewaltigt«, fuhr sie dann fort. »Rósmunda ist zu mir gekommen, nachdem es passiert war, und sie war zwei Tage lang bei mir, bevor sie sich traute, wieder nach Hause zu gehen. Sie fühlte sich ganz furchtbar elend.«

»Kann es sein, dass das etwa drei Monate her ist?«, fragte Flóvent.

Das Mädchen nickte.

»Aber wer hat sie vergewaltigt?«, fragte Flóvent.

»Das hat sie nicht gesagt, sie hat ihn nur ein Scheusal genannt. Sie konnte damals einfach nicht nach Hause gehen, deswegen ist sie bei mir geblieben, bis sie sich wieder einigermaßen gefangen hatte.«

»Aber sie hat nicht gesagt, wer es war?«, fragte Thorson.

»Nein. Sie hat nur gesagt, es sei ein Irrer gewesen. Als ich von der Arbeit nach Hause kam, wartete sie an der Tür auf mich, sie sah entsetzlich aus. Dieser Kerl hatte ihr gesagt, sie solle behaupten, dass Elfen oder andere verborgene Wesen über sie hergefallen seien. Das zeigt doch schon, wie verrückt der Typ gewesen sein muss.«

»Sollten wirklich Elfen für die Vergewaltigung verantwortlich sein?«

»Ich wünschte, sie hätte den Kerl angezeigt«, sagte das Mädchen. »Ich wünschte, sie hätte mir gesagt, wer ihr das angetan hat. Oder dass sie es an die große Glocke gehängt und ihm keine Ruhe mehr gelassen und allen gesagt hätte, was dieser Kerl ihr angetan hat.«

»Aber was hat das mit Elfen oder sonstigen verborgenen Wesen zu tun?«, fragte Flóvent. »Hat Rósmunda sich für so etwas interessiert?«

»Nein.«

»Hat sie an solche Sagen und Geschichten geglaubt?«, fragte Thorson.

»Nein. Überhaupt nicht.«

»Aber was hat sie dann damit gemeint?«, fragte Flóvent.

»Das weiß ich nicht. Sie hat danach nie wieder darüber geredet. Aber nach dem, was sie mir erzählt hat, muss dieser Kerl total verrückt gewesen sein.«

Flóvent und Thorson sahen sich an.

»Weißt du, ob sie noch Kontakt zu ihrer Familie in Nordisland hatte?«, fragte Flóvent.

»Nein, eigentlich nicht«, antwortete das Mädchen. »Zwei von ihren Brüdern sind jetzt auch hier im Süden. Sie hat mir gesagt, dass sie da irgendwo im Hvalfjörður für das Militär arbeiten.«

»Hat sie abends nach der Arbeit irgendwas unternommen?«, fragte Thorson.

»Sie ging meistens einfach nur nach Hause, glaube ich«, sagte das Mädchen. »Manchmal sind wir zusammen ins Kino gegangen oder zum Tanzen ins Hotel Borg. Und ganz oft hat sie abends einfach nur für die Alte geschuftet. Nach diesem Erlebnis ist sie aber nie mehr ausgegangen.«

»Weißt du, ob sie jemanden im Militärdepot kannte?«

»Nein, ganz bestimmt nicht.«

»Weißt du, ob sie einen Soldaten mit Namen Frank Caroll kannte?«, fragte Flóvent.

»Sie hat nie über einen Frank gesprochen.«

»Er könnte sich auch Frank Ruddy genannt haben.«

Das Mädchen schüttelte noch einmal den Kopf.

»Sie hat sich also nicht mit Soldaten eingelassen?«

»Nein«, sagte das Mädchen, »ganz bestimmt nicht.«

»Hatte sie einen Freund?«, fragte Flóvent.

»Nein. Oder wenn, dann bestimmt noch nicht lange.«

»Es gab keine anderen jungen Männer, mit denen sie ausgegangen ist?«

»Nein. Rósmunda war nicht für so was zu haben.«

»Du hast gesagt, für sie wäre nichts anderes in Frage gekommen, als abtreiben zu lassen. Weißt du, zu wem sie gegangen ist?«

»Sie wollte mir nicht sagen, wer es war. Sie schämte sich so dafür, das getan zu haben, und deswegen wollte sie nicht darüber reden. Und ich hab mich nicht getraut, sie danach zu fragen.«

»Aber du hast nach der Abtreibung mit ihr gesprochen?«

»Ja, sie war so furchtbar niedergeschlagen, ihr ging es richtig dreckig. Ich hatte ihr aber . . .«

»Was hast du?«

»Ich weiß nicht, wer so etwas hier in der Stadt macht. Aber meine Mutter hat mir von einer Frau erzählt, die alle möglichen Mittel aus Kräutern herstellt. Ich habe Rósmunda von ihr erzählt, und sie hatte vor, zu ihr zu gehen.«

»Wer ist das?«

»Sie wird Vigga genannt und wohnt da irgendwo im Schattenviertel. Ich glaube, Rósmunda ist bei ihr gewesen.«

Thorson notierte sich den Namen.

»Aber sie hat dir nie gesagt, wer sie vergewaltigt hat?«

»Nein«, sagte das Mädchen mit den pechschwarzen Haaren und runzelte die Augenbrauen. »Ich weiß nicht, weshalb sie ihn gedeckt hat. Ich hab das einfach nicht verstanden.«

Siebzehn

Konráð lud sich einen Zeitungsbericht nach dem anderen herunter und las Nachrichten über die Bombardierung von Berlin und eine Gefechtspause in Italien. Die Kriegsnachrichten nahmen damals den größten Raum ein, an Meldungen dieser Art hatte es ja nicht gemangelt. Ansonsten wurde von politischen Auseinandersetzungen berichtet oder von Havarien bei der Fischereiflotte. Der Kutter Óðinn mit fünf Mann an Bord wurde als vermisst gemeldet, und nach einigen Tagen war die Suche abgebrochen worden. Und die Vorbereitungen für die Feierlichkeiten in þingvellir liefen auf Hochtouren, im nächsten Sommer sollte dort die Republik Island ausgerufen werden. Auf all diese Nachrichten hatte Konráð Zugriff übers Internet, und er ging alles sehr sorgfältig durch. Er suchte auch in den folgenden Jahrgängen nach Meldungen vom Leichenfund hinter dem Nationaltheater, aber viel mehr als die Zeitungsausschnitte von Thorson fand er nicht; und was er fand, bot ihm keine Informationen über das hinaus, was er bereits wusste. Er wusste, dass es während des Krieges eine Zensur gegeben hatte, die in erster Linie darauf abzielte, nichts zu veröffentlichen, was sich die Deutschen zunutze machen konnten. Aber das hätte im Fall des toten Mädchens wohl kaum eine Rolle gespielt.

Er hatte sich auch in alten Protokollen und Berichten der Kriminalpolizei umgetan, aber dabei war herzlich wenig herausgekommen. Es hatte den Anschein, als sei das meiste verlorengegangen. Jedenfalls konnte er nicht herausfinden, ob es jemals zu einem Gerichtsverfahren gekommen war. Er fand nur Bruchteile eines Protokolls von dem Gespräch mit der Frau, die seinerzeit den Leichenfund am Nationaltheater der Polizei gemeldet hatte. Sie erklärte, ein junges Mädchen erkannt zu haben, das wie auf der Flucht davongerannt war. Am Rand des Protokolls stand ein Name, den Konráð sich notierte.

Es war nicht auszuschließen, dass der Fall seinerzeit vor einem Militärgericht gelandet war. In Island war Militär aus Norwegen, Kanada, England und den Vereinigten Staaten stationiert, wobei die Amerikaner die größte Truppenstärke besaßen. Falls sich damals herausgestellt haben sollte, dass der Mörder des Mädchens Soldat war, konnte das eine Erklärung dafür sein, dass so gut wie gar nichts darüber in isländischen Zeitungen berichtet wurde oder im Polizeiarchiv aufzufinden war.

Konráð ging andere Nachrichten aus den ersten Monaten des Jahres 1944 durch, in dem die isländische Republik ausgerufen worden war. Genau in dem Jahr war er zur Welt gekommen. Sein Vater hatte ihm gesagt, dass die berüchtigte spiritistische Sitzung bei ihnen zu Hause es bis auf die Seiten der Zeitungen geschafft hatte. Konráð war dem nie nachgegangen, doch jetzt ergriff er die Gelegenheit und durchforstete die Zeitungen gründlich nach Meldungen und Kommentaren über ein betrügerisches Medium und dessen Helfershelfer.

Durch seine Tante Kristjana, der Schwester seines Vaters, hatte Konráð zuerst von dieser fragwürdigen Séance erfahren. Eines Tages war sie wie ein Wirbelwind aus dem Norden bei ihnen hereingeschneit und hatte ihrem Bruder wegen dieser Séance gründlich die Leviten gelesen; es sähe ihm verdammt ähnlich, sich mit Dingen zu befassen, von denen er nichts verstünde. Es waren fast zehn Jahre seit dieser Séance ins Land gegangen, und das allgemeine Interesse daran war deswegen wieder erwacht, weil in einer der Zeitungen die Todesanzeige von Rósmundas Pflegevater erschienen war. Er war nach kurzem Aufenthalt im Krankenhaus verstorben. Tante Kristjana war knallhart in ihrem Urteil, sie schwadronierte über Ehre und Schande und darüber, was für ein Taugenichts und Tunichtgut ihr Bruder sei, der seine Mitmenschen so hemmungslos betrog. Sie ereiferte sich so lange, bis Konráðs Vater die Geduld verlor und sie einigermaßen höflich dazu aufforderte, entweder die Klappe zu halten oder sich andernfalls wieder in den Norden Islands zu verpissen.

Sein Vater hatte in den Jahren nach der Séance nie wieder spiritistische Sitzungen in seinem Haus organisiert. Er war auch nicht mehr Mitglied des parapsychologischen Vereins, über den er früher seine Opfer für derartige Sitzungen rekrutiert hatte, und er hatte auch sämtliche Kontakte zu Sehenden und Medien abgebrochen. Konráðs Mutter hatte sich zu der Zeit, als Tante Kristjana zu Besuch kam, schon von ihrem Mann getrennt, weil sie seine Tricks, seine Betrügereien und seine krummen Touren mit anderen Kleinkriminellen einfach nicht mehr ertragen konnte. Er hielt es nie lange in einer bezahlten Arbeit aus, er war vollkommen unberechenbar und betrank sich immer wieder mit irgendwelchem Pack. Er war sogar gewalttätig ihr gegenüber geworden und hatte sich vor seinen Kumpels damit gebrüstet. Eines Tages war es aber so weit gekommen, dass sie ihm unmissverständlich zu verstehen gab, dass es ihr jetzt reichte. Sie war entschlossen, sich von ihm zu trennen, und verlangte, die beiden Kinder zu behalten. Hau bloß ab, hatte Konráðs Vater sie angebrüllt. Mach, dass du wegkommst und nimm meinetwegen das Mädchen mit, aber den Jungen, den nimmst du mir nicht weg! Sie ließ sich davon nicht beeindrucken und hoffte immer, dass er irgendwann klein beigeben würde, damit sie auch Konráð zu sich holen könnte. Doch dazu kam es nie, und deswegen blieb das Thema ein ständiger Anlass zum Streiten.

Nach dem Besuch von Tante Kristjana fragte Konráð seinen Vater, was es mit dieser spiritistischen Sitzung auf sich hatte, die der Anlass für ihren Besuch gewesen war.

»Frag mich bloß nicht danach«, hatte sein Vater geantwortet und ihm den Kopf gestreichelt. »Mach dir deswegen keine Gedanken. Deine Tante Kristjana hat noch nie völlig richtig getickt.«

Konráð lud weitere Seiten digitalisierter Zeitungen herunter. Und plötzlich stieß er auf eine Nachricht, die sein Interesse weckte. Die Überschrift des Artikels lautete: SKANDAL BEI SÉANCE. Der Artikel war recht ausführlich, es ging darum, dass es auf einer spiritistischen Sitzung, die vor nicht allzu langer Zeit im Schattenviertel stattgefunden hatte, nicht mit rechten Dingen zugegangen war. Unter den Teilnehmern an dieser Séance hatte sich ein älteres Ehepaar befunden, das unter einem schweren Verlust litt, und sie waren entsetzt darüber, dass ihnen etwas vorgegaukelt worden war. In dem Artikel wurden keine Namen genannt, es war nur die Rede von einem sehr erfahrenen Medium und seinem Assistenten, einem Familienvater, der die Sitzung in seiner Wohnung arrangiert hatte. Er und das Medium hätten unter einer Decke gesteckt und den Teilnehmern alle möglichen Informationen entlockt, die ihnen später durch das Medium als Nachrichten aus dem Jenseits präsentiert wurden. Ein hässlicher Betrug, hieß es in der Zeitungsmeldung. Die Eheleute seien untröstlich gewesen ...

Konráð hatte genug gelesen und klickte die Seite weg. Er suchte auch nicht nach weiteren Pressemeldungen über diese Séance. Plötzlich verspürte er kein Bedürfnis mehr zu wissen, was in den Zeitungen gestanden hatte. Er stand vom Schreibtisch auf, ging in die Küche und warf die Kaffeemaschine an. Er zog den Zettel mit dem Namen aus der Tasche, der an den Rand eines Protokolls gekritzelt worden war, das er im Polizeiarchiv gefunden hatte. Ein weiblicher Vorname, der auf Island sehr selten war. Höchstwahrscheinlich kam er aus dem Dänischen. Nur eine Frau im Telefonbuch trug diesen Namen.

»Ein Versuch schadet nicht«, sagte er zu sich selber. Er griff zu seinem Handy und wählte die Nummer.

Es klingelte einige Male.

»Ja?«, kam endlich die Antwort am anderen Ende der Leitung, eine nicht mehr junge, aber sehr klare Stimme.

»Spreche ich mit Ingiborg?«, fragte Konráð.

»Ja.«

»Ingiborg Ísleifsdóttir?«

»Ja, am Apparat«, sagte die Frau. »Und mit Verlaub, mit wem spreche ich?«

Achtzehn

Flóvent brauchte nicht lange, um das richtige Haus zu finden. Ein kleines unterkellertes Holzhaus mit Wellblechverkleidung, und darüber eine Etage und eine winzige Mansarde. Er stieg ein paar Stufen hoch und klopfte an. Nichts rührte sich. Er ging hinter das Haus, dort befand sich ein kleiner Garten, in dem der Hauseigentümer Gemüsebeete angelegt hatte. Er wollte gerade wieder auf die Straße gehen, als sich die Kellertür öffnete. Eine Frau in verschlissenem Pullover, dreckiger Leinenhose und Gummistiefeln, über die sie die knielangen Wollsocken gekrempelt hatte, kam zum Vorschein. Ihr wirres dichtes Haar verlieh ihr ein trollhaftes Aussehen. In der Hand trug sie einen leeren Wassereimer.

»Wer bist du?«, fragte sie Flóvent, schlug die Kellertür hinter sich zu und befestigte ein Vorhängeschloss daran.

»Entschuldige bitte«, sagte Flóvent. »Bist du die Frau, die Vigga genannt wird?«

»Was geht dich das an?«

»Ich bin von der Polizei«, sagte Flóvent. »Ich untersuche den Fall des Mädchens, das tot hinter dem Nationaltheater aufgefunden wurde, du hast vielleicht davon gehört. Rósmunda hieß sie.«

»Darüber weiß ich nichts«, erklärte die Frau.

»Aber du bist Vigga?«

»Ja, alle nennen mich Vigga.«

»Ich würde mich gern ein wenig mit dir unterhalten«, sagte Flóvent höflich.

»Ich habe nicht das Geringste mit dir zu besprechen«, entgegnete Vigga und stieg die Treppe zur Haustür hinauf. Sie hatte offensichtlich nicht vor, sich von Flóvent bei ihren täglichen Verrichtungen stören zu lassen.

»Mir wurde gesagt, dass du dich mit isländischen Kräutern auskennst«, sagte er.

»Ja, und?«

»Und du kennst dich mit ihren Heilkräften aus.«

»Das würde ich nicht behaupten.«

»Aber auch mit ihrer gefährlichen Wirkung.«

»Ich hab wirklich keine Zeit für sowas«, erklärte Vigga. »Sieh zu, dass du von meinem Grundstück verschwindest.«

Sie ging ins Haus und schloss die Tür hinter sich. Flóvent blieb unverrichteter Dinge zurück, doch klein beigeben wollte er auf gar keinen Fall. Er ging die Stufen zur Haustür hoch und klopfte noch einmal an. Es verging geraume Zeit, bevor Vigga sich wieder blicken ließ.

»Ich dachte, ich hätte dich gebeten zu gehen«, sagte sie.

»Soweit ich weiß, ist Rósmunda auch zu dir gekommen«, sagte Flóvent. »Ich hätte gern gewusst, ob das stimmt, und über was ihr beiden gesprochen habt.«

Er zog das Foto von Rósmunda aus der Tasche, das

er von ihren Pflegeeltern bekommen hatte, und hielt es Vigga hin.

»Das ist sie«, sagte er.

Vigga betrachtete das Foto lange. Dann sah sie Flóvent aus kleinen Katzenaugen an. Die schmalen, fast unsichtbaren Lippen und der harte Gesichtsausdruck zeugten davon, dass sie kein leichtes Leben hinter sich hatte.

»Ja, sie war bei mir«, sagte sie.

»Was wollte sie von dir?«

»Das arme Ding war am Boden zerstört. Sie wusste keinen Rat mehr.«

Vigga sah Flóvent an.

»Komm rein«, sagte sie dann, öffnete die Tür weit und ging vor ihm her in die Wohnung. »Wahrscheinlich werde ich dich sonst nicht los. Aber erwarte nicht, dass ich dir irgendwas anbiete. Kaffee habe ich nicht im Haus, und es hat keinen Zweck, mich um Schnaps zu bitten.«

»Ich brauche nichts«, sagte Flóvent und folgte ihr.

Von einer kleinen Diele aus hatte man Zugang zur Küche, und Vigga ließ ihn am Küchentisch Platz nehmen. Vom Rest der Wohnung sah Flóvent nichts. Vigga stellte sich an einen alten Kohleherd, neben dem einige Büschel von Islandmoos, Rentierflechte und arktischem Thymian lagen. Es wurde bereits dunkel. Vor dem Küchenfenster, von dem aus man auf die Straße blickte, ging eine Frau mit einem Kinderwagen vorbei.

»Ich probiere aus, wie man aus isländischen Kräutern Farben herstellen kann«, sagte Vigga, als Flóvent neugierig nach den Kräutern fragte. »Für einen Maler hier in Reykjavík. Du kennst ihn wahrscheinlich nicht. Er gehört nämlich nicht zu den bekanntesten Künstlern.«

»Bereitest du aber nicht auch Heilmittel zu? Weil die Kräuter in unseren Bergen bestimmte Heilkräfte haben?«

»Das mach ich manchmal. Wenn ich darum gebeten werde.«

»Hat Rósmunda dich gebeten, ihr zu helfen?«

»Sie hat viel Zeit dazu gebraucht, um mir zu sagen, in was für einer schwierigen Situation sie war, obwohl ich ihr sofort gesagt habe, dass ich nichts für sie tun könnte. Das arme Ding war in einer schlimmen Verfassung, als sie hierherkam, doch zum Schluss beruhigte sie sich wieder etwas. Sie saß genau dort, wo du jetzt sitzt. Ich habe einen Tee für sie aufgebrüht. Ich hatte Mitleid mit ihr. Es kommen immer wieder Leute zu mir, die mich für eine Hexe halten, die Zaubertränke gegen alles Mögliche brauen kann und sie von ihren Problemen befreit. Das hängt mit den Soldaten zusammen, wenn du verstehst, was ich meine. Ich habe Rósmunda zu einer Frau geschickt, die ich kenne, aber ob das Mädchen zu ihr gegangen ist, weiß ich nicht.«

»Wer ist die Frau?«

»Es hat keinen Sinn, mich danach zu fragen, denn du glaubst doch wohl nicht im Ernst, dass ich dir das verrate.«

»Über was genau hat Rósmunda mit dir gesprochen?«

»Vor allem über Elfen und solche verborgenen Wesen. Aus irgendeinem Grund wollte sie etwas über die wissen, und deswegen hab ich ihr von dem Mädchen im Nordosten erzählt, im Öxarfjörður.«

»Von was für einem Mädchen?«

»Von dem Mädchen, das spurlos verschwunden ist.«

»Wer war sie?«

»Ein junges Mädchen aus der Gegend. Ich war damals Köchin bei einer Straßenbaukolonne, und ich habe sie ein paar Mal getroffen. Sie hieß Hrund, wenn ich mich richtig erinnere.«

»Und was geschah mit ihr?«

Vigga schob sich einen frischen Zweig Thymian in den Mund und gab ein wenig Rentierflechte in den Topf auf dem Herd, in dem ein Sud köchelte, und dann begann sie zu erzählen. Von einem Mädchen um die zwanzig, geboren und aufgewachsen im Öxarfjörður, das zusammen mit einer großen Geschwisterschar gut und christlich auf einem armen Hof erzogen wurde. Zwischen ihr und einem jungen Mann auf dem Nachbarhof hatte sich etwas angebahnt. Eines Tages wurde sie zu ihrer verheirateten ältesten Schwester geschickt, die in derselben Gemeinde lebte. Sie machte sich zu Fuß auf den Weg und traf zur erwarteten Zeit ein, erledigte ihren Auftrag und machte sich wieder auf den Heimweg. Doch zu Hause traf sie erst einen ganzen Tag später wieder ein, sie hatte offensichtlich einen schweren Schock erlitten. Sie weinte viel, gab kaum etwas von sich und konnte keine Erklärung dafür abgeben, wo sie gewesen war, wieso Teile ihrer Unterwäsche fehlten, weshalb ein Ärmel ihrer Jacke zerfetzt war und woher ihre Verletzungen am Hals und im Gesicht stammten. Sie hatte Angst davor, allein zu sein und traute sich nicht mehr aus dem Haus. Man ging davon aus, dass sie sich verirrt hatte und sich nicht genau erinnern konnte, was passiert war. Sie hatte die Nacht unter freiem Himmel verbracht und erst am nächsten Morgen den Weg nach Hause gefunden.

Zwei Tage später hatte sie sich wieder etwas gefangen, wollte aber immer noch nicht darüber sprechen, was vorgefallen war. Ihr Zustand war so labil, dass niemand sich traute, sie unter Druck zu setzen, weder durch sanftes Zureden noch durch Schelte. Die Wahrheit würde wohl erst mit der Zeit ans Licht kommen. Es war ihr anzusehen, dass sie etwas sehr Schlimmes durchgemacht hatte.

»Die Leute dort hätten besser auf das arme Mädchen aufpassen müssen«, erklärte Vigga. »Einige Zeit später war eines Morgens ihre Bettstelle in der gemeinsamen Schlafstube leer. Man nahm an, dass sie in die Nacht hinausgelaufen war. Danach hat sie niemand mehr gesehen. Angeblich hatten die Leute auf dem Hof versucht, auf sie aufzupassen, aber eben nicht gut genug. Man suchte auf den Nachbarhöfen nach ihr, aber sie war nirgendwo aufgetaucht. Daraufhin wurde eine intensive Suche nach ihr in Gang gesetzt, aber ohne Erfolg.«

»Geschah das, nachdem die Briten das Land besetzt hatten?«

»Ja.«

»Waren die Tommys nicht auch da oben im Nordosten stationiert?«, fragte Flóvent.

»Ja, sie waren beispielsweise in Kópasker. Man ist ihnen dort überall begegnet.«

»Hatte das Mädchen sich mit einem von den Soldaten eingelassen?«

»Ich glaube nicht, zumindest ist mir nichts dergleichen zu Ohren gekommen.«

»Es hätte aber sein können?«

»Das weiß ich einfach nicht.«

»Die Leute in der Gegend da oben, haben die nicht darüber spekuliert, was ihr zugestoßen sein könnte?«

»Es hat alle möglichen Gerüchte gegeben, zum Beispiel, dass das Mädchen nicht ganz richtig im Kopf gewesen ist. Dass sie womöglich sogar alles zusammenphantasiert hat – um die Aufmerksamkeit von etwas abzulenken, was auf keinen Fall ans Licht kommen durfte.«

»Was könnte das gewesen sein?«

»Das weiß ich nicht«, sagte Vigga, während sie in ihrem Topf rührte. »Niemand hat was Genaueres gewusst.«

»Und was glaubst du, was aus ihr geworden ist?«

»Ich weiß es nicht. Einige meinten, dass sie sich in den Dettifoss gestürzt hat. Was die Leute eben so reden. Niemand weiß, was aus ihr geworden ist.«

»Hatten die Leute nicht auch den Verdacht, dass es etwas mit den ausländischen Soldaten zu tun haben könnte?«

»Soweit ich weiß, ist man dem nicht nachgegangen. Allgemein wurde angenommen, dass das arme Mädchen sich das Leben genommen hatte, und damit war die Sache abgetan. Ich denke schon, dass die Leute über alles Mögliche spekuliert haben. Es war in erster Linie eine Tragödie, aber niemand hat versucht, ihr auf den

Grund zu gehen. Deswegen bin ich auch ziemlich erstaunt, dass du dich auf einmal dafür interessierst.«

»Was hast du nochmal gesagt, wie hieß das Mädchen?«

»Hrund.«

»Hatte sie schon vorher irgendwelche Probleme gehabt?«

»Nein, ganz bestimmt nicht. Ich ... Sie hat wohl an übernatürliche Dinge geglaubt, an unsere alten Geschichten von verborgenen Wesen, die waren für sie so etwas wie eine heilige Wahrheit. Das Mädel hatte wohl ein etwas schlichtes Gemüt, so hieß es jedenfalls.«

»Für die Menschen in der Gegend kam das alles aber völlig überraschend?«

»Ganz sicher. Sie hat nur eines gesagt ...«

In Viggas Topf kochte es jetzt ordentlich, und sie rührte ständig mit einem Holzlöffel darin herum.

»Was hat sie gesagt?«

»Mein Gott, ist das heiß«, sagte Vigga und blies in den Topf. »Das Einzige, was das arme Mädchen von sich gegeben hat, wissen wir von ihrer jüngeren Schwester.«

»Und was war das?«

»Die beiden standen sich sehr nahe. Hrund hatte ihrer Schwester einiges von dem anvertraut, was sie in dieser Nacht erlebt hatte, darunter auch die verrückte Idee, dass sie irgendwelchen verborgenen Wesen begegnet sei.«

»Verborgene Wesen?«

»Ja. Ihrer jüngeren Schwester gegenüber hat sie behauptet, ein bösartiger Elf sei über sie hergefallen und habe sie so zugerichtet und sie vergewaltigt. Als ich

Rósmunda davon erzählte, musste ich es dreimal wiederholen. Sie schien ihren Ohren nicht zu trauen – und dann war sie auf einmal weg. Sie rannte hinaus, ohne sich zu verabschieden, das arme Ding.«

Als Flóvent nicht auf Viggas Worte reagierte, hörte sie auf zu rühren, drehte sich um und sah, dass er aufgestanden war und sie anstarrte wie ein Wesen aus einer anderen Welt.

Neunzehn

»Was ist, fehlt dir was?«, fragte Vigga neben ihrem Topf mit dem Kräutersud und sah Flóvent an. Im Kohleherd knackte es. Die Frau mit dem Kinderwagen ging auf dem Nachhauseweg wieder vor dem Küchenfenster vorbei.

»Hat sie wirklich die verborgenen Wesen erwähnt?«, fragte Flóvent. »Hat sie gesagt, dass eines dieser Wesen über sie hergefallen ist?«

»Das hat zumindest ihre Schwester berichtet«, sagte Vigga. »Hrund hat von einem Elfenmann gesprochen, dem sie begegnet sei. Das klang aber ganz wirr und unglaubwürdig, es sei denn, man gehört zu den Menschen, die an so etwas glauben. Das tu ich jedenfalls nicht, ich glaube weder an Elfen noch an andere übersinnliche Wesen.«

»Und hat man sie ernst genommen?«

»Ich weiß es nicht.«

Flóvent wusste nicht, was er von dieser Geschichte halten sollte. Zwei Mädchen in zwei weit voneinander entfernten Landesteilen hatten von erstaunlich ähnlichen Erlebnissen berichtet, die eine wurde tot in einer dunklen Ecke am Nationalmuseum gefunden, die andere hatte sich möglicherweise das Leben genommen. Beide hatten von einer Begegnung mit irgendwelchen übersinnlichen Wesen gesprochen. Konnte das ein Zufall sein? Niemand außer Thorson und Rósmundas Freundin wusste davon, dass ein Mann einer jungen Frau Gewalt angetan und ihr suggeriert hatte, dass okkulte Wesen dafür verantwortlich waren. Bei ihren Ermittlungen hatten weder er noch Thorson es irgendjemandem gegenüber erwähnt.

»Und wann soll das geschehen sein?«

»Vor drei Jahren.«

»Und was hielten die Leute von dieser Version der Ereignisse?«

»Einige gingen wie gesagt davon aus, dass Hrund übergeschnappt war. Andere haben alle möglichen Geschichten von Gespenstern, Elfen und anderen verborgenen Wesen ins Feld geführt, für sie war das völlig normal. Der Glaube steckt tief in uns.«

»Welcher Glaube?«

»Der Volksglaube. Der Glaube an verborgene Kräfte, an magische Orte und an prächtige Elfenpaläste in Hügeln und Felsen, und an Menschen, die in ihnen verschwanden. Es kommt mir so vor, als hätte das arme Mädchen ganz unter dem Einfluss solcher Märchen gestanden. Ich habe aber meine Zweifel, dass tatsächlich ein verborgenes Wesen über sie hergefallen ist.«

»Aber sie glaubte daran, hast du gesagt? Sie hat an solche Geschichten geglaubt?«

»Ja, so wurde mir erzählt. Sie kannte die Felsen und Hügel in der Umgebung, in denen angeblich Elfen wohnten. Die gibt es ja angeblich auf jedem Hof, egal, ob die Menschen an so etwas glauben oder nicht.«

»Was glaubst du, was dort wirklich geschehen ist?«, fragte Flóvent.

»Darüber will ich mir kein Urteil erlauben«, antwortete Vigga.

»Auch wenn du nur von dem ausgehst, was du gehört hast?«

»Es nutzt nichts, mich danach zu fragen, ich weiß doch nicht, was da seinerzeit passiert ist«, sagte Vigga ärgerlich. »Einige Leute in der Gegend waren wahrscheinlich der Meinung, dass sie was mit einem Soldaten hatte, und dieses Techtelmechtel hätte dazu geführt, dass sie sich zum Schluss einen unsichtbaren Mann erfinden musste. Du weißt, wie über den ›Zustand‹ hier in Island geredet wird. Vielleicht hatte sie ja tatsächlich was mit einem Soldaten – gemeldet hat sich aber nie jemand. Ein junger Mann aus der Gegend, mit dem sie ebenfalls in Verbindung gebracht worden war, stritt rundheraus ab, dass er irgendwas mit dem zu tun hatte, was ihr widerfahren war. Er hat heilige Eide geschworen, dass er ihr nie zu nahe getreten ist.«

»Dieser angebliche Elf hat ihr also Gewalt angetan, und damit meinte sie wohl, dass er sie vergewaltigt hat?«

»So hieß es, aber ob etwas Wahres daran ist, weiß ich nicht.«

»Und Rósmunda war bestürzt, als sie das erfuhr?«

»Sie erschrak fürchterlich. Ich sagte ihr, dass dem Mädchen meiner Meinung nach Gewalt angetan wurde und dass ihr eingebleut wurde, diesen Überfall den verborgenen Wesen zuzuschreiben, weil so etwas auch schon früher mal vorgekommen sei. Aber Rósmunda wurde nur sehr blass und ist danach ganz schnell gegangen.«

Flóvent dachte an Rósmunda. Wenn dieser Fall im Nordosten von Island sich drei Jahre vorher zugetragen hatte, konnte der Mann, der Rósmunda vergewaltigt hatte, möglicherweise Kenntnis davon bekommen haben? Was hatte das Mädchen im Öxarfjörður zu verbergen gehabt? Musste man nicht davon ausgehen, dass es eine Verbindung zwischen den beiden Fällen gab? Konnte man Rósmundas Reaktion anders interpretieren? Flóvent glaubte nicht an die Aussagen des Mädchens im Öxarfjörður. Was ihr widerfahren war, konnte nur ein menschliches Wesen verübt haben. Irgendwelche verborgenen Wesen hatten damit nicht das Geringste zu tun. War derselbe Mann über beide Mädchen hergefallen, und war das Mädchen im Norden vielleicht nur leichtgläubiger und viel empfänglicher für Geschichten dieser Art gewesen, die Rósmunda absurd gefunden hatte?

»Liegt es nicht auf der Hand, dass das arme Mädchen von einem Mann überfallen wurde, der sie verletzt und ihre Kleidung zerfetzt hat?«, sagte Flóvent.

»Ja, selbstverständlich«, entgegnete Vigga. »Aber es gab einfach nicht genug Zeit, um herauszufinden, was in Wirklichkeit passiert ist.«

»Du hast gesagt, dass da oben im Nordosten britische Soldaten stationiert waren. Erinnerst du dich vielleicht auch an andere Fremde, an Leute, die dort unterwegs waren, an irgendjemanden, der ...«

»Wieso glaubst du, dass es ein Fremder gewesen sein muss?«

»Ich glaube gar nichts«, sagte Flóvent. »Aber ich finde es völlig normal, auch diese Möglichkeit in Betracht zu ziehen.«

»Die englischen Soldaten waren viel in dieser Gegend unterwegs«, sagte Vigga. »Über die weiß ich aber so gut wie gar nichts, und erst recht nicht, ob die Leute auf den einzelnen Höfen irgendwelchen Kontakt zu den Soldaten hatten. Wir wohnten in den Hütten für die Straßenbaukolonne, die ziemlich groß war – lauter Männer, vierzig bis fünfzig Kerle, und dann noch wir paar Frauen, die für die Verpflegung sorgten. Wer sonst noch da unterwegs war, weiß ich nicht, aber ich gehe davon aus, dass wie meist im Sommer viele Verwandte und Freunde auf den Höfen zu Besuch kamen.«

»Auch auf dem Hof des Mädchens?«

»Klar«, sagte Vigga.

»Darunter ganz sicher auch Leute aus Reykjavík?«

»Der Kolonnenführer und ich waren aus Reykjavík«, erklärte Vigga. »Und vielleicht noch zwei oder drei andere. Ansonsten waren die Arbeiter alle aus dem Norden, ein paar aus Húsavík und aus Kópasker oder sonst woher. Es waren sogar zwei oder drei eingebildete Fatzken aus Akureyri dabei.«

– – –

Auf dem Heimweg schaute Flóvent noch einmal in seinem Büro vorbei und notierte sich die Informationen, die er im Laufe des Tages gesammelt hatte. Er rief in Thorsons Büro an, aber ihm wurde gesagt, dass Thorson außer Hauses war. Es stünde auch nicht fest, ob oder wann er zurückkommen würde.

Flóvent machte sich auf den Weg nach Hause. Er ging über die Brücke des Stadtteichs zum alten Friedhof an der Suðurgata, und wie so oft machte er an der Grabstätte der Opfer der Spanischen Grippe halt und verrichtete ein kurzes Gebet. Anschließend setzte er den Weg zum Framnesvegur fort.

Flóvent lebte mit seinem Vater in einem bescheidenen Holzhaus mit zwei Etagen. Von der Frontseite ging der Blick auf die Faxaflói-Bucht, und von dort aus hatte Flóvent gesehen, wie im Mai 1940 eines frühen Morgens die königlich-britische Marine den Hafen von Reykjavík ansteuerte. Die Okkupation als solche überraschte ihn nicht, und wenn das Land schon von den einer fremden Macht besetzt wurde, dann doch lieber von den Engländern als von deutschen Nazis.

Sein Vater hatte seit vielen Jahren seinen Lebensunterhalt als Hafenarbeiter verdient, und dort war er immer noch beschäftigt, obwohl ihm eine viel besser bezahlte Anstellung beim Militär angeboten worden war. Er lehnte es jedoch strikt ab, am Krieg zu verdienen, indem er für die Besatzungsmacht arbeitete.

Er war auf der Sitzbank in der Küche eingeschlafen und wachte auf, als Flóvent nach Hause kam. »Bist du da, mein Junge?«, sagte er und setzte sich auf. »Ich bin ein wenig eingenickt. Hast du schon was gegessen? Ich habe Reis gekocht und ein paar Stückchen von der sauren Schlachtwurst reingeschnippelt.«

Sie setzten sich an den Tisch, und während des Essens erzählte Flóvent von den neuesten Entwicklungen im Fall von Rósmunda. Sein Vater interessierte sich sehr für die Polizeiarbeit, und Flóvent konnte sicher sein, dass er nichts davon unter die Leute bringen würde. Er konnte sich vollkommen auf dessen Verschwiegenheit verlassen, so wie er ihm auch in allen anderen Dingen voll und ganz vertraute.

»Elfen und verborgene Wesen?«, sagte der alte Mann. »Seltsam, dass das Mädchen im Norden die auch erwähnt hat.«

»Das könnte auf irgendeine Verbindung zwischen den beiden Fällen hindeuten«, sagte Flóvent. »Zwei junge Frauen in weit voneinander entfernten Landesteilen können doch kaum derart ähnliche Geschichten erzählen, ohne dass es da eine Verbindung gibt. Das halte ich für ausgeschlossen.«

»Kommen denn überhaupt in den Volkssagen irgendwelche Vergewaltigungen vor?«

»Das weiß ich nicht«, sagte Flóvent. »Möglich ist es. Oder vielleicht findet man ja auch in alten Sammlungen von Gerichtsurteilen ähnlich gelagerte Fälle. Ich werde versuchen zu überprüfen, ob in solchen alten Quellen eine Vergewaltigung durch Elfen erwähnt wird.«

»Achte vor allem darauf, dass du nichts ausschließt«, sagte sein Vater. »Dieses Mädchen aus dem Norden soll sich in den Dettifoss gestürzt haben?«

»Niemand weiß, was aus ihr geworden ist«, sagte Flóvent.

»Sie kann sehr gut geglaubt haben, dass ihr verborgene Wesen begegnet sind, auch wenn du und ich nicht an so etwas glauben. Es gibt viele Gründe dafür, warum es in Island so viele Sagen über Elfen und Trolle und Gespenster gibt. Ich würde das nicht einfach abtun, indem ich das Mädchen für verrückt erkläre.«

»Das tu ich auch nicht.«

»Nein, ich weiß, mein Junge«, sagte der Vater. »Deine

Mutter, die glaubte auch daran. Sie hätte dem Mädchen bestimmt Glauben geschenkt. Bist du auf dem Friedhof gewesen?«

»Ja.«

»Gott hab die beiden selig«, sagte sein Vater nicht zum ersten Mal, wenn die Rede auf den Friedhof kam.

Die Familie hatte in einer kleinen, schlecht isolierten Kellerwohnung in einem Hinterhaus an der Hverfisgata gewohnt, als der Winter 1918 hereinbrach, der kälteste Winter seit Menschengedenken; er wurde nicht umsonst der große Frostwinter genannt. Das Treibeis umschloss die ganze Insel, und die Häfen froren zu. Man konnte auf dem Eis zur Insel Viðey im Sund von Reykjavík spazieren, weil die Temperaturen tage- und wochenlang bis auf dreißig Grad minus sanken. Tag für Tag saß Flóvent mit den Eltern und der kleinen Schwester dick vermummt vor dem Kohleherd, in dem sein Vater alles verheizte, was er an brennbarem Material ergattern konnte.

Das war aber nur der Beginn des Schreckensjahres 1918. Nach einem kurzen Sommer kam der Herbst, und mit ihm die Plage, von der es hieß, dass sie auf der ganzen Welt grassierte, Millionen Menschen fielen ihr zum Opfer. Die armselige Kellerwohnung konnte der Familie zwar ein wenig Schutz vor der Kälte bieten, aber nicht vor der Spanischen Grippe. Flóvents Mutter und Schwester starben nach kurzem Krankenlager und wurden auf dem Friedhof beerdigt. Flóvent steckte sich zwar auch an, doch er überlebte. Sein Vater blieb von dem Virus verschont, was er darauf zurückführte, dass er eine andere Influenza überstanden hatte, von der 1894 in Island viele dahingerafft worden waren.

Die meisten Menschen, die der Spanischen Grippe zum Opfer fielen, lebten in Reykjavík. Die Leichenhallen der Stadt füllten sich innerhalb kürzester Zeit, sodass nichts anderes übrigblieb, als Gräber für mehrere Tote auf dem Friedhof auszuheben. An einem dieser furchtbaren Tage mussten an die zwanzig Leichen in zwei Gräbern beerdigt werden, darunter auch Flóvents Mutter und Schwester. Flóvent war so geschwächt von der Krankheit, dass er ihnen nicht zum Grab folgen konnte. Nicht selten standen allein in der Domkirche sechs Särge nebeneinander vor dem Altar.

Der Notstand wurde ausgerufen, und die Stadt wurde in dreizehn Bezirke aufgeteilt. Medizinstudenten erhielten vorübergehend eine ärztliche Notapprobation, damit sie von Haus zu Haus gehen und hilflosen Opfern beistehen konnten. Die Not war groß, als die Epidemie am heftigsten grassierte. Oft starben die Menschen in ihren Betten, nur wenige Tage nachdem sie sich infiziert hatten. Man hatte Kinder gefunden, die ganz allein vor den Leichen ihrer Eltern standen. Andere lagen völlig entkräftet danieder, sterbenskrank.

Obwohl Flóvents Vater seine Frau und seine junge Tochter verloren hatte, oder vielleicht gerade deswegen, ließ er sich nicht davon abhalten, tatkräftig anderen Menschen in ihrer Not zu helfen. Nachdem er seinen Sohn gesund gepflegt hatte, ging er praktisch Tag und Nacht den Ärzten und dem Pflegepersonal zur Hand. Unterdessen läuteten die Kirchenglocken, die den Tod von nahen Angehörigen verkündeten, schier unablässig. Weinen und Wehklagen wurden mit dem kalten Wind von Haus zu Haus getragen.

»Gott habe die beiden selig«, wiederholte der Vater ein weiteres Mal und sah seinen Sohn an. »Gott habe sie für immer selig.«

Zwanzig

Konráð hielt mit dem Wagen vor einem großen drei-
stöckigen Haus, das im Westen der Stadt lag. Es war
kurz nach dem Krieg gebaut worden, als neue Zeiten
mit etwas Wohlstand angebrochen waren, den man
unbedingt zur Schau stellen musste. Man sah diesem
Haus den Reichtum seiner Besitzer an. Es war wie so
viele Gebäude aus dieser Zeit mit Muschelsand ver-
putzt. Hinter dem Haus befand sich ein großer Garten,
umsäumt von hohen Ebereschen und einem schön ge-
wachsenen Ahorn in der Mitte.

Ingiborg hatte ihm am Telefon gesagt, wo sie
wohnte. Das Haus gehörte ihrem Sohn, aber ihr stand
eine kleine Souterrainwohnung zur Verfügung, die
ganz speziell für ihre Bedürfnisse eingerichtet war. Ihr
Sohn verbringe seinen Urlaub mit der Familie in Europa, erklärte sie, deswegen sei sie allein zu Hause. Sie
selbst habe sich so eine Reise nicht zugetraut, dazu sei
sie viel zu alt und gebrechlich, erklärte sie.

Die weißhaarige Ingiborg nahm Konráð an der Tür
in Empfang und ließ ihn ein. Sie hörte sich gerade ein
Hörbuch an, weil sie kaum noch lesen konnte. Am Küchentisch war eine große Leselampe mit Vergrößerungsglas befestigt, und darunter lag eine Zeitung. Ingiborg stützte sich auf einen Stock, ihre Bewegungen

waren langsam, und sie ging ein wenig gebeugt. Sie bot Konráð einen Kaffee an, und er nahm das Angebot dankbar an. Es war sehr warm in der Wohnung. Aus dem Wohnzimmerfenster hatte man einen Blick in den Garten. In der Diele stand ein Rollator.

»Ich war sehr erstaunt über deinen Anruf. Vor allem, als du gesagt hast, du seist von der Polizei«, sagte sie. »Besuch von der Polizei habe ich nur einmal bekommen, als ich noch sehr jung war, und damals ging es auch um den Fall dieses Mädchens.«

»Es ist bestimmt nicht angenehm gewesen, in so eine Ermittlung hineinzugeraten«, entgegnete Konráð.

»Das Schlimmste war, als ich urplötzlich vor der Leiche des armen Mädchens stand. Es war eine schreckliche Erfahrung, das kannst du mir glauben.«

»Ich kann es mir vorstellen.«

»Ich habe damals alles falsch gemacht, ich bin einfach weggelaufen wie eine dumme Gans, ich ließ mir einfach alles gefallen. Aber ich habe daraus gelernt. Aus seinen Fehlern sollte man lernen, sonst sind sie ja zu nichts nutze.«

Ingiborg lehnte den Stock gegen die Arbeitsplatte und machte sich an der Kaffeemaschine zu schaffen.

»Kann ich dir behilflich sein?«, fragte Konráð.

»Nein«, sagte Ingiborg. »Kaffee kann ich immer noch selber kochen.«

Konráð ging das Gespräch sehr behutsam an, er nahm sich Zeit für die alte Dame und unterhielt sich erst einmal über alles Mögliche mit ihr, über das Wetter, über die Politik und auch über das Fernsehprogramm, das Ingiborg sehr zu schätzen wusste. Sie sah sehr viel fern, und amerikanische Soaps mochte sie besonders. Ingiborg war von Natur aus ein fröhlicher und lebenslustiger Mensch und verfolgte genau, was sich in der Gesellschaft abspielte. Und es gefiel ihr anscheinend auch sehr, Besuch von einem Mann zu bekommen, der ihr interessiert zuhörte. Nichtsdestotrotz glaubte Konráð aber, ein wenig Unruhe und Argwohn ihm gegenüber bei ihr zu spüren. Die Vergangenheit hatte sie wieder eingeholt, und sie war auf der Hut. Schon bei ihrem Telefongespräch hatte sich herausgestellt, dass sie diejenige war, die seinerzeit die Leiche am Nationaltheater gefunden hatte, sie war die Tochter eines einflußreichen Ministerialbeamten.

»Kannst du dich gut an das erinnern, was damals passiert ist?«, fragte Konráð nach der ersten Tasse Kaffee.

»Ich habe danach nie mehr ins Theater gehen können, ohne daran zu denken«, sagte Ingiborg. »Ich werde es meiner Lebtage nicht vergessen, wie wir sie dort gefunden haben. So etwas wird man nie wieder los. Wie sie da lag, mit halb geschlossenen Augen. Die schneidende Kälte. Aber weshalb fragst du jetzt nach all den Jahren nach dem Mädchen?«

»Wie ich dir schon am Telefon gesagt habe, bin ich vor Kurzem im Zusammenhang mit dem Tod eines anderen Menschen auf sie gestoßen«, sagte Konráð. »Du hast vielleicht in den Zeitungen darüber gelesen. Es war ein Mann, der etwas älter war als du. Er wurde tot in seiner Wohnung aufgefunden.«

»Ja, es kommt mir irgendwie bekannt vor«, sagte Ingiborg.

»Als wir uns in seiner Wohnung umgesehen haben, stellte sich heraus, dass er alte Zeitungsausschnitte über den Mord an der jungen Frau bei sich aufbewahrte. Kurz vor seinem Tod hatte er plötzlich wieder damit angefangen, Erkundigungen über sie einzuziehen. Ich wollte wissen, weshalb. Und auf deinen Namen bin ich in einem Polizeibericht gestoßen ...«

»Das wundert mich nicht.«

»Weißt du, ob der Fall irgendwann abgeschlossen werden konnte?«, fragte Konráð. »Weißt du, ob sie den Mann gefunden haben, der ihr das angetan hat?«

»Ich hätte gedacht, du wüsstest das.«

»Leider gibt es so gut wie keine Unterlagen darüber, die Polizeiakten sind sehr unvollständig. Es hat den Anschein, als sei der Fall nie vor Gericht gekommen.«

»Nein, ich hab das alles nicht mitverfolgt. Kurz danach, nur ein paar Wochen später, musste ich ... bin ich aufs Land gezogen und dort einige Jahre geblieben. Als ich zurückkam, haben mein Mann und ich uns verlobt.«

Ingiborg sah Konráð lächelnd an. Der Anruf hatte sie ein wenig erschreckt, ihr wäre nicht im Traum eingefallen, nach all diesen Jahren noch einmal nach Rósmunda gefragt zu werden. Der Mann am Telefon war aber ausgesucht höflich gewesen, was sie an Flóvent und Thorson erinnerte, die damals immer sehr verständnisvoll und zuvorkommend gewesen waren. Sie hoffte, nicht wieder auf die alte Geschichte mit Frank Ruddy eingehen zu müssen, denn dann wäre sie gezwungen gewesen, diesem unbekannten Mann zu sagen, weshalb ihr Vater sie aufs Land geschickt hatte. Er hatte sich weder durch Bitten, Tränen oder böse Worte von seiner Entscheidung abbringen lassen, auch ihre Mutter konnte nichts gegen den übermächtigen Vater ausrichten. Er hatte sich in die Idee verbissen, dass seine Tochter bei seinen Verwandten in den Ostfjorden wieder zu Verstand kommen würde. Wenn sie nicht mehr in der Stadt wäre, so hoffte er, würde der Klatsch einfach verstummen. Ingiborgs Onkel war ein wohlhabender Bauer im Osten des Landes, bei dem sie es trotz der Abgeschiedenheit nicht schlecht gehabt hatte. Als sie nach Reykjavík zurückkehrte, war die Besatzungszeit vorbei, und die meisten Soldaten hatten das Land verlassen. Ingiborgs Vater war fest davon überzeugt, größeres Unglück verhindert zu haben. Er krönte seine Pläne für die Tochter damit, dass er sie mit einem jungen Mann bekannt machte, der während der Vorbereitungen zu den Feierlichkeiten in þingvellir einen vielversprechenden und zielstrebigen Eindruck auf ihn gemacht hatte. Der junge Mann verfügte über gute Verbindungen zu einflussreichen Persönlichkeiten des öffentlichen Lebens, und die hatten ihm einen sehr gewinnbringenden Importhandel zugeschanzt und ein Bankdarlehen besorgt. Der junge Mann war also auf dem besten Weg, ein bedeutendes Großhandelsunternehmen mit dem Import von amerikanischen Waren aufzubauen. Eine gesicherte Zukunft, hatte ihr Vater zu ihr gesagt. Denk daran, meine Liebe.

»Er hat dieses Haus bauen lassen«, sagte Ingiborg zu Konráð. »Mein Mann ... Er ist vor einigen Jahren gestorben.«

»Ein imposantes Haus«, sagte Konráð höflich.

»Ja, aber es war viel zu groß für uns drei. Wir haben nur dieses eine Kind bekommen. Mein Sohn sorgt sich rührend um mich, ich kann wirklich nicht klagen. Mir fehlt es an nichts. Mein ganzes Leben lang hat mir noch nie etwas von dem gefehlt, was alle anderen für wichtig halten.«

Konráð glaubte, so etwas wie Bitterkeit aus ihren Worten herauszuhören – so als verberge sich hinter ihnen eine schwerwiegendere Bedeutung. Er überlegte, ob sie wirklich noch ein schönes Leben gehabt hatte, nachdem sie auf Rósmundas Leiche gestoßen war.

»Du warst nicht allein, als du das tote Mädchen entdeckt hast?«, fragte er.

Zum ersten Mal während ihres Gesprächs antwortete Ingiborg nicht auf seine Frage.

»Es ist wohl sehr schwierig für dich, nach all der Zeit über das zu reden, was damals vorgefallen ist«, sagte Konráð nach längerem Schweigen.

»Ich war ... Nein, du hast recht, es ist nicht schön, darüber zu reden«, sagte Ingiborg.

Wieder schwiegen sie, und Konráð traute sich nicht, das Schweigen zu unterbrechen.

»Er war Soldat«, sagte Ingiborg plötzlich.

»Wer?«

»Es stimmt, ich war nicht allein unterwegs, als ich damals plötzlich vor ihrer Leiche stand. Ich war mit einem amerikanischen Soldaten dort, mit dem ich damals liiert war. Er hat sich als Frank Caroll ausgegeben, aber das war eine Lüge, genau wie alles andere, was er mir vorgeschwindelt hat. In Wirklichkeit hieß er Frank Ruddy und war einfach ein ganz gemeiner Kerl. Er hat mich von vorne bis hinten belogen, sogar sein Name war erfunden. Es stellte sich nämlich heraus, dass er Frau und Kinder in Amerika hatte. Und außerdem auch noch eine andere Freundin in Reykja-vík.«

Ihre Worte kamen stoßweise, sie spie sie beinahe aus. Diese Bitterkeit, gepaart mit alter Wut, hatte Konráð schon vorher gespürt.

»Er war ein Mistkerl durch und durch«, sagte Ingiborg. »Die Polizisten haben mir die Wahrheit über ihn gesagt. Die beiden waren unglaublich nett. Sie wussten, dass er mich zum ...«

Ingiborg verstummte.

»Ich wollte dir eigentlich nichts davon sagen«, entschuldigte sie sich. »Du hast mir am Telefon gesagt, dass du dich mit mir unterhalten wolltest. Das war in Ordnung, ich hatte allerdings keinesfalls vor, die alten Sachen wieder hochkommen zu lassen.«

»Bitte mach dir deswegen keine Gedanken«, sagte Konráð. »Du bestimmst, was du mir sagen willst.«

»Ich ... ich war vollkommen fertig, als ich die Wahrheit über Frank erfuhr, was für einen Charakter er hatte, wie schäbig er war. Flóvent war bei der isländischen Polizei, er ist extra zu mir gekommen, um mir das zu sagen. Du musst entschuldigen, es ist alles andere als angenehm für mich, an diese alten Dinge zu rühren. Vielleicht gehst du jetzt lieber. Ich glaube, ich kann dir nicht weiterhelfen.«

»In Ordnung«, sagte Konráð. »Selbstverständlich. Ich wollte dir nicht zu nahe treten.«

Ingiborg stand auf, um sich von ihm zu verabschieden.

»Aber vielleicht kannst du mir noch ein wenig mehr über Flóvent sagen?«, fragte Konráð und erhob sich ebenfalls. An den Namen konnte er sich aus einem der

Zeitungsartikel erinnern. »Hat er damals die Ermittlung geleitet?«

»Ja, das hat er wohl. Mit ihm war aber auch der andere von der Militärpolizei, Thorson hieß er. Ein wirklich angenehmer und liebenswürdiger junger Mann.«

»Thorson?«

»Ja.«

»Hast du wirklich Thorson gesagt?«

Konráð konnte nicht verbergen, wie verblüfft er war.

»Ja, Thorson.«

»War er auch an der Ermittlung in diesem Fall beteiligt?«

»Ja, sie waren zu zweit, Flóvent und Thorson.«

»Weißt du, was aus ihm geworden ist?«, fragte Konráð.

»Nein. Er stammte aus Kanada. Wahrscheinlich ist er nach dem Krieg wieder dorthin zurückgegangen.«

»War er als Polizist hier?«

»Ja, er war bei der Militärpolizei.«

»Und er arbeitete zusammen mit Flóvent an Rósmundas Fall?«

»Ja.«

Konráð brauchte einige Zeit, um zu verarbeiten, was Ingiborg ihm gerade mitgeteilt hatte. Er schwieg.

»Wieso überrascht dich das?«, fragte Ingiborg nach einer Weile ungeduldig.

»Weißt du das nicht?«

»Was weiß ich nicht?«

»Thorson ist vor Kurzem gestorben. Er ist der alte Mann, der ermordet in seiner Wohnung aufgefunden wurde. Viele Jahre lang nannte er sich hierzulande Stefán þórðarson. Er war es, der die Zeitungsartikel über das tote Mädchen aufbewahrt hat, und er hat nach all dieser Zeit wieder angefangen, Fragen zu stellen.«

Ingiborg erstarrte förmlich.

»Der alte Mann war Thorson?«

»Ja.«

»Wer um Himmels willen hat ihm so etwas antun können?«

»Das wissen wir nicht. Ich dachte, du könntest uns vielleicht helfen, die Antwort auf diese Frage zu finden.«

Ingiborg sank zurück auf ihren Stuhl.

»Kannst du mir vielleicht mehr über den Mann sagen?«, fragte Konráð und setzte sich ebenfalls wieder.

»Ich sollte nicht ... Mein Sohn ... Ich kann dir wirklich nicht davon erzählen, ich kenne dich doch überhaupt nicht.«

»Auch wenn ich dir verspreche, dass es vollkommen unter uns bleibt?«

»Nein, es ist wahrscheinlich besser, wenn du jetzt gehst. Ich ... Ja, ich glaube es reicht jetzt. Ich bin müde. Bitte geh.«

»In Ordnung«, sagte Konráð, machte aber keine Anstalten zu gehen. Er sah, wie unruhig die alte Dame war, und spürte instinktiv, dass sie noch längst nicht alles gesagt hatte, auch wenn sie das Gegenteil behauptete.

»Es hat ... Es gibt so viele Dinge, die passieren einfach, und man steht ihnen völlig hilflos gegenüber. Egal, wie viele Jahre vergehen, man wird sie nicht los. Sie verfolgen einen ein Leben lang.«

»Du möchtest vielleicht wissen, wie Thorson ums

Leben gekommen ist«, sagte Konráð. »Er wurde erstickt, zuhause in seinem Bett. Jemand hat ihm das Kopfkissen...«

»Bitte verschon mich damit.«

»Darf ich dir eine ganz andere Frage stellen? Kannst du mir vielleicht sagen, ob du den Fall eines anderen Mädchens kennst, dem ein ähnliches Schicksal wie Rósmunda widerfahren ist?«

»Ein anderes Mädchen?«

»Möglicherweise hat Thorson kurz vor seinem Tod Nachforschungen über eine junge Frau aus Nordisland angestellt, die plötzlich verschwand und nie gefunden wurde, soweit ich weiß.«

»Die ein ganz ähnliches Schicksal erlitten hat?«

»Weißt du etwas darüber?«

»Nein«, sagte Ingiborg nachdenklich. »Thorson hat mir damals gesagt, dass das tote Mädchen hinter dem Theater mit irgendjemandem über Elfen und solche Dinge geredet hat, aber ich weiß nicht mehr was.«

»Über Elfen?«

»Ja, genau wie die Frau, zu der ich gegangen bin. Aber... Ich weiß nicht, ob das etwas zu bedeuten hat, oder ob es überhaupt etwas damit zu tun hat...«

»Was?«

Ingiborg seufzte.

»Wenn ich dir das jetzt erzähle, tue ich es nur wegen Thorson. Und weil ich hoffe, dass es dir bei deinen Ermittlungen weiterhelfen kann. Thorson war sehr gut zu mir, er hat so viel Verständnis für mich gehabt.«

Ingiborg schwieg eine Weile.

»Ich sollte eigentlich nicht... Ich habe noch nie mit

jemandem darüber gesprochen, was damals passiert ist.«

»Und was ist damals passiert?«

»Ich habe Thorson von der Frau erzählt und von dem, was sie machte. Ich weiß auch, dass Thorson und Flóvent zu ihr gegangen sind. Thorson war überzeugt, dass Rósmunda aus demselben Grund zu ihr gegangen ist wie ich. Zu dieser Frau in dem Haus an einem Hügel vor den Toren der Stadt. Es war … Es war etwas, was ich nie vergessen werde.«

Einundzwanzig

Eines kalten Februartages, kurz nachdem Ingiborg bei der Militärpolizei Frank als ihren Liebhaber identifiziert hatte, zog sie ihren besten Mantel an und wählte dazu einen schönen Hut. Sie ging zu dem Haus am Fríkirkjuvegur 11, um mit Flóvent zu sprechen. Nie zuvor hatte sie einen Fuß in dieses große Gebäude gesetzt, das damals den Grundstein zu dem beherbergte, woraus sich später einmal die Kriminalpolizei von Reykjavík entwickeln sollte. Sie wurde von einer Sekretärin in Empfang genommen und gebeten, sich einen Augenblick zu gedulden.

Kurze Zeit später holte Flóvent Ingiborg in sein Büro.

»Außer dir kenne ich niemanden, an den ich mich wenden könnte«, sagte Ingiborg, als sie vor seinem Schreibtisch Platz genommen hatte. Sie blickte sich neugierig um. Das Zimmer war nicht groß, und durch das Fenster sah man hinaus in die Februardämmerung hinter dem Haus, wo sich früher ein Pferdestall befunden hatte. Von einer Schreibtischlampe fiel Licht auf die Papiere und Akten, die Flóvent bearbeitete, darunter auch ein Pappdeckel mit Fingerabdrücken und Abzüge der Fotos, die man von der Toten hinter dem Nationaltheater gemacht hatte.

Frank war von der amerikanischen Militärpolizei in Gewahrsam genommen worden. Ingiborg hatte ihren ehemaligen Liebsten seitdem nicht treffen können. Flóvent sagte ihr, dass er dort so lange bleiben musste, bis seine Angaben überprüft worden waren.

»Was kann ich für dich tun?«, fragte Flóvent.

»Was geschieht danach mit Frank, weißt du etwas darüber?«, war Ingiborgs Gegenfrage.

»Nein, darüber weiß ich so gut wie nichts. Wenn sich allerdings herausstellt, dass er nichts mit Rósmundas Tod zu tun hat, und wenn sie keine anderen Gründe haben, ihn festzuhalten, wird er entlassen.«

»Kann er dann noch beim Militär bleiben?«

»Ich denke schon.«

»Und wird er weiterhin in Reykjavík stationiert sein?«

»Das weiß ich nicht. Kann sein, dass er ein Lügner und ein schäbiger Mensch ist, aber leider ist so etwas weder kriminell noch strafbar. Alle reden davon, dass es schon sehr bald zu einer Invasion in Europa kommen wird, dann werden die militärischen Einheiten von hier nach England verlegt. Und das betrifft dann wohl auch ihn.«

»Ich muss aber mit ihm reden«, sagte Ingiborg. »Es ist sehr wichtig.«

Flóvent sah sie verwundert an.

»Ich dachte, du wolltest nichts mehr mit ihm zu tun haben.«

»Das will ich auch nicht. Am liebsten würde ich ihn nie wiedersehen, aber ich muss mit ihm reden. Ich dachte, dass du das vielleicht arrangieren könntest, auch wenn er noch unter Arrest steht.«

»Ich könnte mich an Thorson wenden«, sagte Flóvent. »Darf ich vielleicht erfahren, was du mit diesem Frank noch zu besprechen hast?«

»Es ist ... Es geht um etwas Persönliches.«

»Meine Frage richtete sich darauf, ob es etwas mit der laufenden Ermittlung zu tun hat?«

»Nein, ganz gewiss nicht. Es geht ... Es betrifft nur uns beide.«

Ingiborg traute sich nicht, Flóvent in die Augen zu sehen. Ihr Blick fiel auf die Fotos von dem toten Mädchen, die auf seinem Schreibtisch lagen. Sie wollte ihm nicht sagen, weswegen sie so schnell wie möglich mit Frank Ruddy sprechen musste, obwohl ihr allein der Gedanke daran zuwider war. Sie hatte aber seit einiger Zeit morgens Übelkeit und Schwäche verspürt, und sie ahnte, was der Grund dafür war. Es ging nicht darum, dass sie sich von einem Amerikaner schändlich hatte betrügen lassen, der sich nicht einmal zu schade dafür gewesen war, sich den Namen eines amerikanischen Filmstars zuzulegen, um Eindruck bei ihr zu schinden. Der Betrug ging ihr zwar sehr nahe, aber er erklärte nicht ihr körperliches Unwohlsein. Das hatte nämlich schon vorher eingesetzt und war in den letzten Wochen immer schlimmer geworden, sodass es ihr zunehmend Sorge bereitete. Am liebsten hätte sie mit ihrer Mutter darüber geredet, doch das war in Anbetracht der jetzigen Lage nicht mehr möglich. Sie hatte ihren Eltern bereits viel zugemutet. Sie hatte Frank von ihren Ängsten erzählen wollen, als sie an diesem grauenvollen Abend hinter das Nationaltheater gegangen waren, aber dazu hatte es keine Gelegenheit gegeben. Trotz allem fand sie aber, dass auch er Bescheid wissen sollte.

Flóvent hatte sich einige Tage zuvor mit Ingiborg getroffen, um ihr mitzuteilen, was die Polizei über ihren Frank herausgefunden hatte – wozu er nicht verpflichtet gewesen wäre. Ingiborg spürte, dass der Polizist ihr wohlgesonnen war, und es fehlte nicht viel, dass sie ihm den Grund für ihren Kummer erzählt hätte. Flóvent hatte seine Worte immer sehr behutsam gewählt und Verständnis und Anteilnahme gezeigt. Und sie glaubte zu wissen, dass er ihre Seelenqualen erleichtern wollte. Als sie sich verabschiedeten, hatte Flóvent ihr gesagt, sie könne jederzeit zu ihm kommen, wenn sie irgendetwas bedrängte – er würde versuchen, ihr nach Kräften behilflich zu sein.

»In Ordnung«, sagte Flóvent jetzt. »Ich rede mit Thorson und finde heraus, was er davon hält.«

Zwei Stunden später nahm Thorson Ingiborg im Camp Laugarnes in Empfang und begleitete sie zum Militärgefängnis, das sich in diesem Camp befand. Genau wie Flóvent wusste er nicht, was Ingiborg mit Frank besprechen wollte, Flóvent hatte ihm nur gesagt, es ginge um etwas Persönliches und hätte nichts mit den Ermittlungen zu tun. Thorson zog das nicht in Zweifel. Er fragte Ingiborg, ob er als Dolmetscher mit dabei sein sollte, aber sie gab ihm schnell zu verstehen, dass das nicht nötig sei.

Thorson brachte sie in einen kleinen Raum, wo sie warten sollte. Camp Laugarnes war eines der größten Militärlager in ganz Island mit Unterkünften für die Soldaten, Büros, Kantinen, einem amerikanischen Supermarkt und einer medizinischen Versorgungsstation. Außerdem befanden sich dort das Hauptquartier der Militärpolizei und das Gefängnis. Im Hauptstadtgebiet gab es noch etliche Camps mit den typischen tonnenförmigen Nissenhütten, und jedes Camp war ein kleines Dorf auf nacktem Fels am Rande der bewohnten Welt.

Frank wurde in den Raum geführt und riss die Augen auf, als er sah, wer zu Besuch gekommen war.

»*You?*«, sagte er in einem Ton, als hätte er nicht damit gerechnet, Ingiborg jemals wiederzusehen.

Die Tür schloss sich hinter ihm, und er setzte sich.

»*Let me tell you, I was never going to lie to you*«, sagte er. »*It was just ... I just ...*«

»Das spielt keine Rolle mehr«, versuchte Ingiborg in ihrem gebrochenen Englisch zu sagen. Sie hatte nicht vor, sich weitere Lügen von ihm anzuhören, sie wollte ihm nur sagen, was er ihrer Meinung nach wissen sollte. Von seiner Reaktion hing es ab, was sie als Nächstes tun würde. In ihren schlaflosen Nächten war sie zwar eigentlich zu dem Entschluss gekommen, ihn nicht mit einzubeziehen, doch das fand sie unfair ihm gegenüber.

»*I have ... baby*«, sagte sie und legte ihre Hand auf den Bauch, um jeglichen Zweifel auszuschließen.

»Deins ... *your*«, fügte sie hinzu.

»*My what?*«, fragte Frank.

»*Baby*«, sagte Ingiborg.

Frank starrte sie an.

»*No way*«, sagte er. »*Hell, no way!*«

»*Yes, your baby.*«

»*Oh no. No, no ...*«

»Was willst du damit sagen?«, fragte Ingiborg erstaunt.

»*You come to me with that shit ...*« Wütend sagte er

ihr, dass er nichts damit zu haben wolle, dass es eine verdammte Lüge sei.

»Es ist von dir«, sagte Ingiborg und zeigte auf ihren Bauch.

»*That's a lie!*«, rief Frank.

»*No.*«

»*I am not doing this! This is not my problem!*«

Frank sprang auf und hämmerte an die Tür. Ein Gefängniswärter öffnete und ließ ihn heraus. Hinter ihm tauchte Thorson auf. Frank wurde abgeführt, und er setzte sich zu Ingiborg.

»Alles in Ordnung mit dir?«, fragte er.

»Ja, aber ich sollte jetzt lieber gehen«, antwortete Ingiborg und stand auf.

»Was hat er dir gesagt?«

»Nichts. Es ist alles in Ordnung.«

Ingiborg hatte sich vor Franks Reaktion gefürchtet, und nun wusste sie mit Gewissheit, dass sie an ihm keine Stütze haben würde. Sie war sogar halbwegs froh darüber. Sie hatten sich zweimal im Wald bei Öskjuhlíð auf einer Wolldecke geliebt. Er hatte versprochen, behutsam zu sein. Es war beide Male unangenehm für sie gewesen.

»Lass mich dich nach Hause fahren«, sagte Thorson. »Mir steht ein Auto zur Verfügung.«

»Nein, danke, ich schaffe es schon zu Fuß. Danke, dass du es mir ermöglicht hast, ihn zu treffen. Es wird nicht wieder vorkommen.«

Sie kämpfte mit den Tränen, und Thorson griff nach ihrer Hand, um sie zu trösten.

»Du bist nicht die Erste, die von einem Soldaten betrogen worden ist. Du hast Pech gehabt. Frank Ruddy ist ein schäbiger Lügner. Glücklicherweise sind aber nicht alle wie er.«

»Nein.«

»Was ist los mit dir?«

»Ich weiß nicht, was ich tun soll. Er …«

»Weshalb wolltest du diesen Idioten noch einmal treffen? Ich hätte gedacht, dass sei das Letzte, was du wolltest.«

»Ich musste mit ihm reden …«

»Weshalb? Wegen der Mordermittlung?«

Ingiborg schüttelte den Kopf.

»Es ist wegen etwas anderem«, sagte sie.

»Wegen etwas anderem? Weshalb bist du so niedergeschlagen?«

»Das kann ich dir nicht sagen. Ich muss jetzt nach Hause.«

»Du kannst nicht …? Bist du etwa …?«

Ingiborg brach in Tränen aus.

»Du bist doch nicht etwa schwanger von ihm?«

Sie nickte. »Ich … Ich glaube schon. Nein, ich bin mir ganz sicher.«

Sie hatte Thorson nichts sagen, sondern einfach nur nach Hause gehen und sich mit ihrem Geheimnis in ihrem Zimmer einschließen wollen. Sie wusste überhaupt nicht, was sie jetzt tun sollte. Sie hatte niemanden, mit dem sie sprechen konnte. In absehbarer Zeit würde sie aber mit ihrer Mutter über ihren Zustand reden müssen, und sie hatte furchtbare Angst davor. Aber noch mehr Angst hatte sie vor ihrem Vater, wenn er davon erfuhr, dass sie sich von einem amerikanischen Soldaten hatte schwängern lassen. Sie sah Thorson an. Die Worte waren ihr einfach so herausgerutscht, und sie verspürte fast so etwas wie Erleichterung darüber, sie ausgesprochen zu haben. Flóvent und Thorson hatten sich ihrer sehr freundlich angenommen, und sie hatte Vertrauen zu ihnen.

»Bist du schon beim Arzt gewesen?«, fragte Thorson.

»Nein, das brauche ich nicht. Ich weiß es einfach.«

»Wissen deine Eltern davon?«

»Oh Gott, nein!«

»Du musst aber mit ihnen darüber sprechen.«

»Ich traue mich nicht. Ich weiß überhaupt nicht, was ich tun soll.«

»Zumindest solltest du zum Arzt gehen«, sagte Thorson. »Um dir bestätigen zu lassen, dass du schwanger bist. Und dann solltest du mit jemandem sprechen, dem du vertraust. Frank hat das wohl nicht gefallen?«

»Er glaubt, ich würde ihm das Kind unterschieben wollen. Das tu ich aber nicht. Er ist der Einzige ... Der Einzige, der in Frage kommt.«

»Ich gehe davon aus, dass du darüber nachgedacht hast, was für Möglichkeiten du hast?«

»Ich habe nicht vor, das Kind wegmachen zu lassen«, sagte Ingiborg. »Das werde ich auf keinen Fall tun.«

Zweiundzwanzig

Konráð hatte Ingiborg aufmerksam zugehört, als sie von ihrer Begegnung mit Thorson erzählte. Er traute sich nicht, sie zu fragen, ob sie zu ihrem Wort gestanden hätte. Er kannte die alte Frau nicht gut, wusste aber nur zu genau, wie wütend er selber werden würde, falls ihm jemand mit einer derart intimen Frage zu nahe träte.

»Thorson ist sehr gut zu dir gewesen«, sagte er stattdessen.

»Ein überaus liebenswürdiger Mann«, sagte Ingiborg. »Ein Gentleman vom Scheitel bis zur Sohle.«

»Er hat sich wie gesagt später in Island niedergelassen. Hast du nach dem Krieg wieder Verbindung zu ihm gehabt?«

»Nein. Ich habe ein paar Jahre auf dem Land gelebt, und als ich zurückkam, bin ich ihm nie wieder begegnet. Ich ging davon aus, dass er zurück nach Kanada gegangen sei.«

»Soweit ich weiß, hat er viele Jahre in Hveragerði gelebt, aber vor ungefähr fünfundzwanzig Jahren ist er nach Reykjavík gezogen.«

»Hat er eine Familie gehabt, hatte er Kinder?«

»Nein, ich glaube nicht.«

»Und Flóvent?«

»Über ihn weiß ich nur ganz wenig«, sagte Konráð. »Nur, dass er einer der ersten ausgebildeten Kriminalpolizisten in Reykjavík war. Seinen Namen kenne ich so gesehen nur aus dem Archiv des Polizeidezernats. Ich bin ihm selber nie begegnet, er war lange vor meiner Zeit dort tätig.«

»Ich war damals schwanger, und ich hatte keine Ahnung, an wen ich mich wenden sollte. Ich wusste aber von Frauen, die einem in einer solchen Lage helfen würden. Das hatte ich von ein paar Mädchen gehört, die ich kannte. Und von Frank erhielt ich eine Nachricht, die ganz genau zeigte, was für ein Mensch er war. Er ließ sie mir durch einen Freund ausrichten, und der erzählte mir von einer Frau, an die ich mich wenden könnte. Frank wusste, was er wollte. Er behauptete, das Kind sei auf gar keinen Fall von ihm, trotzdem würde er mir aber diese Frau empfehlen, falls ich mich für diesen Ausweg entscheiden würde. Wieso er sie kannte, weiß ich nicht. Hoffentlich nicht deswegen, weil er schon früher ein anderes Mädchen zu ihr geschickt hatte.«

»Und bist du zu ihr gegangen?«, fragte Konráð zögernd.

»Ja, ich bin zu ihr gegangen«, sagte Ingiborg nach einer Pause.

»Du hast dann also deine Meinung geändert?«

»Ich sah keinen anderen Ausweg mehr, und die Zeit war knapp, falls ...«

»Aber du hättest das Kind gern bekommen?«, fragte Konráð.

Ingiborg sah ihn schockiert an.

»Entschuldige, ich wollte nicht ...«

»Was denkst du eigentlich von mir?!«, sagte Ingiborg.

Die Frau, zu der Frank Ingiborg geschickt hatte, lebte vor den Toren der Stadt in einem niedrigen Steinhaus in den Hügeln jenseits der Elliðaá. Es war ein weiter Weg von ihrem Elternhaus bis dorthin, und Ingiborg war lange unterwegs. Sie hatte noch nicht mit ihren Eltern über ihren Zustand gesprochen, über ihre Ängste und ihre Ratlosigkeit, auch nicht mit Freundinnen oder anderen Menschen, die ihr nahestanden. Sie schämte sich für ihre Situation, niemand sollte erfahren, wie schäbig Frank sich verhalten hatte. Er hatte sie belogen und zum Narren gehalten.

Sie ging weiter bis zur Brücke über den Fluss Elliðaá. Sie verspürte einen unangenehmen Geschmack im Mund und setzte sich auf einen Stein, um sich etwas auszuruhen. Wieso hatte Frank von dieser Frau gewusst? Hatte er tatsächlich schon einmal ein Mädchen zu ihr geschickt? War diese Person unter den Soldaten aus naheliegenden Gründen so gut bekannt? Konnte sie seinem Rat vertrauen? Dem Rat eines Menschen wie Frank – war sie wirklich so tief gesunken?

Sie ging weiter, und auf dem letzten Stück bis zu dem Haus in den Hügeln zögerte sie bei jedem Schritt. Das Haus machte nicht viel her, von den Wänden, die irgendwann einmal gekälkt worden waren, blätterte die Farbe an vielen Stellen ab. Früher einmal war ein Kuhstall aus Torfsoden angebaut worden, der war jedoch inzwischen so baufällig, dass er nicht mehr zu verwenden war. Um ihn herum hatte man eine Absperrung für Hühner gezogen, die in dem zerfallenden

Stall ein und aus spazierten. Ein stolzer Hahn ließ sie nicht aus den Augen. Zwei Kinder saßen auf dem Rasendach des Stalls, sie starrten auf Ingiborg herunter, ohne ein Wort zu sagen. Es war windstill und mild, und man hatte von hier aus einen schönen Blick auf den schneebedeckten Hausberg Esja.

Ingiborg wich den Blicken der Kinder aus und klopfte an die Tür. Eine Frau, die auf die fünfzig zuging, öffnete die Tür einen Spalt.

»Guten Tag«, sagte Ingiborg.

»Was willst du?«, fragte die Frau.

»Man hat Sie mir empfohlen«, sagte Ingiborg.

»Ach, so fein bist du also, dass du mich siezt? Ich sieze niemanden, und das solltest du dir ebenfalls abgewöhnen.«

»Nein, entschuldige ... ich ... Ich weiß nicht, wie ich mich ausdrücken soll. Mir wurde gesagt, du könntest Frauen wie mir ... Frauen in meiner Lage helfen.«

Die Frau starrte sie durch die halboffene Tür an.

»Hast du dir ein Kind machen lassen?«

Sie fragte geradeheraus in einem ganz alltäglichen Ton, ohne jede Spur von Schockiertsein oder Verurteilung. Ehe sie sich versah, hatte Ingiborg genickt und einer wildfremden Frau gegenüber beides zugleich zugegeben, den Fehltritt und das Verbrechen, das sie im Begriff war zu begehen.

»Wie bist du auf mich gekommen?«, fragte die Frau.

»Man hat mir von dir erzählt.«

»Ja, das ist wohl sehr wahrscheinlich, aber wer hat das getan? Deine Eltern? Ein Arzt wohl kaum. Vielleicht dein Freund?«

Ingiborg nickte wieder.

»Ein Soldat?«

»Ja«, flüsterte Ingiborg.

»Komm rein«, sagte die Frau und öffnete die Tür für sie. »Reden wir erst mal darüber.«

Die Frau hatte ihr Haar zu einem Knoten geschlungen. Sie ging mit Ingiborg in die Küche und fragte, ob sie ihr etwas zu trinken anbieten könne. Ingiborg schüttelte den Kopf. Die Küche war klein und ärmlich, hatte aber eine Vorratskammer. Anscheinend hatte die Frau gerade Hühnereier im Waschbecken gesäubert, um sie in einen Karton zu packen.

»Seit wann bist du schwanger?«, fragte sie jetzt. Sie war relativ klein, hatte aber ungewöhnlich große Hände und litt anscheinend an Gelenkrheuma. Der kleine Finger und der Ringfinger an beiden Händen krümmten sich so stark nach innen, dass sie sich kaum noch bewegen ließen. Ingiborg vermied es, auf diese Finger mit den langen, dreckigen Nägeln zu starren. Sie fühlte sich an Vogelkrallen erinnert.

»Das weiß ich nicht, ich meine nicht genau.«

»Mehr als zwölf Wochen?«

»Nein, so lange nicht. Eher acht oder neun.«

»Gut«, sagte die Frau, drehte sich zu ihr um und trocknete sich die Hände ab. »Das ist sogar sehr gut.«

Ingiborg saß wie erstarrt da.

»Du brauchst nicht so furchtbar ängstlich zu sein«, sagte die Frau. »Es ist ein ganz simpler Eingriff. Und ich weiß, was ich tue.«

Ingiborg starrte auf die Hände der Frau und wünschte sich, sie hätte dieses Haus nie betreten.

»Ich ... ich wusste nicht, was du dafür nimmst ... Wie viel Geld ich mitbringen sollte«, sagte sie.

»Meinst du wirklich, ich würde das tun, um damit Geld zu machen?«, fragte die Frau mit einem vielsagenden Blick auf die Küche.

»Nein. Ich weiß es nicht.«

Die Frau sah sie forschend an.

»Du solltest es dir vielleicht noch einmal überlegen.«

Ingiborg nickte. »Ja. Ich glaube, ich mache einen Fehler«, erklärte sie.

»Du musst zuerst mit dir selber ins Reine kommen. Wenn du dir nicht sicher bist, ob du es tun willst, solltest du nicht hier sitzen. Zweifel helfen dir nicht weiter. Vor Kurzem war ein Mädchen bei mir, völlig verschreckt und verängstigt. Sie hatte eine sehr seltsame Erklärung für ihren Zustand, doch ich habe auch schon Verrückteres gehört.«

»Erklärung?«

»Sie arbeitete in einer Schneiderei. Und sie hat so getan, als würde sie überhaupt keine Soldaten kennen. Sie war kaum noch bei Sinnen, als ich mich ihrer angenommen hatte, sie faselte irgendein wirres Zeug über ein Scheusal, das sich ihrer bemächtigt und ihr was von verborgenen Wesen erzählt hatte.«

Ingiborg vermied es, so gut sie konnte, auf die verkrümmten Finger der Frau zu schauen.

»Du solltest vielleicht besser wieder nach Hause gehen«, sagte die Frau und fing wieder an, Eier zu waschen. »Geh nach Hause und denk darüber nach. Wenn du willst, kannst du wieder zu mir kommen, und dann sehen wir, was ich für dich tun kann. Du hast ja noch etwas Zeit.«

Ingiborgs Worte verklangen, und auf sie erfolgte ein langes Schweigen, während sie sich in den Erinnerungen an die Frau mit den verkrüppelten Fingern verlor.

»Und bist du noch einmal zu ihr gegangen?«, fragte Konráð, als er sich endlich traute, die Stille zu durchbrechen.

»Nein, das habe ich nicht gemacht, ich habe diese Frau nie wiedergesehen. Als meine Eltern herausfanden, wie es um mich stand, kam die ganze Wahrheit über mich und Frank ans Licht. Sie haben mich aufs Land geschickt. Dort habe ich das Kind zur Welt gebracht. Es wurde mir weggenommen und zur Pflege gegeben. Ich weiß weder an wen noch wohin. Ich habe aber auch nie danach gefragt.«

»Hattest du denn nicht selber auch etwas dazu zu sagen?«

»Ich habe einfach nur zugestimmt«, sagte Ingiborg. »Ich habe andere entscheiden lassen. Ich habe mich bevormunden lassen, statt das zu tun, was ich selber wollte. Ich wusste weder aus noch ein, ich wusste nicht, was ich tun oder lassen sollte. Es war irgendwie einfacher, alles den anderen zu überlassen und darauf zu hoffen, dass die Zeit die Wunden heilen würde. Vielleicht war das sogar schlimmer als eine Abtreibung, ich weiß es nicht. Ich habe versucht, den Gedanken daran zu verdrängen. Mein Vater verlangte es von mir, und ich tat das, was er mir vorschrieb. Es gab keine andere Möglichkeit. Die Frau in diesem alten Haus in den Hügeln, die ist mir gegenüber ehrlich und offen gewesen, alles andere war ein einziges Versteckspiel. Mein Mann hat nie etwas davon erfahren, und ebenso wenig mein Sohn. Ich hoffe, ich kann mich darauf verlassen, dass du das auch wirklich alles für dich behältst.«

»Selbstverständlich«, erklärte Konráð. »Doch so ein Schicksal wie deins ist beileibe kein Einzelfall.«

»Nein, es wird wohl etliche andere gegeben haben, die in derselben Lage gewesen sind.«

»Hast du Frank danach noch einmal getroffen?«, fragte Konráð.

»Nein, niemals.«

»Was hat das andere Mädchen gemeint, als sie von den verborgenen Wesen sprach?«

»Ich weiß es nicht. Thorson hat mir bestätigt, dass diese Rósmunda in einer Schneiderei gearbeitet und wunderschöne Kleider genäht hat. Ich fand, dass ich ihm davon erzählen sollte und habe ihn angerufen. Sie wussten da schon, dass Rósmunda eine Abtreibung hinter sich hatte, aber sie wussten nicht, bei wem sie gewesen war.«

»Und sie war wohl bei dieser Frau?«

»Davon gehe ich aus«, sagte Ingiborg. »Ich habe aber nie etwas darüber erfahren.«

Dreiundzwanzig

Ein grober Schotterweg führte zu dem alten Steinhaus in den Hügeln östlich der Elliðaá, mit dem der Militärjeep aber keine Probleme hatte. Flóvent bemerkte, dass sie beobachtet wurden, als sie sich dem Haus auf dem holprigen Weg näherten. Zwei kleine neugierige Gesichter am Fenster, die im gleichen Moment verschwanden, als sie ausstiegen.

Unterwegs hatte Flóvent Thorson von seinem Besuch bei Vigga berichtet. Thorson war völlig verblüfft über die Information, dass möglicherweise ein zweites Mädchen in einem weit von Reykjavík entfernten Landesteil nach dem gleichen Muster vergewaltigt worden war. Genau wie Rósmunda hatte sie behauptet, von einem übernatürlichen Wesen überfallen worden zu sein. Die junge Frau im Nordosten der Insel war danach spurlos vom Erdboden verschwunden. Sie hatte sich höchstwahrscheinlich das Leben genommen.

»Kann das wirklich sein?«, war Thorsons erste Frage, nachdem er Flóvents Bericht gehört hatte.

»Es hat ganz den Anschein.«

»Heißt das also, dass es womöglich eine Verbindung zwischen den beiden Fällen geben kann, trotz der enormen Entfernung zwischen Reykjavík und dem äußersten Nordosten eurer Insel?«

»Es ist zumindest denkbar«, sagte Flóvent. »Es ist nicht auszuschließen, dass ein und derselbe Mann über die beiden jungen Frauen hergefallen ist.«

»Und es sind die verborgenen Wesen, die das verbindende Element darstellen?«

»Ja. Es könnte gut sein, dass Rósmunda bei Vigga herausgefunden hat, dass sie nicht das einzige Opfer dieses Mannes war. Das liegt sozusagen auf der Hand, denn beide haben eine praktisch gleichlautende Erklärung dafür abgegeben, was ihnen passiert ist.«

»Die eine lässt sich überreden, diese Erklärung zu akzeptieren, aber die andere glaubt nicht an solchen Humbug.«

»Trotzdem läuft alles auf dasselbe hinaus«, entgegnete Flóvent. »Beide wollen den Vergewaltiger nicht preisgeben, keine will sagen, von wem sie überfallen wurde. Entweder decken sie ihn, oder sie fürchten sich, seinen Namen zu nennen.«

»Die Frage ist weshalb.«

»Aus irgendwelchen Gründen ging das Mädchen im Norden bereitwillig auf die Lüge ein, diese eigenartige Erklärung für das, was ihr widerfahren ist«, sagte Flóvent. »Sie hat nämlich an die Existenz von verborgenen Wesen, von Elfen geglaubt, weil sie all die Geschichten von Begegnungen zwischen Menschen und übersinnlichen Wesen gekannt und für bare Münze genommen hat. Es gibt sehr viele Geschichten dieser Art, sie sind teilweise auch gesammelt und herausgegeben worden. Man kann davon ausgehen, dass sie mit solchen Volkssagen und Märchen vertraut war und an so etwas geglaubt hat. Zumindest an einiges davon, aber vielleicht auch an alles.«

»Trotzdem lässt es sich aber nicht voll und ganz ausschließen, dass es sich um einen puren Zufall handelt«, entgegnete Thorson.

»Nein, selbstverständlich kann man das nicht ausschließen«, sagte Flóvent, »aber für meine Begriffe klingt es eher unwahrscheinlich. Immerhin wissen wir jetzt aber etwas, was wir bislang nicht wussten.«

»Und das wäre?«

»Wir suchen nach einem Isländer. Für mich ist es schwer vorstellbar, dass sich ausländische Soldaten derartig intensiv mit unseren Elfen oder anderen verborgenen Wesen beschäftigt haben.«

Die Frau öffnete die Tür, noch bevor sie angeklopft hatten, und maß sie von Kopf bis Fuß mit ihren Blicken.

»Nanu, was für feine Herrschaften haben wir denn da?«, fragte sie.

»Wir sind von der Polizei«, antwortete Flóvent.

»Von der Polizei? Na, da schau her. Und was wollt ihr von mir?«

»Wir möchten dir ein paar Fragen über eine junge Frau stellen, die zu dir gekommen ist«, sagte Flóvent. »Soweit wir wissen, bietest du gewisse Dienstleistungen an, und zwar sehr diskret.« Nicht zuletzt wegen der beiden Kindergesichter im Fenster wollte er nicht deutlicher werden.

»Dienstleistungen? Was redest du da eigentlich? Ich verkaufe manchmal Eier, das war aber bislang noch nie ein Verbrechen.«

»Nein, es geht uns nicht um Eier«, sagte Flóvent. »Ich bin mir aber ziemlich sicher, dass du ganz genau weißt, wovon ich rede. Und du solltest vielleicht darauf gefasst sein, dass sich demnächst unsere Kollegen darum kümmern. Unser Besuch jetzt hat damit gar nichts zu tun. Wir möchten nur gern etwas über die junge Frau erfahren, die vor nicht allzu langer Zeit zu dir gekommen ist und deine Dienste in Anspruch genommen hat.«

»Eine junge Frau? Das sagt mir gar nichts.«

»Sie hat mit dir über verborgene Wesen gesprochen«, sagte Thorson.

»Erinnerst du dich an sie?«, fragte Flóvent.

Die Frau starrte ihn an.

»Hat die euch das etwa gesteckt?«, fragte sie.

»Ich weiß nicht, von wem oder was du redest«, sagte Flóvent.

»Das Mädel hat ihr Vorhaben aufgegeben. Ihr meint doch wohl die? Die hielt ganz schön was auf sich, und sie war zerbrechlich wie Porzellan. Redet ihr von der?«

Die Frau trat auf die Stufe hinaus und zog die Tür hinter sich zu.

»Ich schäme mich absolut nicht für das, was ich tue«, sagte sie. »Ihr verdammten Kerle macht euch ja nie Gedanken über sowas, das überlasst ihr einfach den Frauen. Und was ist dabei, wenn ich solchen armen Mädchen helfe? Bei mir ist noch nie etwas passiert, das will ich euch sagen. Ich habe . . .«

»Wie Flóvent gesagt hat, sind wir nicht deswegen hier, und nicht ihretwegen«, unterbrach Thorson die Frau. Er sah, dass sich ihre Finger nach innen krümmten, genau wie Ingiborg es beschrieben hatte. »Du wirst wohl mit anderen darüber reden müssen, welche Dienstleistungen du hier anbietest. Wir möchten etwas über eine andere junge Frau wissen, die bei dir war. Sie hat dir gegenüber von verborgenen Wesen gesprochen. Weißt du vielleicht, wie sie hieß?«

»Nein.«

»Hat sie dir gesagt, ob sie berufstätig war?«

»Ich glaube, sie arbeitete in einer Schneiderei. Ich hab sie aber nicht danach gefragt.«

»Ist sie das?«, fragte Flóvent und hielt ihr ein Foto von Rósmunda vor.

»Ja, das ist sie.«

»Weißt du nicht, dass sie kürzlich ermordet hinter dem Nationaltheater aufgefunden wurde?«

»Ermordet? Nein, davon hab ich nichts gehört. Ich habe nur gelesen, dass man dort die Leiche einer jungen Frau gefunden hat... War das wirklich sie?«

»Hat sie dir gesagt, wer der Vater des Kindes war?«, fragte Thorson.

»Nein.«

»Du hast es aber vielleicht geahnt?«

»Was meinst du mit geahnt? Ich hab keine Ahnung, wer der Mann war.«

»Auch nicht, ob es ein Soldat war?«, sagte Thorson.

»Nein, keine Ahnung. Ist sie von einem Soldaten umgebracht worden?«

»Uns ist bekannt, dass amerikanische Soldaten ihre Mädchen zu dir geschickt haben«, sagte Flóvent, ohne ihre Frage zu beantworten.

»Davon weiß ich nichts.«

»Du hast gesagt, sie hätte irgendwelche Elfen oder andere verborgene Wesen erwähnt«, warf Thorson ein. »Was hat sie damit gemeint?«

»Das arme Ding war völlig verstört, als es hierherkam. Das Mädchen hat lauter wirres Zeug geredet, und sie wollte um jeden Preis ... Sie wollte, dass ich ihr aus dieser schrecklichen Lage heraushelfe. Etwas anderes kam für sie nicht infrage. Sie konnte sich nicht vorstellen, das Kind zur Welt zu bringen, das war ausgeschlossen für sie.«

»Warum nicht?«, fragte Flóvent.

»Sie sagte, sie trüge keine Verantwortung für dieses Kind ...«

»Was hat sie damit gemeint?«

»Ich schloss daraus, dass es um Vergewaltigung ging.«

»Aber sie hat dir nicht gesagt, wer ihr Gewalt angetan hat?«, fragte Flóvent.

»Nein. Aus dem, was sie mir gesagt hat, konnte ich nur schließen, dass dieser verdammte Kerl ihr eingeredet hat, sie solle die Schuld auf irgendwelche verborgenen Wesen oder Elfen oder sonstwas abschieben. Das Mädchen hat schrecklich geweint und versucht, sich zu rechtfertigen. Sie sagte, es sei nicht ihre Schuld. Sie könne nichts dafür, und sie könne sich einfach nicht vorstellen, dieses Kind zur Welt zu bringen. Ich hatte wirklich Mitleid mit dem armen Ding. Jemand muss ihr ganz übel mitgespielt haben, aber das war kein verborgenes oder übernatürliches, sondern ein durch und durch menschliches Wesen, so viel steht für mich fest.«

Als im Hvalfjörður die großen Treibstofftanks für die amerikanische Flotte im Nordatlantik errichtet wurden, hatte die Besatzungsmacht enorm viel für die einzige Straßenverbindung dorthin getan. Je länger sich der Krieg hinzog, desto mehr nahm der Schiffsverkehr zu, nicht nur Schiffe der Marine, sondern auch zivile Versorgungsschiffe steuerten den geschützten Fjord mitten im Nordatlantik an. Das zentrale Flottenkommando befand sich in einer Bucht an seiner Nordseite. Dort wurden Öltanks und zahlreiche Wellblechbaracken errichtet, und dort befanden sich auch große Depots, in denen alles Mögliche gelagert wurde, beispielsweise Ersatzteile und anderes Material zur Versorgung und Instandhaltung der Kriegsschiffe. Viele Isländer hatten dort Arbeit gefunden, darunter auch zwei Brüder von Rósmunda.

Direkt nach dem Gespräch mit der Frau auf dem alten Hof in den Hügeln vor der Stadt machten sich Flóvent und Thorson auf den Weg in den Hvalfjörður. Es war kalt, aber der Februarhimmel war klar. Sie kamen nicht sehr schnell vorwärts, denn die Straße war an etlichen Stellen vereist und wegen zahlreicher Schneewehen schwierig zu befahren. Thorson hatte auch Schneeketten für den Fall dabei, dass Schneeverwehungen die Straße unpassierbar machten.

Flóvent wies Thorson auf einige interessante Orte im Fjord hin. Dreimal hielt Thorson an, um sich Brücken an der Strecke anzusehen, alle waren sie einspurig. Die Pfeiler waren zwar betoniert, aber die Brücke selber bestand aus Holzplanken. Thorson in seiner Uniform beging die Brücken, stampfte auf die Planken und notierte sich alles Mögliche in einem kleinen Buch. Flóvent fand, dass sie viel zu langsam vorankamen, aber er machte keine Einwände.

»Weiter hinten in diesem Tal ist der höchste isländische Wasserfall«, sagte Flóvent, als sie bei der Brücke über die Botnsá im Innersten des Hvalfjörður hielten.

»Den solltest du bei Gelegenheit mal besuchen. Die Wanderung lohnt sich wirklich, und es ist gar nicht so weit.«

»Wieso gibt es Isländer, die nicht für die Trennung von Dänemark sind?«, fragte Thorson, während er sich über das Brückengeländer beugte. »Ist das nicht schon lange überfällig?«

»Ich glaube, alle wollen die Trennung von Dänemark«, sagte Flóvent. »Manche finden aber den Zeitpunkt unpassend. Hitler hat Dänemark besetzt, und die Dänen sind so gesehen geschwächt. Deswegen möchten einige mit der Gründung der Republik abwarten, sie möchten auf keinen Fall den dänischen König vor den Kopf stoßen.«

»Spielt der denn für euch irgendeine Rolle?«

»Für mich nicht«, erklärte Flóvent.

Thorson wusste, dass die bevorstehende Gründung der Republik im nächsten Sommer das Ende von sechs Jahrhunderten dänischer Kolonialzeit bedeutete. Macht und Einfluss der Dänen hatten sich zwar nach dem Unabhängigkeitskampf im 19. und 20. Jahrhundert verringert, aber nun ging es einfach nur noch um den letzten Schritt im Kampf um die völlige Unabhängigkeit des Landes. Die Republik Island sollte am 17. Juni 1944 ausgerufen werden, am Geburtstag des Mannes, der die prominenteste Figur in diesem Kampf gewesen war, Jón Sigurðsson. Es gab aber auch kritische Stimmen, die dafür plädierten, sich so lange zurückzuhalten, bis die Dänen die Nazi-Okkupation von sich abgeschüttelt hätten.

»Viel schlimmer ist in meinen Augen, dass die amerikanische Streitmacht nach dem Krieg nicht von hier abrücken wird«, erklärte Flóvent, nachdem sie wieder im Auto waren.

»Ist das denn nicht eigentlich ganz gut?«, entgegnete Thorson. »Braucht ihr nicht so etwas wie militärischen Schutz? Ihr habt doch kein Militär.«

»Was wir brauchen, ist Neutralität«, sagte Flóvent, als sie losfuhren. »Wir brauchen kein Militär.«

»Kann man wirklich neutral sein? Würdest du in diesem Krieg neutral sein wollen?«

»Andere sind es.«

»Befürchtest du, dass jetzt die Amerikaner an die Stelle der Dänen treten?«

»Ich weiß es nicht. Es sind sonderbare Zeiten.«

Am Kontrollpunkt vor dem militärischen Sperrgebiet wurden sie angehalten. Thorson zeigte seinen Ausweis, woraufhin sie anstandslos durchgelassen wurden. Rósmundas Brüder arbeiteten im Depot, und Thorson hatte sich bereits vorher mit einem Oberst Stone in Verbindung gesetzt, dem Befehlshaber für die militärische Sicherheitszone. Stone hatte daraufhin mit dem Leiter des isländischen Bauunternehmens gesprochen und angeordnet, dass alle den beiden Männern behilflich zu sein hatten. Der wiederum hatte die Anweisung an seine Untergebenen weitergeleitet. Als Thorson und Flóvent eintrafen, befanden sich die beiden Brüder bereits in einem Büro des Bauunternehmens und warteten auf sie. Auf dem Fjord lagen britische und amerikanische Kriegsschiffe und Tanker, die im Hvalfjörður nachfüllten, damit sie Schiffe auf hoher See mit Treibstoff versorgen konnten. An den Hängen oberhalb des Fjordufers standen zahlreiche Nissenhütten mit grün gestrichenen halbtonnenförmigen Wellblechdächern. An deren Vorder- und Rückseite gab es jeweils zwei Fenster, und drinnen befanden sich Schlafsäle, Büros und Lagerflächen. Alles wurde überragt von den riesigen Treibstofftanks.

Rósmundas Brüder waren um die zwanzig, der eine hatte dunkle Haare, der andere war rothaarig. Beide trugen grüne Militärhosen und Stiefel, und darüber isländische Pullover. Sie waren schlank, doch der eine der beiden wirkte etwas kräftiger und selbstbewusster. Er hieß Jakob und war der Wortführer. Egill, der etwas jünger war, trug wenig zum Gespräch bei, in Anwesenheit seines Bruders schien er sich gehemmt zu fühlen. Ihnen war gesagt worden, dass die Polizei wegen ihrer Schwester mit ihnen sprechen wollte.

»Wollt ihr uns etwa festnehmen?«, fragte Jakob.

»Nein«, sagte Flóvent. »Ganz und gar nicht. Hat man euch das gesagt?«

»Alle glauben das«, sagte Jakob.

»Wir möchten euch nur ein paar Fragen stellen, weiter nichts.«

»Wäre es nicht besser, getrennt mit ihnen zu sprechen?«, sagte Thorson zu Flóvent.

»Wieso das denn?«, wollte Jakob sofort wissen.

»Wir können mit dir beginnen«, sagte Flóvent. »Egill, du wartest bitte draußen.«

Egill sah seinen Bruder an, und der gab ihm ein Zeichen, das zu tun, was man ihm sagte. Als er gegangen war, setzten sie sich, und Jakob zog eine Schachtel mit amerikanischen Zigaretten aus der Tasche. Er bot Flóvent und Thorson eine an, aber beide lehnten ab. Daraufhin zündete er sich mit einem neumodischen amerikanischen Sturmfeuerzeug eine Zigarette an und ließ den Deckel laut klackend zuschnappen.

»Du und deine Familie im Norden, hattet ihr viel Kontakt zu Rósmunda, während sie in Reykjavík aufwuchs?«, fragte Flóvent.

»Nein, wir hatten eigentlich kaum Kontakt«, antwortete Jakob und blies den Zigarettenrauch in die Luft.

»Warum nicht?«, fragte Thorson.

»Sie ist weggegeben worden«, sagte Jakob. »Es wurde nur wenig über sie gesprochen. Auch Egill und ich wurden für ein paar Jahre bei anderen Leuten untergebracht. Die Verhältnisse bei uns zu Hause waren sehr schwierig.«

»Trotzdem war sie eure Schwester.«

»Wir haben sie überhaupt nicht gekannt. Ich kann mich nicht an sie erinnern. Egill auch nicht. Es bringt also nicht viel, wenn ihr uns befragt.«

»Hast du irgendeine Vorstellung, was Rósmunda passiert sein könnte?«, fragte Flóvent.

Jakob schüttelte den Kopf.

»Ich weiß nicht, in Reykjavík passiert so viel, da treiben sich doch all die Soldaten rum«, sagte er und sah dabei Thorson an.

»Glaubst du, dass sie mit einem von den Soldaten zusammen war?«

»Das weiß ich nicht. Ich hab sie überhaupt nicht gekannt.«

»Wann hast du deine Schwester zum letzten Mal gesehen?«

»Daran kann ich mich nicht erinnern. Egill bestimmt auch nicht.«

»Soweit wir wissen, hat sie an euren Vater geschrieben. Weißt du etwas darüber?«

»Ja, sie hat dem Alten geschrieben«, sagte Jakob. »Weil sie uns besuchen wollte. Daraus ist aber nichts geworden.«

»Weißt du, weshalb sie wieder Verbindung zu euch aufgenommen hat?«, fragte Thorson.

»Nein.«

»Wollte sie vielleicht ihre Familie kennenlernen?«

»Kann gut sein.«

»Hast du sie nie kennenlernen wollen?«

Jakob dachte kurz nach, dann schüttelte er den Kopf.

»Weißt du, ob sie sich bei ihren Pflegeeltern wohlgefühlt hat?«

»Keine Ahnung.«

»Hat sie vielleicht vorgehabt, ihre Pflegeeltern zu verlassen? Wollte sie wieder zu ihrem Vater und der Familie zurückkehren? Hat sie ihm vielleicht deswegen geschrieben?«

»Nein, nicht dass ich wüsste. Unser Vater hat nie erwähnt, dass es um so etwas ging. Sie hat nur den einen Brief geschrieben, und Vater hat ihr geantwortet, sie wäre willkommen.«

Flóvent und Thorson stellten Jakob noch einige weitere Fragen, aber er interessierte sich anscheinend nicht im Geringsten für den Tod seiner Schwester oder die Todesumstände. Seine Gleichgültigkeit war offensichtlich.

»Interessierst du dich überhaupt nicht für Rósmunda?«, fragte Thorson.

»Sie geht mich nichts an«, antwortete Jakob.

»Sie war aber doch deine Schwester«, warf Flóvent ein.

»Sie hat es ganz bestimmt sehr viel besser gehabt als wir. Keine Ahnung, weshalb sie sich auf einmal gemeldet hat.«

»Vielleicht um euch kennenzulernen? Ihre richtige Familie?«

»Ja, aber dazu ist es nicht gekommen.«

»Sie ist sehr wahrscheinlich vergewaltigt worden.«

Jakobs Miene war durch nichts zu erschüttern.

Flóvent fragte ihn, ob er an dem Abend, als Rósmundas Leiche aufgefunden wurde, in Reykjavík gewesen sei. War er nicht, behauptete er. Egill und er seien wie immer im Hvalfjörður gewesen, und abends hätten sie mit amerikanischen Soldaten Snooker gespielt, in einer der Militärbaracken, die als Kneipe eingerichtet war.

Jakobs jüngerer Bruder war weniger abweisend. Egill setzte sich ihnen gegenüber auf einen Stuhl, zog die Nase hoch und wischte sie am Ärmel seines Pullovers ab. Sie stellten ihm dieselben Fragen wie seinem Bruder, und er bestätigte, dass sie an dem Tag, als Rósmunda starb, im Hvalfjörður gewesen waren.

»Wann hast du deine Schwester zuletzt gesehen?«, fragte Flóvent.

»Ich habe sie nie gesehen«, sagte Egill. »Ich habe sie überhaupt nicht gekannt.«

»Gab es denn keinerlei Kontakt zwischen Rósmunda und eurer Familie im Norden?«

»Nein.«

»Nie?«

»Sie hat unserem Vater mal geschrieben.«

»Hast du den Brief gelesen?«

»Nein, er hat uns nur davon erzählt.«

»Worum ging es in dem Brief?«

»Sie wollte uns gerne kennenlernen, irgendwie sowas.«

»Hat euer Vater Verbindung zu Rósmundas Pflegeeltern in Reykjavík gehabt?«

»Nein, nie. Das war ...«

»Ja?«

»Es war angeblich am besten für alle, keinen Kontakt zu haben. Sie lebte bei dem Ehepaar, Schluss, aus. Wir haben aber immer gewusst, dass wir eine Schwester in Reykjavík hatten. Und auch, wieso sie weggeschickt wurde. Nach dem Tod unserer Mutter hat Vater den ganzen Haushalt einfach nicht mehr geschafft. Jakob und ich wurden auch auf anderen Höfen untergebracht. Die Familie wurde auseinandergerissen. Sowas ist wohl öfter vorgekommen.«

»Ihr habt also nichts mit ihr zu tun gehabt?«

Egill zog wieder die Nase hoch und wischte sie am Ärmel ab.

»Nein«, sagte er. »Wir haben sie doch nicht mal gekannt. Wir kannten sie überhaupt nicht.«

Vierundzwanzig

Konráð genehmigte sich ein kleines Gericht in einem Steakhouse im Gewerbegebiet Skeifan. Er war nach dem Gespräch mit Ingiborg relativ früh dran, erst wenige Gäste hatten sich in dem Lokal eingefunden, und er setzte sich an einen Ecktisch. Während des Essens dachte er über seinen Besuch bei Vigga im Altersheim nach. Sie hatte ein Mädchen erwähnt, das verschwunden und nie gefunden worden war, und in diesem Zusammenhang hatte sie auch von verborgenen Wesen gesprochen. Rósmunda konnte Vigga nicht gemeint haben, denn ihre Leiche war ja gefunden worden. Wenn er Ingiborg Glauben schenken durfte, hatte Thorson Rósmundas Fall während des Krieges untersucht. Und es musste einen guten Grund dafür geben, dass Thorson sich nach all der Zeit wieder damit beschäftigt hatte. Er hatte auf jeden Fall mit Vigga gesprochen, möglicherweise aber auch mit anderen. Was hatte ihn wieder auf die alten Spuren gebracht? Weswegen hatte er sich veranlasst gefühlt, die hochbetagte Vigga zu befragen? Inwiefern hatte sie mit dem Fall zu tun, worin bestand ihre Verbindung zu dem Mordfall? Als Konráð die alte Frau besuchte, hatte sie ihn offensichtlich für Thorson gehalten. Die beiden waren sich wohl schon früher einmal begegnet. Hatte das andere

Mädchen, das Vigga erwähnte, dasselbe Schicksal erlitten wie Rósmunda? Steckte hinter dem tragischen Tod der beiden Frauen ein und derselbe Täter? Hatte Thorson in hohem Alter tatsächlich noch eine neue Spur entdeckt?

Konráð schreckte aus seinen Gedanken auf, als einem der Gäste im Lokal ein Glas aus der Hand fiel, das in tausend Stücke zersplitterte. Der Mann starrte ziemlich perplex auf den Scherbenhaufen. Ein Kellner kam ihm zu Hilfe. Konráð fand, dass es Zeit war zu gehen.

Er hatte es bislang vor sich hergeschoben, einer bestimmten Frage nachzugehen, die ihm aber auf den Nägeln brannte. Jetzt endlich raffte er sich auf, der Sache auf den Grund zu gehen. Ihm war die Idee gekommen, mit demjenigen zu sprechen, dem Thorson seinerzeit die Wohnung abgekauft hatte. Zwischen anderen Papieren in Thorsons Wohnung hatte er den Kaufvertrag gefunden und sich den Namen notiert.

Als Konráð in einem ansehnlichen Reihenhaus im östlichen Teil von Reykjavík nach dem Mann fragte, wurde er an die Garage des Mannes verwiesen, in der er Autos reparierte. Als Konráð auftauchte, erschrak er fürchterlich. Er dachte offenbar, Konráð könne nur vom Finanzamt kommen, um ihn wegen Schwarzarbeit dranzukriegen, die er in großem Stil betrieb. Als sich aber herausstellte, dass Konráð nichts mit dem Fiskus zu tun hatte, wurde der Mann sehr viel ruhiger und auch gesprächiger. Er konnte sich ziemlich gut an Stefán þórðarson erinnern, der ihm die Wohnung abgekauft hatte, und er wusste, auf welche Weise der alte Mann sich von dieser Welt hatte verabschieden müssen. Stefán selber hatte er im Grunde genommen kaum gekannt. Er erinnerte sich nur, dass Stefán die gesamte Summe bar auf den Tisch gelegt hatte, anscheinend hatte er viel Geld beiseitelegen können. An Birgitta, seine frühere Nachbarin, konnte er sich besser erinnern. Sehr bald kam die Rede auf etwas, was dieser Birgitta ein besonderes Anliegen war.

»Wir haben uns häufig darüber unterhalten«, sagte der Automechaniker, ein Mann mit breitem Gesicht und starken Pranken, die von harter Arbeit zeugten. »Mich hat sie nie wirklich überzeugen können. Aber sie selber hatte da eine ganz klare Meinung.«

»Worüber?«

»Du weißt doch, dass sie früher Krankenschwester war«, sagte der Mann, während er die Batterie aus dem Wagen hob, mit dem er sich gerade beschäftigte.

»Ja«, log Konráð, der bisher keinen Gedanken daran verschwendet hatte, was für einen Beruf Birgitta früher mal gehabt hatte.

»Sie sprach natürlich aus Erfahrung. Sie sagte immer, sie hätte in ihrem Beruf sehr viel erlebt.«

»Aus Erfahrung? Was meinst du damit? Worüber hat sie gesprochen?«

»Über Sterbehilfe«, sagte der Mann und stellte die Batterie zur Seite. »Sie war der Meinung, dass die hierzulande legalisiert werden sollte.«

»Sterbehilfe?!«, sagte Konráð, der seine Verwunderung kaum verhehlen konnte. »Was willst du damit sagen?«

»Birgitta war der Meinung, dass Sterbehilfe in Einzelfällen, in ganz speziellen Fällen, erlaubt sein müsste. Zumindest hat sie diese Ansicht früher sehr überzeugt vertreten. Ich hatte darüber nachgedacht, euch anzurufen, als ich hörte, dass der Alte umgebracht worden ist. Angeblich war da ja keine brutale Gewalt im Spiel. Mir ist spontan Birgitta eingefallen.«

»Willst du damit sagen, dass sie den Mann erstickt hat?«

»Ich will gar nichts sagen. Auf gar keinen Fall. Ich musste nur an sie denken, als ich das von dem alten Mann hörte. Es hat mich sofort daran erinnert, wie sie über solche Dinge dachte, und es passte einfach gut damit zusammen, wie der Alte gestorben ist.«

Konráð unterhielt sich noch etwas länger mit dem Automechaniker, doch mehr bekam er nicht aus ihm heraus. Er verabschiedete sich, und auf dem Weg nach Hause rief er Marta an.

»Hast du schon mal Sterbehilfe in Erwägung gezogen?«, fragte er ohne Umschweife. Er hörte, wie sie die Luft zwischen den Zähnen einsaugte, Marta hatte gerade erst gegessen.

»Sterbehilfe? Wie kommst du denn darauf?«

»Hast du schon mal darüber nachgedacht?«

»Kaum«, sagte Marta. »Meinst du, ob ich diesen Weg für mich wählen würde?«

»Nein, ich meine doch nicht dich«, sagte Konráð. »Bist du beim Essen?«

»Ich hab mir vorhin was ganz Fürchterliches aus so einem Burger-Laden geholt. Wieso fragst du mich nach Sterbehilfe?«

»Du weißt, was das ist. Man hilft dir zu sterben, wenn du eine unheilbare Krankheit hast und unbeschreibliche Qualen leidest und weißt, dass du nur noch kurze Zeit zu leben hast.«

»Ich weiß, was Sterbehilfe bedeutet«, sagte Marta.

»Ist dir so etwas im Fall Thorson in den Sinn gekommen? Er lag friedlich in seinem Bett. Keine Spur von einem Streit oder einem Handgemenge. Er hat sich nicht zur Wehr gesetzt. Alles sieht so aus, als hätte er sich einfach schlafen gelegt. Aber trotzdem hat ihn jemand erstickt.«

»Und?«

»Zweierlei. Es steht inzwischen fest, dass Birgitta und dieser Stefán oder Thorson mehr als nur Nachbarn waren. Das jedenfalls sagen andere Hausbewohner. Und ich habe herausgefunden, dass Birgitta sich für Sterbehilfe engagiert hat. Sie war früher Krankenschwester. Hat sie dir das gesagt?«

»Nein. Und wie bist du auf Sterbehilfe gekommen?«

»Durch den Mann, dem Thorson seinerzeit die Wohnung abgekauft hat. An Birgitta erinnerte er sich vor allem deswegen.«

»Sterbehilfe? Thorson war doch nicht krank, bei der Obduktion ist nichts dergleichen herausgekommen. Was war das für eine Beziehung zu der Nachbarin? Vielleicht solltest du dich mal dahinterklemmen.«

»Soll ich ihr wirklich auf den Zahn fühlen?«

»Mach das«, sagte Marta. »Du weißt ja, wir sind im Augenblick total unterbesetzt. Versuch, der alten Frau noch etwas mehr zu entlocken, und lass mich wissen, was dabei herauskommt.«

Fünfundzwanzig

Das Medium erwartete sie spät abends im Wohnzimmer. Die dicken Vorhänge waren zugezogen, und auf den Tischen brannten einige Kerzen. Das Medium war ein Mann um die vierzig in einem abgetragenen dunklen Anzug, ein kleiner, freundlicher Mensch mit warmem Lächeln und Händen ohne Schwielen. Er hielt sich etwas krumm und erweckte den Eindruck, als sei er ziemlich verkatert. Für die Eheleute war der Mann aber von etwas Geheimnisvollem umgeben, und deswegen waren sie überrascht, wie umgänglich er sich gab. Sie setzten sich auf die Stühle, die Konráðs Vater bereitgestellt hatte. Außer ihnen waren noch drei andere ärmlich gekleidete Männer anwesend, ein schwerhöriger Greis sowie ein Vater mit seinem Sohn. Die letzteren hatten Ehefrau und Mutter nach langer, schwerer Krankheit verloren und wollten in Erfahrung bringen, ob sie es an dem neuen Ort besser hätte. Der alte Mann wollte nichts Spezielles wissen, ihm ging es nur darum zu erfahren, in welcher Sprache die Botschaften aus dem Jenseits kämen. Das Medium benötigte keinen Sitzplatz, mal blieb es vor den Teilnehmern stehen, mal ging es auf und ab, während es das in sich eindringen ließ, was aus dem Jenseits auf ihn einströmte. Er sei ja nur das Verbindungsglied, erklärte er den Anwesenden.

»Ich übermittele euch nur Botschaften«, sagte er.

»Fallen Sie denn nicht in Trance?«, wollte die Frau wissen. Die Eheleute kannten sich etwas mit spiritistischen Sitzungen aus, aber dieses Medium kannten sie noch nicht.

»Nein«, sagte das Medium, »so verläuft das nicht. Es ist eher so, als würden die Ströme von drüben durch mich hindurchgehen.«

Der alte Mann legte die Hand hinters Ohr, um besser zu verstehen.

»Was sagen Sie da?«

»Ich versuche zu erklären, wie so eine Kontaktaufnahme vor sich geht.«

»Aber die Kontaktsprache ist doch hoffentlich Isländisch?«, fragte der alte Mann laut.

Das Medium sicherte ihm das zu, die Sitzung konnte beginnen. Er fragte die Anwesenden nach diesem und jenem. Einige Namen wurden genannt, die die Teilnehmer entweder kannten oder eben nicht kannten. Wenn keine Reaktion erfolgte, ging das Medium sofort zu etwas anderem über. Wenn es Zustimmung gab, erkundigte der Sehende sich genauer nach der Person, er tastete sich mit Beschreibungen und Eigenschaften so lange vor, bis sich irgendwie ein Konsens anbahnte, wer sich da wohl aus dem Jenseits meldete. Die Botschaft bestand darin, dass dort drüben bei ihnen alles in schönster Ordnung sei. Einige Botschaften waren mit Düften verbunden, andere mit Bildern von Möbeln, Gemälden oder Kleidung. Vater und Sohn konnten einiges identifizieren, der alte Mann erkannte wiederum anderes wieder. Als sich das Medium lange genug mit ihnen beschäftigt hatte, wandte der Mann sich Rósmundas Pflegeeltern zu.

»Ich … Hier ist es kalt und dunkel«, erklärte das Medium. Der Mann hatte sich mit halb geschlossenen Augen vor die alten Leutchen hingestellt. »Kalt und dunkel, und hier ist ein Mann, der steht … der steht irgendwo in der Kälte. Ich … ich glaube, er trägt Fäustlinge … Es sieht so aus, als trüge er Fäustlinge, und ihm ist kalt. Fäustlinge aus doppelfädiger Wolle. Kommt euch das bekannt vor?«

Die Eheleute antworteten nicht gleich.

»Er ist … Kann es sein, dass er so nass ist, weil er im Meer war?«, fragte das Medium. »Dass er deswegen so vollkommen durchnässt ist?«

»Doch, ja«, sagte die Frau zögernd. »Falls er das wirklich ist. Haben Sie doppelfädig gesagt?«

»Sie meint die Fäustlinge«, warf ihr Mann ein.

»Er sagt, dass Sie beide immer für ihn da gewesen sind. Und er möchte Ihnen für all den Kaffee danken, den er bei Ihnen bekommen hat«, fuhr das Medium fort. »Es kommt mir so vor, als könnte er Vilmundur oder Vilhjálmur heißen, oder so ähnlich.«

»Ist das denn nicht unser Mundi?«, sagte die Frau und sah ihren Mann an.

»Ich glaube zu spüren, dass er ertrunken ist«, sagte das Medium. »Kann das stimmen? Ist er ertrunken?«

»Das Meer in der Faxaflói-Bucht hat ihn verschlungen«, sagte der Mann. »Vor Akranes. Das Boot ging unter, drei Männer fanden den Tod.«

»Ich habe die Fäustlinge für den armen Mundi gestrickt«, sagte die Frau.

»Ich sehe … Es kommt mir so vor, als wäre da ein

Gemälde, oder vielleicht auch die Aussicht aus einem schönen hellen Haus, und dann ist da auch noch ein sehr starker Duft von Kaffee. Ein schönes Zuhause. Schmalzkringel. Ich schmecke geradezu das Kaffeearoma und diese Schmalzkringel. Oder vielleicht auch frischen Zwieback.«

»Mundi hat oft gesagt, was für gute Schmalzkringel ich mache«, sagte die Frau und nickte zu Vater und Sohn hinüber, die schweigend mitverfolgten, was vor sich ging.

»Es kommt mir so vor, als befände ich mich in einer Kirche, und es kommt mir so vor, als würde ich Musik hören. Kann das sein? Gab es Musik um ihn herum?«

»Das kann gut sein, er hat Harmonium gespielt«, antwortete Rósmundas Pflegevater.

»Danke«, sagte das Medium. »Er lässt Ihnen ausrichten, dass Sie sich keine Sorgen um ...«

Das Medium verstummte, so als lauschte es irgendwelchen Rufzeichen aus dem Jenseits. Geraume Zeit verstrich in tiefem Schweigen, so als täten sich die Botschaften schwer damit, durch das menschliche Unterbewusstsein zu dringen. Dann endlich trat das Medium einen Schritt zurück und blieb stocksteif mit halb geschlossenen Augen vor dem alten Ehepaar stehen.

»Er sagt, dass sie bei ihm ist. Sie, von der Sie wissen, wer sie ist.«

Die Frau atmete schwer.

»Das arme Kind.«

»Sehen Sie sie?«, fragte ihr Mann gespannt.

»Er will nicht ... Er sagt, dass Sie wissen, was er meint, und er lässt Ihnen ausrichten, sie sollen sich keine Sorgen machen.«

»Das gute Kind«, sagte die Frau und begann zu weinen. Ihr Mann versuchte, sie zu beruhigen.

Das Medium schwieg, und alle glaubten, er horche bis weit in die Ewigkeit hinein. Bis Rósmundas Pflegevater es nicht länger aushielt.

»Möchte sie uns sagen, wer es getan hat?«, flüsterte er.

Das Medium stand mitten im Raum und rührte sich nicht, und wieder verging viel Zeit. Die Anwesenden saßen mucksmäuschenstill. Vater und Sohn starrten zu dem Medium hoch, und auch der schwerhörige alte Mann schien nichts zu verpassen. Rósmundas Eltern hielten sich an der Hand.

»Will sie uns sagen, wer es war?«, fragte der Pflegevater wieder.

Das Medium antwortete nicht, stand immer noch stumm und schweigend da, bis der Mann plötzlich den Kopf schüttelte und wieder auf und ab ging. Die Verbindung sei abgebrochen, sagte er, und nun hätten ihn seine Kräfte verlassen.

Die Séance war beendet. Das Medium sank erschöpft auf einen Stuhl, und Konráðs Vater brachte ihm ein Glas Wasser. Rósmundas Eltern saßen wie benommen auf ihren Plätzen, so als könnten sie kaum glauben, was sich zugetragen hatte. Die Anwesenden brauchten eine ganze Weile, um sich wieder zurechtzufinden. Sie waren überzeugt, dass sich etwas Wichtiges, etwas Unerklärliches ereignet hatte.

Konráðs Vater zog die Vorhänge vor den Fenstern zurück und ging in die Küche, um Kaffee und Kandiszucker für die Gäste zu holen. Der alte Mann goss den heißen Kaffee in seine Untertasse und schlürfte ihn daraus.

»Das mit den Fäustlingen war seltsam«, sagte Rósmundas Pflegevater. »Dass er die erwähnt hat.«

»Und ich habe erst gestern dem Hausherrn hier gesagt, dass Mundi ganz versessen auf meine Schmalzkringel war«, sagte seine Frau. »Und auch das mit den
doppelfädigen Fäustlingen.«

Vater und Sohn blickten sie an.

»Haben Sie ihm wirklich davon erzählt?«, fragte der
Vater und wies auf Konráðs Vater.

»Was denn, was hat sie ihm gesagt?«, polterte der
alte Mann dazwischen.

»Ja, natürlich«, sagte die Frau. »Ich hab ihm von unserem Mundi erzählt und dass er ertrunken ist.«

»Fanden Sie das angebracht?«

»Angebracht? Was meinen Sie denn damit?«

Konráð saß am Küchentisch, aus dem Westfenster hatte
er Blick auf den Sonnenuntergang. Er erinnerte sich
sehr genau daran, was sein Vater ihm über diese spiritistische Sitzung gesagt hatte. Er war achtzehn Jahre alt
gewesen, als sein Vater ihm die Geschichte von den
Pflegeeltern erzählte, die ihr Kind verloren hatten, und
wie er es geschafft hatte, den leichtgläubigen Menschen ein paar Kronen aus der Tasche zu ziehen, Menschen, die unter einem schweren Verlust litten. Bis dahin hatte er sich nie dazu geäußert, genauso wenig wie
zu anderen zweifelhaften Unternehmungen, auf die er
sich im Laufe seines Lebens eingelassen hatte. Bei diesem Gespräch war er betrunkener als je zuvor gewesen, und nur deswegen war er weich geworden und
hatte mit seinem Sohn über einige Schattenseiten seines Lebens gesprochen.

»Das Ding war lächerlich einfach«, sagte der Kettenraucher mit seiner rauen Stimme. »Die Leute waren ganz gierig darauf, sich bis zum Gehtnichtmehr an der Nase herumführen zu lassen. Je mehr sie bezahlten, desto aufnahmebereiter waren sie für die Lügen, die ihnen aufgetischt wurden. Verdammt nochmal, es war wirklich ein Kinderspiel.«

Konráð konnte nicht heraushören, dass sein Vater auch nur einen Anflug von Reue verspürte. Er entschuldigte sich nie für das, was er tat oder anderen zufügte. Konráð konnte nicht anders, als ihn zu fragen, wie er es über sich gebracht hatte, mit dem Unglück anderer Menschen zu spielen, um an ihr Geld zu kommen.

»Es ist nicht mein Problem, wenn Leute sich unbedingt bescheißen lassen wollen«, lautete die Antwort, die Konráð erhielt. »Der Typ, der für die Eltern des Mädchens das Medium gespielt hat, verfügte schon über gewisse Kräfte und verstand etwas von seinem Job. Wir haben viele solcher Sitzungen gemeinsam gemacht und sind nie aufgeflogen. Er hatte nämlich wirklich eine gewisse Begabung, glaube ich. Trotzdem war er nichts anderes als ein elender Pfuscher. Einiges von dem, was er von sich gegeben hat, wusste ich gar nicht von der Frau, zum Beispiel das mit dem Harmonium, es war vielleicht einfach nur Glück. Schwein braucht man nämlich auch dazu, um so etwas durchzuziehen. Aber das mit den Handschuhen und dem Ertrinken, das habe ich ihm zugeflüstert, bevor die Leute kamen. Als der Vater und sein Sohn kapierten, dass die Frau vor der Sitzung mit mir gesprochen hatte, gerieten sie richtig in Wut und holten die Polizei. Und danach war es natürlich aus mit dem Zinnober. Das falsche Medium wurde entlarvt, und ich galt als sein Komplize«, sagte Konráðs Vater und lachte schallend. »Komplize!«

»Habt ihr das immer so gemacht?«, fragte Konráð. »Hast du vorher mit den Leuten gesprochen und deine Informationen an das Medium weitergegeben?«

»Je nachdem, wie es sich ergeben hat«, antwortete sein Vater. »Dieser sogenannte Hellseher hat etliche spiritistische Sitzungen hier bei uns abgehalten, und ich war dafür zuständig, den interessierten Teilnehmern vorher Informationen zu entlocken. Meist kamen immer dieselben Leute, und die kannte er dann auch schon gut. Beispielsweise der Vater mit seinem Sohn, die beiden waren schon zweimal vorher dabei gewesen. Manchmal kannte er die Leute aber auch nicht, und dann war es natürlich wichtig für ihn, an irgendwelche Vorinformationen zu kommen, während er sich für die Séance aufwärmte. So hat er sich ausgedrückt.«

Konráðs Vater schwieg eine Weile.

»Wahrscheinlich hätte er die Fäustlinge nicht so genau beschreiben sollen«, sagte er schließlich. »Das Komische war nämlich, dass der dämliche Kerl tatsächlich die Nähe von irgendwelchen Wesen gespürt hat. Als das Theater wegen der verdammten Sitzung losbrach, hat er mir gesagt, dass er ganz sicher die Nähe der Tochter von diesen Leuten gespürt hat, und da sei auch noch ein anderes junges Mädchen bei ihr gewesen, dem ebenfalls irgendjemand ganz übel mitgespielt hatte.«

»Ein anderes Mädchen?«

»Das hat er gesagt.«

»Und was war mit ihr? Was meinte er mit übel mitgespielt?«

»Das hat er nicht gesagt. Er hat mit niemandem darüber geredet, genauso wenig wie über die anderen Dinge, die während dieser Sitzung passierten, bei der wir aufgeflogen sind. Danach wollte niemand mehr was von ihm als Medium wissen.«

»Hat er sonst nichts über das andere Mädchen gesagt?«

»Nein. Nur das mit der Kälte. Er sagte, sie wäre von einer schrecklichen Kälte umgeben. Konráð, du musst bedenken, dass der Kerl ein elender Pfuscher war. Das meiste, was er von sich gab, hatte ich ihm vorher zugesteckt.«

Die Geschichte von dieser spiritistischen Sitzung war Konráð deswegen so lange in Erinnerung geblieben, weil es das letzte Mal gewesen war, dass er sich mit seinem Vater unterhalten konnte. An einem Winterabend Ende Januar kam Konráð gegen Mitternacht nach Hause. Vor der Kellerwohnung parkte ein Polizeiauto, und zwei Polizisten standen Wache an der Tür. Besonders überrascht war Konráð nicht, denn sein Vater gehörte zu den sogenannten guten Bekannten der Polizei, und fast jedes Mal, wenn irgendetwas passierte, wenn ein Einbruch verübt oder ein umtriebiger Schwarzbrenner verhaftet oder eine großangelegte Schmuggelaktion aufgedeckt wurde, erhielt der Vater Besuch von der Kripo, wurde verhört und manchmal sogar in das Hauptdezernat der Polizei in der Pósthússtræti gebracht. Stattgefunden hatte dieses Gespräch 1963. Konráð hatte damals eine Druckerlehre angefangen. Nach einiger Zeit hatte er aber die Berufsschule geschmissen, denn zu der Zeit hatte auch Konráð zu viel getrunken. Sein Vater hatte sich noch nie großartig um ihn gekümmert, und von der Mutter, die mit seiner Schwester Elísabet in den Osten Islands nach Seyðisfjörður gezogen war, hörte er nur selten etwas. Konráðs Saufkumpane waren ähnlich glücklose Gestalten und befanden sich auf dem geraden Weg in die Gosse, genau wie sein Vater, der ihm hin und wieder, wenn er bei Laune war, Geschichten aus der »Branche« erzählte, wie er sich ausdrückte. Und dazu hatte auch der Schwindel mit dem betrügerischen Medium gehört. Konráð verdiente sich etwas Geld mit Schwarzarbeit auf dem Bau, aber er klaute auch in Geschäften, knackte Autos und verrichtete für den Vater alle möglichen Aufträge und erhielt einen kleinen Anteil an dem Profit, der bei so etwas heraussprang. Er wurde aber nie bei solchen Aktionen erwischt und kam deswegen nie in Konflikt mit dem Gesetz.

Einer der beiden Polizisten, die vor der Kellerwohnung postiert waren, kam damals auf Konráð zu und fragte ihn, ob er hier wohnte oder den Besitzer kannte. Konráð hatte gelernt, in Anwesenheit der Polizei sehr auf der Hut zu sein; eigentlich wollte er dem Mann irgendwelche Lügen auftischen, aber ihm fielen keine ein. Stattdessen sagte er, dass der Keller seinem Vater gehörte, bei dem er wohnte. Er fragte, ob sie nach ihm suchten.

»Nein, wir suchen nicht nach ihm«, sagte der andere Polizist. »Hast du ihn heute Abend gesehen?«

»Nein«, sagte Konráð. »Wieso fragst du danach?«

»Ganz sicher?«

»Ja, ganz sicher.«

»Weißt du, mit wem er sich treffen wollte?«

»Wieso willst du das wissen?«, fragte Konráð.

»Hat es in letzter Zeit irgendwelche Streitereien gegeben? Sind irgendwelche Leute hinter ihm her? Weißt du etwas darüber?«

»Hinter ihm her? Was meinst du eigentlich?«

»Dein Vater ist tot, Genosse«, sagte der andere Polizist. »Weißt du, ob er beim Schlachtverband unten an der Suðurgata einbrechen wollte?«

Konráð war sich nicht sicher, ob er richtig gehört hatte.

»Was meinst du damit?«, fragte er. »Was hast du da gesagt?«

»Er wurde in der Einfahrt zum Gelände des Schlachtverbands gefunden«, sagte der Polizeibeamte. »Erstochen mit einem Messer. Weißt du, was er dort wollte?«

»Was sagst du da?! Erstochen? Ist er erstochen worden?«

»Ja.«

Konráð starrte die Polizisten an, die den Auftrag hatten, die Angehörigen des Toten zu verständigen. Da sie Konráðs Vater nur zu gut kannten, hielten sie es für überflüssig, den Angehörigen von Säufern und Kleinkriminellen gegenüber besonderes Feingefühl an den Tag zu legen. Im gleichen Augenblick fuhr noch ein Auto vor, und ein weiterer Polizist stieg aus, der aber im Gegensatz zu den anderen beiden keine Uniform trug. Es stellte sich heraus, dass er von der Kriminalpolizei war.

»Was hast du da gesagt?«, rief Konráð wutschnaubend und stieß nach dem nächststehenden Polizisten. Am liebsten hätte er sich auf ihn gestürzt und losgedroschen, doch der Kollege des Mannes packte ihn, warf ihn zu Boden und hielt ihn im Würgegriff unter Kontrolle. Konráð schlug wie wild um sich, die Männer konnten ihn nur zu zweit bändigen. Als er sich etwas beruhigt hatte, stellten sie ihn wieder auf die Beine.

»Lasst ihn los«, sagte der Kripobeamte. »Lasst ihn in Ruhe.«

Die Polizisten gehorchten widerstrebend und gaben Konráð frei.

»Die beiden haben dir gesagt, was passiert ist?«

»Ja.«

»Du bist sein Sohn?«, fragte der Mann.

»Ja«, sagte Konráð. »Sie haben gesagt, dass er erstochen wurde. Was ist passiert? Warum sagen sie das? Ist er wirklich tot?«

»Du bist sicher, dass du nicht weißt, was passiert ist?«

»Ja, ich … Ich kann es einfach nicht glauben.«

»Du weißt nicht, wer für diesen Überfall verantwortlich sein könnte?«

»Wer ihn angegriffen hat, meinst du? Nein, ich war nicht zu Hause. Was ist passiert? Ist er … Ist er wirklich tot?«

Der Kripobeamte nickte. Im Gegensatz zu den beiden Uniformierten sprach er in gedämpftem Ton und nicht von oben herab zu Konráð. Ein zufälliger Passant hatte Konráðs Vater unweit des Eingangstors zum Gelände des Schlachtverbandes an der Skúlagata gefunden, wo er in seinem Blut lag. Der Täter hatte zweimal zugestochen und sein Opfer dann auf der Straße liegen lassen. Niemand hatte ihn beobachtet, und niemand wusste, wer er war. Konráð konnte wenig dazu sagen, was sein Vater beim Schlachtverband oder an der Skúlagata vorgehabt hatte, und noch weniger, ob er dort jemanden treffen wollte, oder ob ihm dort vielleicht zufällig jemand begegnet war. Sein Vater hatte sich im Lauf der Zeit mit sehr vielen Menschen angelegt und praktisch immer nur in schlechter Gesellschaft verkehrt. Konráð war klar, dass sein Tod unter diesen Vorgaben untersucht werden würde.

»Mein Beileid, junger Mann«, sagte der Kripobeamte. »Tut mir leid, dass du auf diese Weise davon erfahren musstest. Wenn ich irgendwie helfen kann, wenn dir irgendetwas auf der Seele liegt oder wenn du etwas wissen möchtest – was auch immer, dann melde dich bei mir.«

Trotz einer umfangreichen Mordermittlung konnte nie aufgeklärt werden, wer der Mörder von Konráðs Vater war. Der Fall war und blieb eines der ungelösten Rätsel der Kriminalpolizei. Der Tod seines Vaters führte aber dazu, dass Konráð über sein Leben nachdachte und sich eines Besseren besann. Er hörte mit dem Trinken auf, setzte seine Lehre fort, ging wieder zur Berufsschule und schloss seine Ausbildung als Drucker ab. Und einige Jahre später ergab es sich, dass er selber in den Polizeidienst eintrat und noch etwas später zur Kriminalpolizei wechselte. Die Kollegen tuschelten manchmal über seinen Vater, und hin und wieder wurde er auch auf ihn angesprochen, was Konráð den Leuten übel nahm, denn er wollte nicht über ihn reden. Bei seiner eigenen Arbeit vergaß er aber nie, wie einfühlsam und freundlich sich der Kriminalbeamte ihm gegenüber in dieser extrem schwierigen Situation verhalten hatte.

Sechsundzwanzig

Nach dem Ausflug in den Hvalfjörður trafen sich
Flóvent und Thorson am nächsten Mittag in Flóvents
Büro am Fríkirkjuvegur. Sie hatten vor, sich mit einem
früheren Vorarbeiter beim Straßenbauamt zu unterhalten. Vigga hatte Flóvent den Namen genannt. Nach
ein paar Telefonaten stellte sich heraus, dass er nicht
mehr beim Straßenbauamt arbeitete, sondern für die
amerikanische Navy auf dem Patterson-Flughafen in
der Nähe von Keflavík.

Bei recht gutem Wetter machten sie sich auf den
Weg nach Keflavík. Der Himmel war zwar verhangen,
doch über dem Meer konnte die Sonne sich an einigen
Stellen einen Weg durch die Wolken bahnen und zau-
berte gleißende Flächen auf die Meeresoberfläche.
Unterwegs erzählte Flóvent Thorson einiges über die
reiche isländische Volkssagentradition, die jahrhun-
dertelang von den Menschen am Leben erhalten worden war. An langen Winterabenden wurden sie von
einer Generation an die nächste weitergegeben, denn
der Winter war die Zeit, wo jeder Laut des Windes
von einem Wiedergänger mit einer klaffenden blu-
tenden Wunde stammen konnte, wo fast in jedem
Hügel Elfen hausten, und praktisch in jedem Stein andere okkulte Wesen zu wohnen schienen. Zu all dem

gesellten sich noch Hexen und Trolle, Wesen der Nacht, die zu Stein wurden, wenn sie von den Strahlen der aufgehenden Sonne getroffen wurden. Außerdem gab es pferdeähnliche Wesen mit nach hinten gedrehten Hufen, die in eiskalten Seen lebten, und üble Plagegeister, die Frauen Blut aus den Schenkeln saugten. Solche unheimlichen Geschichten entstanden aus der Wechselbeziehung zwischen den Menschen und einer unwirtlichen Natur und aus der Angst, die sich in langen dunklen Winternächten breit machen konnte. In Kombination mit alter Erzähltradition und lebhafter Phantasie konnten daraus abenteuerliche Welten entstehen, die den Menschen manchmal nicht weniger realistisch vorkamen als das wirkliche Leben.

»Gehört das denn nicht inzwischen der Vergangenheit an?«, fragte Thorson, als sie zum Flughafen abbogen. »Für mich hört es sich an wie etwas aus grauer Vorzeit.«

»Ich denke schon, dass die moderne Zeit das alles verdrängen wird«, sagte Flóvent. »Trotzdem gibt es aber immer noch erstaunlich viele Menschen, die an Elfen und andere verborgene Wesen glauben.«

Er parkte das Auto vor einer Baracke, die sich hinter einem großen Hangar befand, und sah Thorson an. Der Isländer aus Manitoba war unterwegs eher schweigsam gewesen, so als würde er an etwas anderes denken.

»Warum, weiß ich nicht«, fuhr Flóvent fort, »aber viele dieser Spukgestalten und viele von diesen alten Sagen sind sehr zählebig.«

Man hatte ihnen gesagt, wo Brandur zu finden war.

Er leitete eine Arbeitsgruppe von isländischen Handwerkern, die für alle möglichen Instandsetzungsarbeiten an den Flughafengebäuden zuständig war. Der Patterson-Flughafen am Südwestzipfel Islands war zwei Jahre zuvor in Betrieb genommen worden, die dort stationierten Kampfflugzeuge dienten der Luftabwehr. Der Flughafen war nach einem jungen Piloten benannt, der bei Erfüllung seiner Pflicht in Island den Tod gefunden hatte. Es gab auch noch den Meeks-Flughafen in der Nähe, auch benannt nach einem jungen Piloten, der an Islands Küsten ums Leben gekommen war.

Brandur und seine Brigade brachten gerade neue Markierungen entlang der Landebahnen an, als Flóvent und Thorson eintrafen. Flóvent fragte nach dem Vorarbeiter.

»Und was willst du von ihm?«, war die Gegenfrage eines dicklichen Menschen mit einer schmutzigen Schiebermütze auf dem Kopf und einer brennenden Zigarette zwischen den kurzen Fingern. Er lehnte an einem grünen Militärlastwagen und sah seinen Leuten bei der Arbeit zu. Der Mann machte sich nicht die Mühe, Flóvent zu siezen, und der ging sofort darauf ein.

»Bist du Brandur?«, fragte Flóvent.

»Und was, wenn ja?«, fragte der Mann zurück. Er nahm seine schmuddelige Kopfbedeckung ab und kratzte sich an der Glatze.

»Wir würden uns gerne mit dir über die Zeit unterhalten, als du im Öxarfjörður eine Straßenbaukolonne angeführt hast. Können wir vielleicht irgendwo in Ruhe miteinander sprechen?«

Brandur maß die beiden Besucher von oben bis unten. Der Ältere war in Zivil, der andere trug die Uniform der amerikanischen Militärpolizei. Die Leute aus seiner Arbeitskolonne unterbrachen ihre Arbeit und starrten die Ankömmlinge neugierig an.

»Im Öxarfjörður?«

»Könnten wir nicht irgendwo reingehen, um uns in aller Ruhe zu unterhalten?«, fragte Flóvent.

Brandur zögerte. Er hatte zwar keine Ahnung, um was es ging, aber er war neugierig geworden. Also schickte er seine Leute wieder an die Arbeit und stieg mit Flóvent und Thorson in seinen LKW. Brandur fuhr mit ihnen zum Flughafengebäude, und Thorson organisierte einen kleinen Raum für sie, wo sie ungestört waren. Brandur ließ sich auf einen Stuhl fallen. Flóvent kam direkt zur Sache.

»Erinnerst du dich daran, dass dort ein Mädchen spurlos verschwunden ist, als ihr da oben im Öxarfjörður bei der Straßenbaukolonne wart?«

»Meinst du die, die sich in den Wasserfall gestürzt hat?«

»Hat sie das getan?«

»Es gab einige Leute, die das glaubten.«

»Du kennst also die Geschichte.«

»Ich kann mich gut daran erinnern«, erklärte Brandur. »Ein verdammt trauriger Fall. Richtig tragisch, das könnt ihr euch wohl vorstellen«, fügte er hinzu und fischte sich mit nikotingelben Wurstfingern eine Camel aus einer Schachtel. »Aber was hat das denn mit mir zu tun?«

»Hast du sie gekannt?«

»Nein.«

»Hat jemand aus deinem Trupp das Mädchen gekannt?«

»Woher soll ich das wissen«, sagte Brandur. »Willst du damit andeuten, dass jemand aus meiner Brigade das Mädchen umgebracht hat?«

»Glaubst du, dass jemand sie umgebracht hat?«

»Man hat so einiges gehört da oben im Norden.«

»Was zum Beispiel?«

»Beispielsweise, dass sie sich aus Liebeskummer in den Dettifoss gestürzt hat. Niemand wusste, was aus ihr geworden ist. Also mussten die Leute wohl oder übel nach einer anderen Erklärung suchen.«

»Ich habe nicht gesagt, dass sie umgebracht wurde«, sagte Flóvent. »Hat jemand aus deiner Truppe in deinem Beisein von ihr gesprochen? Vor oder nach ihrem Verschwinden?«

»Meine Leute waren alle ganz bestürzt und fanden es traurig. Wir haben alle bei der Suchaktion mitgemacht. Aber wenn du mich danach fragst, ob einer von meinen Leuten ihr was angetan haben könnte, streite ich das rundheraus ab.«

»Hast du von deinen Leuten damals vielleicht was Ungewöhnliches gehört, etwas, was dir aufgefallen ist? Kannst du dich an irgendwelche Bemerkungen erinnern, die dir merkwürdig vorgekommen sind?«

»Nicht, dass ich wüsste«, sagte Brandur und inhalierte tief. »Habt ihr das Mädchen gefunden?«

Flóvent schüttelte den Kopf.

»Haben die Leute in der Gegend irgendwelche abergläubischen Dinge geredet, haben sie von verborgenen Wesen oder Elfen gesprochen?«

»Nein«, erklärte Brandur, und seiner ungläubigen Miene war zu entnehmen, dass er Flóvent schlicht und ergreifend nicht folgen konnte.

»Deine Leute hier auf dem Patterson-Flughafen, waren die auch mit dir im Norden?«

»Nein, die Männer sind alle von hier. Und im Norden kamen die meisten auch aus der Gegend.«

»Soweit wir wissen, hatten die Engländer da oben einen Außenposten.«

»Ja, die Tommys waren in Kópasker stationiert«, sagte Brandur. »Prima Jungs, noch ganz jung und ziemlich genervt, an diesen gottverlassenen Arsch der Welt geschickt worden zu sein.«

»Waren die nicht darauf aus, isländische Mädchen kennenzulernen?«

»Bestimmt. Das ging mich aber gar nichts an.«

»Weißt du, ob das vermisste Mädchen etwas mit einem Soldaten hatte?«

»Nein. Da müsst ihr schon die Angehörigen fragen. Wieso fragt ihr überhaupt mich?«

»Kennst du ihre Familie?«

»Nein. Ich weiß bloß ...«

»Was?«

»Es waren gute Leute«, sagte Brandur. »Richtig anständige Menschen, und die haben furchtbar unter ihrem Verschwinden gelitten.«

»Kannst du dich an irgendwelche Reisende erinnern, die zu der Zeit da oben unterwegs waren? Auf den Bauernhöfen schneien im Sommer Scharen von Anverwandten und anderen Gästen ein«, sagte Flóvent.

»Ja, klar. Da oben waren ganz schön viele Leute unterwegs. Das ist uns nicht entgangen, wir haben ja schließlich an der Straße gearbeitet.«

»Ist dir in dem Zusammenhang etwas Besonderes aufgefallen, an das du dich erinnerst?«

»Nein. Was meinst du mit was Besonderes?«

Flóvent warf Thorson einen Blick zu, der ihm sagen sollte, dass aus dem Mann wohl nichts herauszuholen war.

»Ich weiß nicht, was du mit ›was Besonderes‹ meinst«, wiederholte Brandur. »Natürlich waren dort den Sommer über auch ganz bekannte Leute unterwegs, das ist ja immer so im Sommer. Leute, die von den Amis profitiert hatten und zum Lachsangeln kamen. Und Leute aus Akureyri, Genossenschaftsbonzen zum Beispiel, und all die anderen, die den Bauern das Geld aus den Taschen ziehen. Mein lieber Stalin würde nicht viel Zeit damit verplempern, um sich solcher Herrschaften zu entledigen. Und da waren auch noch Politiker unterwegs, zwei oder drei Parlamentsabgeordnete.«

»Genossenschaftsbonzen?«

»Ja, genau.«

»Und Abgeordnete aus diesem Landesteil?«

»Ich weiß nicht genau, wo sie herkamen, wahrscheinlich aber aus dem Norden. Über die Typen in diesen luxuriösen Anglerhütten habe ich einiges gehört, vor allem was die Besäufnisse anging. Da hat es richtige Gelage gegeben. Unsereins könnte sich sowas nie leisten, aber wir sind es, die dafür zahlen.«

»Du hast nicht selber was mit dem Mädchen gehabt?«

»Nein!«, sagte Brandur.

»Interessierst du dich für isländische Volkssagen?«, fragte Flóvent.

»Was meinst du damit?«

»Für verborgene Wesen? Elfen? Interessierst du dich für sowas?«

»Ich? Nein. Wirklich nicht. Ich glaube nicht an sowas.«

»In Ordnung«, sagte Flóvent und sah Thorson an. »Ich denke, das wärs dann von uns aus. Wir wollen dich nicht den ganzen Tag aufhalten. Danke für deine Hilfe.«

Brandur stand auf, und sie gingen mit ihm durch den Hangar zu seinem Lkw. Sämtliche Maschinen machten Kontrollflüge, sodass im Hangar nichts los war. Die Monteure saßen an einem Tisch, rauchten und spielten Poker. Im Rundfunk wurde Glenn Miller gespielt.

»In meiner Kolonne war ein Bursche, der sich sehr für so ein Zeugs interessierte«, sagte Brandur, während er in den Wagen kletterte.

»Für welches Zeugs?«, fragte Thorson.

»Für Elfen und sowas. Er war damals noch am Gymnasium in Akureyri und verdiente sich im Sommer Geld. Er war eine richtige Leseratte und ziemlich komisch. Ein Einzelgänger. Die anderen haben ihn ständig aufgezogen, sie nannten ihn Professor und so was, das war aber alles völlig harmlos. Der Junge war wirklich tüchtig, keine Frage.«

»Und er interessierte sich für so was, also für übernatürliche Wesen?«

»Ja, für Volkssagen und Märchen. Er glaubte auch, entlang der Straße einige verwunschene Orte zu kennen. So gesehen war er etwas merkwürdig, aber ansonsten ein richtig guter Junge.«

»Hast du eine Ahnung, wo wir ihn finden können?«, fragte Flóvent.

»Ich glaube, er wollte an der Uni in Reykjavík studieren«, sagte Brandur. Er ließ den Motor mit viel Gedröhne an und legte den Rückwärtsgang ein. Dann schlug er die Tür zu und lehnte sich noch einmal aus dem Fenster. »Keine Ahnung, was aus ihm geworden ist.«

Siebenundzwanzig

Birgitta, Stefán þórðarsons Nachbarin von gegenüber, nahm Konráð freundlich in Empfang. Sie schien
nicht überrascht zu sein, ihn wiederzusehen. Sie setzten sich ins Wohnzimmer, und Birgitta fragte ihn, ob
die Polizei bei ihren Ermittlungen schon weitergekommen sei. Konráð sagte, dazu könne er nur wenig
sagen, weil er meist auf eigene Faust arbeite, denn der
Fall habe auch etwas mit seiner eigenen Vergangenheit
zu tun, wenn auch nur ganz am Rande. Das machte
Birgitta neugierig, und Konráð erzählte ihr in groben
Zügen von Rósmundas Fall. Seinen Vater erwähnte er
nicht, sondern er sagte Birgitta nur, dass er die Eltern
von Rósmunda etwas gekannt hatte und dass Rósmundas Fall anscheinend nie gelöst worden sei. Im
Polizeiarchiv habe er jedenfalls kaum etwas darüber
gefunden, doch möglicherweise würde es Unterlagen
bei der amerikanischen Militärpolizei geben. Vielleicht
war der Mordfall dort sogar aufgeklärt worden. Konráð
wusste, dass Marta beabsichtigte, die zuständigen Behörden jenseits des Atlantiks zu kontaktieren.

»Hat Stefán jemals mit dir über den Fall Rósmunda
gesprochen?«, fragte Konráð.

»Nein, das hat er nicht getan. Weshalb sollte er ...
Haben sie sich gekannt?«

»Du weißt also nicht, was unser Stefán während des Krieges hier gemacht hat?«

»Nur wenig – ich weiß nur, dass er beim Militär war.«

»Stefán war bei der amerikanischen Militärpolizei«, sagte Konráð. »Und einer der Fälle, die er bearbeitet hat, war der Tod von Rósmunda. Hat er dir nicht davon erzählt?«

Birgitta sagte, sie wisse gar nichts über Stefáns Tätigkeit bei der Militärpolizei. Er hatte nie darüber gesprochen, und überhaupt hatte er nicht viel über diese Zeit oder sich selbst geredet.

»Ich hatte wirklich keine Ahnung«, sagte sie. »Und glaubt ihr ... Glaubt ihr vielleicht, dass das etwas damit zu tun hat, wie er zu Tode kam?«

»Ich kann natürlich nichts über die Ermittlung sagen, gehe aber allen Hinweisen nach, großen und wichtigen, aber auch kleinen und unwichtigen. Beispielsweise, wie man ihn aufgefunden hat.«

»Im Bett?«

»Ja, ausgestreckt und ganz friedlich im Bett liegend«, sagte Konráð.

»Ja. Aber er wurde erstickt, nicht wahr?«, fragte Birgitta.

»Darauf deutet alles hin«, antwortete Konráð. »Es geht um die möglichen Motive. Eine Sache beschäftigt mich ganz besonders, nämlich sein geistiger Zustand und sein hohes Alter. Aber natürlich auch das, womit er sich in den letzten Tagen vor seinem Tod beschäftigte. Vielleicht sogar auch generell seine Einstellung zum Tod. Hat er sich Gedanken über sein Ableben gemacht und mit dir darüber geredet?«

»Ich weiß nicht, worauf du hinauswillst«, sagte Birgitta.

»Hat er dir gesagt, ob er sich einäschern oder beerdigen lassen wollte?«

»Darüber hat er nie geredet«, sagte Birgitta. »Jedenfalls nicht mit mir.«

»Wir haben kein Testament in seiner Wohnung gefunden. Weißt du, ob er eins gemacht hat?«

»Nein, das weiß ich nicht.«

»Hat er jemals mit dir über das Thema Sterbehilfe gesprochen?«

Birgitta antwortete nicht sofort.

»Was soll diese Frage?«, sagte sie schließlich.

»Hat er es getan?«

»Habt ihr irgendwelche Anhaltspunkte dafür?«

»Nein. Aber wir wissen, dass du nicht dagegen bist«, sagte Konráð. »Wir haben erfahren, dass du die Sterbehilfe für eine gute Sache hältst, das hast du zumindest früher einmal getan. Als Krankenschwester hast du es mit Todkranken zu tun gehabt, mit Menschen, die grauenvoll leiden müssen. Soweit ich weiß, findest du es richtig, dass Kranke sich dafür entscheiden können, nicht am Sterben gehindert zu werden.«

»Ja, ich bin für die Legalisierung der Sterbehilfe, das stimmt«, sagte Birgitta. »So wie in Holland und anderen Ländern. Das ist doch nichts Ungewöhnliches mehr.«

»Und du ...«

»Ich habe niemandem aktiv dabei geholfen, sich das Leben zu verkürzen«, sagte Birgitta, »falls es das ist, was du andeuten willst. Das kommt für mich nicht in Frage.«

»Ich habe nicht behauptet, dass du es getan hast.«

»Und wieso fragst du mich dann nach Sterbehilfe?«

»Wie nahe habt ihr euch gestanden, Stefán und du?«

»Nahe?«, fragte Birgitta erstaunt.

»Bevor er starb. Wie war eure Beziehung in all den Jahren davor? Beispielsweise als dein Mann Eyjólfur noch am Leben war?«

Birgitta stand auf.

»Ich glaube, du solltest jetzt lieber gehen«, sagte sie.

»Warum?«

»Ich habe nichts mehr mit dir zu besprechen.«

Konráð blieb einfach sitzen. Eine solche Reaktion hatte er erwartet.

»Entschuldige bitte«, sagte er. »Es war nicht meine Absicht, dir zu nahe zu treten. Es geht auch nur um einen kleinen Aspekt von all dem, was die Kriminalpolizei untersucht.«

»Du kannst nicht einfach hierherkommen und mir solche Anschuldigungen an den Kopf werfen«, entgegnete Birgitta. »Sterbehilfe! Ich habe Stefán nichts getan, nicht das Allergeringste. Und er hatte keinen Grund, so etwas zu planen.«

»Aber er war auch dafür?«

»Wofür?«

»Für Sterbehilfe.«

»Er war bestimmt nicht dagegen. Wir haben aber nie über dieses Thema gesprochen.«

»Du hast deinen Mann verloren ...«

»Wieso bringst du meinen Eyjólfur ins Spiel?«

»Ich ...«

»Glaubst du vielleicht, ich hätte ihn ebenfalls umgebracht?«

»Nein, natürlich nicht«, sagte Konráð. »Ich wollte dir auf gar keinen Fall zu nahe treten.«

Er erinnerte sich daran, dass Birgitta beim ersten Treffen ihren Mann erwähnt und gesagt hatte, dass er und Stefán gute Bekannte gewesen waren. Nach dem Tod ihres Mannes hatte sie auch weiterhin guten Kontakt zu Stefán gehabt, aber sie war nicht darauf eingegangen, welcher Art diese Beziehung war. Die beiden hatten viele Jahre in einem Mehrfamilienhaus einander direkt gegenüber gewohnt und relativ viel Kontakt gehabt. Einer der Polizisten, die in Stefáns Wohnung auf seine Leiche gestoßen waren, hatte Birgittas Aussage protokolliert, dass Stefán sicher froh sei, seine Ruhe gefunden zu haben.

»Du und Stefán, wart ihr mehr als nur Nachbarn?«

Birgitta nickte.

»Er war sehr eigen und verschlossen«, sagte sie. »Erst nach dem Tod von meinem Eyjólfur … Ich meine, gegenüber meinem Mann und mir hat er nur äußerst selten über sich selber gesprochen. Aber nachdem ich meinen Mann verloren hatte, sind wir uns etwas näher gekommen. Er schaute öfter mal bei mir vorbei, und irgendwie kam es dazu, dass wir …«

Birgitta sah Konráð direkt an.

»Du denkst doch hoffentlich nicht im Ernst …?«

»Ich versuche nur zu verstehen, was zwischen euch beiden war.«

»Es war nicht das, was du glaubst«, sagte sie.

»Auch nicht nach dem Tod deines Mannes?«, fragte Konráð.

»Stefán und ich waren Freunde.«

»Mehr nicht?«

»Nein.«

»Ganz sicher?«

»Was soll das eigentlich? Selbstverständlich bin ich mir sicher! Stefán war nicht so.«

»Nicht so?«

Birgitta sah Konráð ärgerlich an.

»Du hast mich gefragt, ob er Freunde hatte«, sagte sie nach längerem Schweigen. »Ich gehe davon aus, dass du das Foto in der Nachttischschublade gefunden hast.«

»Ja.«

»Das war sein Freund.«

Konráð sah den zart gebauten jungen Mann auf dem Foto vor sich.

»Und?«

»Ein sehr enger Freund.«

»Willst du damit sagen, dass Stefán …?«

»Ja.«

»Und der Mann auf dem Foto war sein Geliebter?«

»Ja. Und jetzt verstehst du hoffentlich, warum zwischen Stefán und mir niemals etwas anderes als Freundschaft sein konnte.«

»Weißt du, was aus diesem Freund geworden ist?«

»Er ist ganz plötzlich an Herzversagen gestorben, ein paar Jahre nachdem sie sich kennengelernt hatten. Ihre Beziehung mussten sie natürlich vollkommen geheim halten, wie so viele andere in der damaligen Zeit. Kurz nach dem Tod seines Geliebten zog Stefán nach Hveragerði. Danach hat er immer nur allein und völlig zurückgezogen gelebt, isoliert und praktisch ohne Freunde.«

»Das Foto hing aber nicht an der Wand, sondern lag in seiner Nachttischschublade.«

»Ja. Es war wohl eine Gewohnheit aus der Zeit, als man über so etwas nicht öffentlich reden durfte.«

»Die Freundschaft zwischen dir und ihm muss sehr gut gewesen sein, sonst hätte er dir das nicht anvertraut.«

»Zwischen … Zwischen uns hatte sich in den letzten Jahren eine große Zuneigung entwickelt, und ich vermisse ihn sehr. Hoffentlich ist dir jetzt wohl endlich klar, dass ich meinen Eyjólfur nicht hintergangen habe, falls du das geglaubt haben solltest. Und dass ich irgendetwas mit Stefáns Tod zu tun habe, ist vollkommen absurd.«

»Weißt du, ob der junge Mann auf dem Foto Verwandte hat? Jemanden, mit dem ich reden könnte? Jemanden, zu dem Stefán Kontakt hatte?«

»Er hatte einen Bruder, aber der ist auch schon tot. Sonst war da niemand, soweit ich weiß.«

»Zurück zu Stefán. Er hat dir nie gesagt, dass er während des Krieges hier in Reykjavík bei der amerikanischen Militärpolizei war?«

»Nein, hat er nicht«, sagte Birgitta. »An diese Zeit wollte er sich nicht gern erinnern.«

»Weißt du warum?«

»Nein, ich habe einfach nur gespürt, dass ihm nichts daran lag, sich diese alten Zeiten in Erinnerung zu rufen. Und er hat auch nie den Namen von dieser Rósmunda erwähnt.«

»Hat er dir gesagt, womit er sich in den letzten Wochen und Monaten vor seinem Tod beschäftigt hat?«

»Darüber haben wir doch schon gesprochen«, erklärte Birgitta müde. Konráðs Besuch hatte sie aus dem Gleichgewicht gebracht, und er spürte, dass sie ihn loswerden wollte, um nicht mehr seiner Neugier und seinen indiskreten Fragen ausgesetzt zu sein.

Konráð beschloss also, es dabei bewenden zu lassen. Er stand auf, um sich zu verabschieden.

»Du hast danach gefragt, ob er Besuche bekam oder sich mit Leuten getroffen hat«, sagte Birgitta. »Ich hab darüber nachgedacht, und mir ist eingefallen, dass er kurz vor seinem Tod bei einer Frau war, von der er etwas erfahren hat. Aber er wusste nicht, wie er damit umgehen sollte. Er sprach darüber, dass alles schon so lange her sei. Ich weiß nicht, ob es etwas mit diesem Fall zu tun hat.«

»Wer war die Frau?«

»Sie hat ihm etwas über eine alte Schneiderei gesagt.«

»Eine alte Schneiderei?«

»Ja. Er hat aber gesagt, diese Schneiderwerkstatt gäbe es gar nicht mehr. In den Kriegsjahren hat sie wohl floriert.«

»Weißt du, was die Frau ihm gesagt hat?«

»Nein, darauf ist er nicht eingegangen. Er hat auch nichts Genaues gesagt, sondern eigentlich nur, dass es wohl keine Rolle mehr spielen würde.«

»Weißt du, wer diese Frau war?«

»Nein, ich habe keine Ahnung. Ich glaube, es waren sogar zwei Frauen, die etwas damit zu tun hatten. Eine von ihnen hieß Geirlaug, wenn ich mich richtig erinnere.«

»Wann war das?«

»Vor etwa drei Wochen oder so, glaube ich.«

»Du weißt aber nicht, worum es ging?«

»Leider nein.«

Den Abend verbrachte Konráð damit, im Internet nach alten Schneidereien und Handarbeitsgeschäften zu suchen. In Reykjavík hatte es in den Jahren vor, in und nach dem Krieg etliche Schneiderwerkstätten gegeben, soweit er sehen konnte. Damals hatte es viel weniger Geschäfte mit Konfektionskleidung gegeben. Die Leute kauften alle möglichen Stoffe als Meterware und gingen damit zu einer Schneiderei, um sich Kleider, Mäntel oder auch Bettwäsche und Gardinen nähen zu lassen, was immer das Herz begehrte oder für den Haushalt benötigt wurde. Größere Geschäfte hatten ihre eigenen Schneidereien und stellten Kleidung aus den Stoffen her, die bei ihnen gekauft wurden. Doch all das gehörte inzwischen schon längst der Vergangenheit an.

Konráð genehmigte sich so viel vom *Dead Arm*, bis er sich etwas wohler fühlte. Seine Gedanken gingen zurück zu seinem Vater und den jenseitigen Welten, zu den menschlichen Überresten, die auf Betreiben des parapsychologischen Vereins umgebettet worden waren, und zu all den anderen Toten, die man niemals gefunden hatte.

Konráð leerte die Flasche, während er an Birgitta dachte und das, was sie ihm über Thorson und seinen Geliebten gesagt hatte. Er sah die kleinen Flecken auf dem Foto des jungen Mannes vor sich, die er zunächst für Schmutz gehalten hatte, doch inzwischen glaubte er zu wissen, dass es Tränen gewesen sein mussten, die Thorson in einem empfindsamen Moment der Erinnerung vergossen hatte.

Achtundzwanzig

Konráð ging ins Internet, um die Telefonnummern von sämtlichen Frauen mit dem Namen Geirlaug zu finden. Es waren ungefähr dreißig Personen anzurufen, und er beabsichtigte, sie alle danach zu fragen, ob es irgendeine Verbindung zu einer früheren Schneiderei in Reykjavík oder zu Stefán þórðarson, alias Thorson gab, und ob es kurz vor dessen Tod zu einem Treffen mit ihm gekommen war. Eine Geirlaug mit der Berufsbezeichnung Schneiderin war nicht darunter, aber das konnte seiner Meinung nach damit zu tun haben, dass die Bezeichnung Schneiderin veraltet und nicht mehr gebräuchlich war. Falls die Frau, nach der er suchte, eine Geheimnummer hatte, würde es kompliziert werden, um sie ausfindig zu machen.

Mit den Anrufen begann er um die Mittagszeit am Tag nach seinem Besuch bei Birgitta. Er hatte bis in den Tag hinein geschlafen, das war ungewöhnlich für ihn. Er war spät zu Bett gegangen und hatte trotz des Rotweins nicht einschlafen können, sondern wach gelegen und an das Schicksal des alten Thorson gedacht, der seinen Namen in Stefán þórðarson geändert hatte, als er in ein anderes Land umsiedelte. Es war allerdings kein fremdes Land für ihn gewesen, denn hier waren seine Wurzeln. Er dachte an den Geliebten auf dem

Foto, nach dessen Tod Ingenieur Thorson den Rest seines Lebens allein gelebt hatte. Und an dessen Freundschaft mit Birgitta und daran, ob sie ihm vielleicht doch Sterbehilfe geleistet hatte, obwohl sie es vehement abstritt.

Er war verkatert aufgewacht, deswegen trank er viel Kaffee und dazu reichlich Wasser. Appetit hatte er keinen, er saß nur da und starrte ins Leere, bis er sich daranmachte, alle diese Frauen anzurufen, die Geirlaug hießen. Bei den meisten von ihnen waren sowohl eine Festnetznummer als auch eine für das Mobiltelefon angegeben. Wenn am Festnetzanschluss niemand antwortete, versuchte er es mit der Handynummer. Er gab sich als Bekannten von Stefán þórðarson aus, ohne den Namen Thorson zu nennen, und sagte, er würde gern mit einer Geirlaug sprechen, die möglicherweise noch vor Kurzem Kontakt zu dem Mann gehabt hatte. Die meisten Frauen gingen ans Telefon, und eine von ihnen, die nicht direkt geantwortet hatte, rief kurze Zeit später zurück und fragte, wer sie sprechen wollte. Keine der Frauen kannte Stefán þórðarson, aber zwei erinnerten sich, den Namen kürzlich in den Nachrichten gehört zu haben. Die Gespräche waren nur kurz, und die wenigsten wollten wissen, wer der Anrufer war. Die meisten meinten, dass er eine falsche Nummer gewählt haben müsse. Ein oder zwei Frauen wollten mehr über Konráð wissen, der ihnen anzuhören glaubte, dass sie nicht mehr die Jüngsten waren. Auf solche Fragen ging er nicht ein, und wenn die Angerufenen keinen Stefán þórðarson kannten, beendete er das Gespräch möglichst schnell.

Damit war er bis in den Nachmittag beschäftigt.

Zwischendurch blätterte er immer mal wieder in den Zeitungen oder hörte Nachrichten im Radio und stöberte im Internet nach belanglosen Dingen. Auf einmal klingelte sein Telefon.

»Ja, hallo«, sagte er.

»Jemand unter dieser Nummer hat versucht, mich zu erreichen. Warst du das?«, hörte er eine ältere Frau fragen.

»Das kann gut sein«, antwortete Konráð. »Heißt du Geirlaug?«

»Ja, und mit wem spreche ich bitte?«

»Ich heiße Konráð. Entschuldige bitte, dass ich angerufen habe. Ich bin ein Bekannter von Stefán þórðarson, der vor Kurzem gestorben ist.«

»Ach ja?«

»Du hast es wahrscheinlich gelesen oder in den Nachrichten gehört«, sagte Konráð. »Stefán ist aller Wahrscheinlichkeit nach in seiner Wohnung überfallen und getötet worden. Soweit ich weiß, hast du vor nicht allzu langer Zeit mit ihm gesprochen.«

»Ja, das habe ich«, sagte diese Geirlaug am anderen Ende der Leitung. »Er hat mich angerufen, genau wie du jetzt.«

»Tatsächlich?«

»Ja. Ich weiß nicht, woher er meinen Namen hatte, das hat er mir nicht gesagt. Nur dass er gehört hätte, ich würde eine bestimmte Frau kennen, die er unbedingt treffen müsste.«

»Ihr habt euch also nicht getroffen?«

»Nein, wir haben nur telefoniert.«

»Was genau wollte er von dir?«

»Wie war noch gleich dein Name?«

»Mein Name ist Konráð, und ich bin ein Bekannter von Stefán. Der Fall wird von der Kriminalpolizei bearbeitet, und ich unterstütze sie bei den Ermittlungen.«

»Wisst ihr denn schon, was passiert ist?«

»Nein, noch nicht. Ich würde gerne wissen, was genau er von dir gewollt hat.«

»Er suchte nach einer früheren Freundin von mir«, sagte Geirlaug. »Ich habe einige Zeit gebraucht, bis ich kapierte, was er von mir wollte. Angeblich hatte er von irgendjemandem gehört, dass ich ihm dabei helfen könnte, diese Frau zu finden. Er wusste noch nicht einmal, wie sie hieß.«

»Und wie heißt sie?«

»Meine Freundin? Sie heißt Petra. Aber es ging gar nicht um sie, sondern um ihre Mutter. Das hat Petra mir später gesagt. Er wollte mehr über die Mutter wissen.«

»Und was hatte es mit der Mutter auf sich?«, fragte Konráð.

»Mit Petras Mutter?«

»Ja.«

»Sie hat in den Kriegsjahren eine Schneiderei in Reykjavík gehabt, und für die interessierte dieser Stefán sich sehr.«

»Für die Schneiderei?«

»Ja. Vor allem für ein Mädchen, das dort gearbeitet hat, sie hat irgendwas wie Rósa oder so ähnlich geheißen, hat Petra mir gesagt. Sie rief mich an, nachdem sie mit diesem Stefán gesprochen hatte, denn er hat ihr gesagt, dass er ihre Nummer von mir bekommen hatte.«

»Kann es sein, dass sie Rósmunda hieß?«

»Ja, kann gut sein. Rósmunda.«

»Und was war mit dem Mädchen, mit dieser Rós-munda?«

»Sie wurde irgendwann in den Kriegsjahren tot beim Nationaltheater aufgefunden. Weißt du etwas darüber?«

»Ja, ich kenne den Fall ein wenig«, sagte Konráð. »Aber weshalb interessierte sich Stefán denn für diese Frau?«

»Er wollte einfach nur alles über sie wissen. Am besten sprichst du wohl selber mit Petra. Soll ich dir die Telefonnummer geben? Ich hab sie hier irgendwo, Moment.«

Neunundzwanzig

Petra hatte keineswegs dieselbe Laufbahn eingeschlagen wie ihre Mutter, der es gelungen war, sich als Näherin eine eigene gut florierende Schneiderei aufzubauen. Anscheinend hatte die Tochter nicht das geringste Interesse an Nähen oder an eleganter Kleidung aufzubringen, angesichts der zusammengewürfelten Klamotten, die sie trug. Es hatte ganz den Anschein, als würde sie auch in fortgeschrittenem Alter immer noch gegen sämtliche Werte rebellieren, die ihre Mutter vertreten hatte. Doch Konráð sah keinen Grund, die Tochter danach zu fragen. Nichts in Petras Wohnung schien etwas mit Nähen und Schneidern zu tun zu haben. Petra war ein wenig älter als Konráð, sie hatte »den Bildungsweg« eingeschlagen, wie man seinerzeit sagte, wenn junge Leute unbedingt das Abitur machen wollten. Danach gingen sie aber nicht unbedingt an die Universität, sondern trieben sich ein paar Jahre lang in Europa herum. Als Petra wieder nach Island zurückkehrte, bekam sie eine Anstellung im Büro des Krankenhauses Landakot, wo sie die meiste Zeit ihres Lebens, oder genauer gesagt bis zum Bankencrash gearbeitet hatte. In dessen Folge wurde ihr wegen der drastischen Sparmaßnahmen im Gesundheitsbereich gekündigt. Sie war geschieden, hatte vier

Kinder und laut eigenen Angaben einen ganzen Haufen von wunderbaren Enkelkindern.

Konráð merkte ziemlich bald, dass sie nichts dagegen hatte, über sich selber zu reden. Diesen Redefluss wollte er nicht unterbrechen, indem er sie gleich mit seinem eigentlichen Anliegen konfrontierte. Petra lebte in einem Wohnblock im östlichen Teil der Stadt, weil sie nach ihrer Scheidung ihren großen Bungalow in Garðabær verkaufen musste. Nachdem die Kinder aus dem Haus waren, hatten sie und ihr Mann sich nichts mehr zu sagen gehabt.

Konráð hatte sie am Abend vorher angerufen. Petra konnte sich sehr gut an Stefán þórðarson erinnern, den Namen Thorson kannte sie aber nicht. Sie sagte Konráð, er könne gerne bei ihr vorbeischauen. Geirlaug hatte sie zu dem Zeitpunkt bereits angerufen und ihr von ihrem Gespräch mit Konráð erzählt, der ganz gespannt darauf sei, Petra zu treffen.

Als Konráð endlich auf sein Anliegen zu sprechen kommen konnte, zeigte sich Petra sehr interessiert an Stefáns Tod und wollte mehr über diesen Mann wissen. Konráð antwortete ihr, so gut er konnte, vermied es aber, irgendetwas zu erwähnen, das Einfluss auf die laufende Ermittlung haben konnte. Obwohl die Umstände von Stefáns Tod dubios waren, machte die Ermittlung Fortschritte. Er selber sei zwar nicht direkt involviert, gab Konráð zu, aber aus bestimmten Gründen habe man ihn hinzugezogen. Petra wollte ihrerseits mehr über Konráð erfahren, und sie stellte ihm eine Frage nach der anderen. Er versuchte, so geschickt und so ausweichend wie möglich zu antworten, und er fand auch nichts dabei, die ein oder andere Frage zu seiner Person zu beantworten. Schließlich war er selber ja gekommen, um Informationen von dieser Frau zu erhalten.

Nach einiger Zeit gelang es ihm, das Gespräch auf den Besuch von Stefán zu lenken. Laut Petra hatte er ungefähr vor zwei Wochen stattgefunden. Die Nachricht von seinem Tod hatte sie erst viel später gelesen. Sie hatte ihn auf dem Foto in der Zeitung erkannt, aber ihr war nicht im Traum eingefallen, dass sie der Polizei von Nutzen sein könnte.

Ihre Mutter hatte bis Mitte der sechziger Jahre eine Schneiderei besessen und sie dann verkauft. Zu der Zeit wurde bereits sehr viel Bekleidung von der Stange eingeführt, die wesentlich preisgünstiger war. Dementsprechend mehr Konfektionsgeschäfte hatten aufgemacht, und die Schneidereibetriebe machten einer nach dem anderen zu. Ihre Mutter war 1980 gestorben, ihr Vater kurze Zeit später.

Geirlaug und Petra waren schon seit dem Gymnasium befreundet gewesen. Stefán hatte Petra gesagt, er habe kürzlich einen Ingenieur getroffen, einen guten Bekannten von Geirlaug, und irgendwie hatte sich dabei herausgestellt, dass Geirlaug auch Petras Mutter gekannt hatte, die in den Kriegsjahren eine Schneiderei in Reykjavík betrieben hatte. Stefán wusste anscheinend von dieser Schneiderei, und sein aktuelles Interesse rührte daher, dass er die Besitzerin während des Krieges kennengelernt hatte.

»Weißt du, wo Stefán diesen Ingenieur getroffen hat?«, fragte Konráð.

»Er sagte mir, es sei bei einer Beerdigung gewesen«, antwortete Petra. »Stefán hatte den Nachruf auf eine

Frau gelesen, die in der Schneiderei meiner Mutter angestellt war. Aus irgendeinem Grund ist er zu der Beerdigung gegangen und hat dort den Ingenieur getroffen.«

»Diese Frau, hat sie in den Kriegsjahren bei deiner Mutter gearbeitet?«

»Ja, während des Krieges und auch noch etliche Jahre danach, glaube ich. Das stand alles in dem Nachruf.«

»Und?«

»Sie war mit einer gewissen Rósmunda befreundet, die umgebracht wurde. Stefán kannte sie und hat damals im Zusammenhang mit einer Mordermittlung wohl auch mit ihr gesprochen. Zumindest hat er das gesagt. Nachdem er den Nachruf gelesen hatte, in dem ziemlich ausführlich über die Schneiderei berichtet wurde, hat er wohl das Bedürfnis verspürt, da noch einmal nachzuhaken. Vielleicht, weil er die Frau von früher kannte. Aber warum auch immer, Stefán beschloss jedenfalls, zur Beerdigung zu gehen, und dort traf er wie gesagt auf diesen Ingenieur, den er kannte – wie, weiß ich nicht. Er erzählte dem Mann, woher er die Tote kannte und welche Verbindung es zu der Schneiderei meiner Mutter gab. Und da hat der Ingenieur wohl Geirlaug erwähnt und dass wir Freundinnen sind. So hat es sich zugetragen, hat Stefán mir gesagt. Ich weiß natürlich nicht, inwieweit da was dran ist.«

»Stefán hat dir ganz bestimmt keine Lügen erzählt«, sagte Konráð. »Er war soweit ich weiß ein durch und durch anständiger und aufrichtiger Mensch.«

»So ist er mir auch vorgekommen«, sagte Petra. »Er sagte mir, er hätte damals zusammen mit einem anderen Kriminalpolizisten mit meiner Mutter gesprochen, aber ich kann mich nicht erinnern, wie der Mann hieß. Sie haben gemeinsam in diesem Mordfall ermittelt.«

»Hat er aus einem speziellen Grund nach dir gesucht?«, fragte Konráð. »Ging es um etwas, was in direktem Zusammenhang mit dem Fall stand? Ging es um etwas, was deine Mutter wusste?«

»Nein, mir kam es nicht so vor, zumindest nicht am Anfang. Er sagte mir, dass der Fall von Rósmunda nie aufgehört hatte, ihn zu beschäftigen und dass es ihm sehr viel bedeuten würde, wenn ich mich mit ihm treffen könnte. Er war ausgesucht höflich. Sein Alter konnte man ihm nicht ansehen, ich habe ihm keine steifen Bewegungen angemerkt oder sowas. Er sagte mir, er hätte immer sehr gesund gelebt.«

»Er war also sehr rüstig für sein Alter.«

»Ja, also … Mir hat es richtig leidgetan, dass ich den alten Mann so in Aufregung versetzt habe«, erklärte Petra.

»In Aufregung versetzt?«

»Mir kam alles ziemlich harmlos vor, aber er hat es irgendwie anders interpretiert. Er war auf einmal ganz aufgeregt und sagte, er verstünde meine Mutter nicht, wie sie so etwas hätte tun können, wie sie es fertiggebracht hätte, ihnen nichts davon zu erzählen.«

»Was war es denn? Was hat sie ihnen nicht gesagt?«

»Es ging um etwas, wovon meine Mutter auch mir erst sehr viel später erzählt hat, viele Jahre später. Da war ich schon erwachsen. Damals kam es mir nicht so vor, als würde es irgendeine Rolle spielen können.«

»Und was genau hat sie dir gesagt?«

»Dazu muss man einfach meine Mutter verstehen, das habe ich Stefán auch gesagt. Sie war eine etwas eigene Person. Man musste sie schon sehr gut kennen, um zu begreifen, wie sie dachte. Was sie über ihre Kunden dachte, in früheren Zeiten. Sie war ehrlich gesagt versnobt. Total versnobt, das waren aber damals viele. Sie hat auf einfache Menschen herabgesehen. Bis zu ihrem Tod hat sie die Bedienung in Geschäften noch gesiezt, das machte sonst niemand mehr. Auf Bedienstete schaute sie herab. Sie hat nie damit aufgehört. Bei den feineren Leuten schmeichelte sie sich ein. Sie brüstete sich immer damit, diese und jene Leute zu kennen, betonte, dass die zu ihren Kunden gehörten und sie immer als Gleichgestellte behandelten, und all diesen Quatsch, verstehst du. Sie ist eine meiner besten Kundinnen, sagte sie, wenn von einer von diesen eingebildeten Damen die Rede war.«

Konráð war sich nicht sicher, ob er Petra richtig verstand, und zog es vor zu schweigen. Aber er konnte nun besser nachvollziehen, warum sie sich nicht für Nähen und Handarbeiten interessierte, denn eine gewisse Kälte schwang in ihren Worten mit.

»Gewisse Kundinnen stufte sie höher ein als andere«, fuhr Petra fort. »Zwischen ihnen und ihr bestand so etwas wie ein besonderes Vertrauensverhältnis, und das hielt sie bis zu ihrem Tod so. So war meine Mutter einfach. Sie sagte nie ein schlechtes Wort über ihre feinen Kundinnen, weil sie sich für so etwas wie deren Intimfreundin hielt, und die feinen Damen vertrauten und bauten auf die Treue und Verschwiegenheit meiner Mutter.«

»Aber wieso hat Stefán das so sehr interessiert?«

»Weil meine Mutter ihm und seinem Kollegen etwas verschwiegen hatte.«

»Was hat sie ihnen denn verschwiegen?«

»Es hat mit dieser Rósmunda zu tun. Eigentlich weiß ich gar nicht, weshalb ich das Stefán gegenüber erwähnt habe. Und ich habe keine Ahnung, weshalb das so wichtig gewesen ist.«

»Was war es denn?«

»Mama hat mir erzählt, dass sie Rósmunda eines Tages in der Toreinfahrt bei der Schneiderei angetroffen hat, in Tränen aufgelöst und mit zerrissenen Kleidern, so hat Mama sich ausgedrückt. Sie wollte nicht sagen, was passiert war, und Mama hat Rósmunda nach Hause geschickt, weil sie in diesem fürchterlichen Zustand war. Mama wusste nur, dass Rósmunda an diesem Tag ein fertiges Kleid in einem bestimmten Haus ausgeliefert hatte, und von dort kam sie wohl, als Mama sie in der Toreinfahrt fand. Rósmunda hat sich auch später nie dazu geäußert, aber sie weigerte sich von da an, weitere Botengänge zu diesem Haus zu übernehmen. Mama hat wohl nie mit jemandem darüber geredet, sie wusste ja auch nicht, was da passiert war. Ich habe Stefán gesagt, dass Mama einfach so war. Sie hätte es nie zugelassen, dass diesen Leuten irgendetwas nachgesagt würde, dass sie in Verruf gerieten. Niemals.«

»Weshalb hätten sie in Verruf geraten sollen?«

»Wegen dem, was später passierte. Was später mit dem Mädchen passierte.«

Konráð starrte Petra an, während ihm nach und nach dämmerte, was für eine Bedeutung das für die damalige Ermittlung von Thorson gehabt hätte. Wie mochte ihm zumute gewesen sein, als er nach all den Jahren und Jahrzehnten zum ersten Mal davon hörte? Petra hatte gesagt, wie aufgeregt er gewesen war, und wahrscheinlich war das noch vorsichtig ausgedrückt.

»Hat deine Mutter geglaubt, dass es eine Verbindung zwischen diesem Vorfall und Rósmundas Tod gab?«, fragte Konráð schließlich.

»Mama glaubte, dass Rósmunda in diesem Haus etwas passiert sein musste, verstehst du? Das hat ihr zumindest in späteren Jahren zu schaffen gemacht.«

»Wann hat deine Mutter Rósmunda so vorgefunden, war es kurz bevor sie gestorben ist?«

»Ja, nur ein paar Monate vorher«, sagte Petra. »Mama wollte mir eigentlich nicht davon erzählen, es ist ihr aber irgendwann einmal rausgerutscht. Mir kam es so vor, als hätte sie sehr viel darüber nachgedacht und als wäre es ihr unangenehm, darüber zu sprechen. Und deshalb habe ich nicht nachgebohrt.«

»Was kann der Grund dafür sein, dass Rósmunda so unter Schock stand, dass sie dieses Haus nie wieder betreten wollte?«

»Das wusste Mama nicht«, sagte Petra. »Rósmunda hat nie darüber gesprochen. Diese Leute waren gute Bekannte von Mama und gute Kunden, und sie konnte oder wollte einfach nicht glauben, dass sie dem Mädchen etwas angetan hatten. Sie wollte auf keinen Fall, dass diese Familie ins Gerede kam, wenn du weißt, was ich meine. Dazu musst du eben wissen, wie Mama war. Ihre Kunden waren ihr heilig.«

»Und deine Mutter war die Einzige, die davon wusste?«

»Ja, das glaube ich. Und natürlich Rósmunda.«

»Und deine Mutter hat sie tränenüberströmt und mit zerrissenen Sachen vorgefunden?«

»Mama glaubte, dass jemand über sie hergefallen sein musste. Als sie Rósmunda Hilfe anbot, wollte die nichts davon wissen, deswegen hat Mama dann auch nichts unternommen. Ich glaube, sie hat es bedauert, nicht mehr für das Mädchen getan zu haben.«

»Rósmunda war also kurz zuvor bei diesen Leuten gewesen?«

»Ja. Mama hätte denen nie etwas Böses zugetraut. Das war einfach ihre Art von Loyalität.«

»Trotzdem ließ es ihr aber keine Ruhe?«

»Nein, offensichtlich nicht. Noch bis kurz vor ihrem Tod ging ihr das im Kopf herum.«

Dreißig

Der junge Mann, den seine Kumpel bei der Straßenbaukolonne Professor genannt hatten, war nicht zu
Hause, als Flóvent und Thorson in der Nähe seiner
kleinen Kellerwohnung auf der Öldugata hielten.
Nach dem Gespräch mit dem ehemaligen Vorarbeiter
beim Straßenbauamt, von dem sie den Namen des jungen Mannes erfahren hatten, brachten sie die Rück-
fahrt von Keflavík nach Reykjavík schnell hinter sich
und fuhren erst einmal zum Hauptgebäude der Universität. Der Vorarbeiter hatte gesagt, dass der junge
Mann studieren wollte. Im Sekretariat erfuhren sie,
dass er im Fach Nordistik eingeschrieben war. Sie durften seinen Semesterplan einsehen, und dem war zu
entnehmen, dass er den Campus wahrscheinlich bereits verlassen hatte. Es war jedoch kein Problem, im
Sekretariat seine Adresse zu bekommen.

Es dunkelte schon, als Flóvent und Thorson unweit
der Kellerwohnung parkten und genau verfolgten,
welche Leute auf der Öldugata unterwegs waren. Der
Student ließ jedoch auf sich warten. Sie hatten mit den
anderen Hausbewohnern geredet, doch die konnten
nicht viel über ihn sagen, außer dass er in irgendeinem
Winter um Weihnachten herum eingezogen war. Er
war anscheinend ein überaus zurückhaltender und

stiller Zeitgenosse, aus seiner Wohnung drang niemals Lärm zu ihnen hoch. Ihres Wissens gab er sich auch kaum mit Frauen ab, jedenfalls hatte er kaum je Frauenbesuch bekommen. Für so etwas hatte er wohl wegen seines Studiums keine Zeit. Aber auch wenn das Studium das Wichtigste für ihn war, fand er trotzdem noch Zeit für ein besonderes Hobby, und das waren die Vögel. Die Hausbewohner hatten ihn öfters mit einem erstklassigen Fernglas um den Hals losziehen sehen, und sie wussten, dass er dann auf dem Weg zu den Orten war, wo man am besten Vögel beobachten konnte, vor allem auf der Halbinsel Seltjarnarnes.

Flóvent wollte lieber abwarten, ob der junge Mann nicht nach Hause käme, bevor sie ihn auf anderem Wege ausfindig machen müssten. Die Heizung im Auto war schlecht, und mit dem Abend wurde es kühler. Kalt und hungrig harrten er und Thorson im Auto aus. Zu dieser Tageszeit waren nur wenige Menschen unterwegs, die meisten aßen jetzt zu Abend. Unwillkürlich musste Flóvent an seinen Vater denken, der immer mit dem Abendessen auf ihn wartete, obwohl er ihn häufig genug gebeten hatte, das nicht zu tun. Er sah den alten Mann vor sich, wie er auf der Küchenbank hockte, müde nach einem langen Arbeitstag am Hafen.

»Wenn es wirklich der Mann sein sollte, nach dem wir suchen, dann brauchst du dir keine Gedanken mehr zu machen«, sagte Flóvent nach längerem Schweigen. »Dann hat das Militär nichts mehr mit diesem Fall zu tun.«

»Wollen wir nicht lieber erst mal abwarten?«, entgegnete Thorson.

»Ja natürlich, aber es kommt mir so vor, als ginge es

in unserer Ermittlung nicht mehr um diejenigen, für die du in der Armee zuständig bist.«

»Es hat fast den Anschein«, sagte Thorson. »Aber wenn du nichts dagegen hast, würde ich in diesem Fall doch gerne bis zum Ende mit dabei sein. Aber nur, wenn es dir wirklich nichts ausmacht.«

»Nein, natürlich macht es mir nichts aus«, erklärte Flóvent. »Jegliche Hilfe ist mir willkommen.«

»Gut.«

»Ich hab nur gedacht, du hättest vielleicht Wichtigeres zu tun«, sagte Flóvent. »Du warst ungewöhnlich schweigsam heute.«

»Ja, entschuldige. Ich war mit meinen Gedanken woanders.«

»Da landet bestimmt so einiges auf den Schreibtischen der Militärpolizei«, sagte Flóvent. »Und vermutlich selten was Angenehmes.«

»Ja, das stimmt«, sagte Thorson.

Flóvent hatte natürlich recht, Thorson waren den ganzen Tag andere Dinge im Kopf herumgegangen. Die Militärpolizei musste sich tagtäglich mit allen möglichen Vorfällen befassen, denn es waren etliche tausend Soldaten in einem so abgelegenen Ort wie Reykjavík stationiert. Bei den meisten davon handelte es sich nur um kleinere Zwischenfälle.

Es waren schwierige Zeiten, der Weltkrieg tobte, und blutjunge Soldaten wurden über das Meer in fremde Länder geschickt, um gegen den Feind zu kämpfen. Sie waren unterschiedlich darauf vorbereitet. Einige wollten sich auf keinen Fall bange machen lassen und brannten darauf, sich im Kampf zu bewähren. Sie wollten so schnell wie möglich nach Europa, um dort es den Nazis endlich mal zu zeigen. Andere fürchteten sich vor dem, was die Zukunft im Schoße barg, fern von ihren Lieben, fernab des Lebens, mit dem sie vertraut waren.

Als Rósmundas Leiche gefunden wurde, hatte Thorson sich in dem Barackencamp einer Einheit der amerikanischen Marinedivision aufgehalten. Auf dem Weg in dieses Camp erinnerte sich Thorson daran, dass er im August 1941 dabei gewesen war, als Winston Churchill Island einen kurzen Besuch abstattete, nach seinem Treffen mit dem amerikanischen Präsidenten Franklin D. Roosevelt mitten im Atlantik auf dem britischen Schlachtschiff HMS Prince of Wales.

Thorson war an dem Abend, als Rósmundas Leiche gefunden wurde, in einer Schusterwerkstatt in einer der Baracken im Camp gewesen. Ein junger Rekrut hatte es vorgezogen, sein Leben lieber selber zu beenden, als es durch eine feindliche Kugel zu verlieren. Der junge Mann aus einer Kleinstadt in Kentucky war gerade erst zwanzig geworden, und seine Kameraden schilderten ihn als fröhlichen und freundlichen Burschen, der sich aber wie viele andere davor fürchtete, in die bevorstehenden Schlachten geschickt zu werden. Es wurde viel darüber geredet, dass in absehbarer Zeit die Truppen aus Island abgezogen werden würden, weil die Alliierten die Landung in der Normandie vorbereiteten. Eine andere Erklärung für die verzweifelte Tat des jungen Mannes gab es nicht. Er hatte keinen Abschiedsbrief hinterlassen, und niemand von denen, die ihn gut kannten, hatte irgendwelchen Verdacht geschöpft, auch wenn es ihnen im Nachhinein so vorkam, als wäre er in den letzten Wochen sehr niedergeschlagen gewesen, weil er Angst vor der Zukunft hatte. Er hatte keine Freundin in seiner kleinen Heimatstadt in Kentucky zurückgelassen, und er hatte anscheinend auch kein Interesse an isländischen Mädchen gehabt. In seiner Brieftasche befanden sich ein paar Dollarnoten und ein Foto von seiner Mutter und seinen beiden Schwestern.

»Es ist immer sehr schwierig, wenn so etwas passiert«, sagte Flóvent, während sie im Auto vor dem Haus des Studenten warteten und Thorson von diesem jungen Mann erzählte.

»Ja, sicher«, sagte Thorson. »Viele haben Angst.«

»Wirst du auch auf den Kontinent versetzt, wenn die Alliierten dort landen?«

»Davon gehe ich aus«, sagte Thorson. »Aber ich habe keine Angst davor.«

»Denkst du nicht manchmal darüber nach?«

»Eigentlich nicht. Es gibt genügend anderes, worüber man nachdenken sollte.«

»Wahrscheinlich wirst du dann sehr kurzfristig abkommandiert?«

»Damit rechne ich. Es gibt bereits große Truppenbewegungen Richtung England.«

»Das wird den Krieg hoffentlich verkürzen.«

»Ja, hoffentlich.«

»Hast du diesen jungen Soldaten gekannt?«

»Nein, überhaupt nicht. Mir kam bloß gestern zu Ohren, dass er einen schwierigen Stand in seiner Truppe gehabt hat.«

»Wieso?«

»Die anderen haben ihn gehänselt.«

»Wieso denn?«

»Weil er nicht an Mädchen interessiert war, hat mir

ein Mann aus seiner Einheit gesagt. Er war angeblich anders.«

Plötzlich stieß Flóvent Thorson an. »Ist das unser Kandidat?«, fragte er.

Thorson blickte auf und sah einen jungen Mann auf der Öldugata, der auf die Kellerwohnung zusteuerte. Er war blond und ziemlich groß, trug einen dicken Anorak und feste Schuhe, und um seinen Hals hing ein Fernglas. Er betrat seine Wohnung, doch noch bevor er seine Haustür schließen konnte, standen Thorson und Flóvent vor ihm. Er erschrak, als sie so plötzlich aus dem Abenddunkel auftauchten, augenscheinlich hatte er keinen Besuch erwartet.

»Was wollen Sie?«, fragte er und sah die Besucher erstaunt an.

»Heißen Sie Jónatan?«, fragte Flóvent.

»Ja.«

»Wir sind von der Polizei«, erklärte Flóvent. »Wir hätten gern mit Ihnen über einen gewissen Fall gesprochen, mit dem wir uns zurzeit befassen. Können wir vielleicht hereinkommen?«

»Von der Polizei?«, echote der junge Mann verblüfft. »Was ist das für ein Fall?«

»Könnten wir für einen Augenblick hereinkommen?«

Der junge Mann sah verwundert von einem zum anderen.

»Was ist das für ein Fall?«, fragte er wieder.

»Es geht um eine junge Frau namens Rósmunda«, sagte Thorson.

»Und eine andere oben im Nordosten, die Hrund hieß«, fügte Flóvent hinzu.

Der Student stellte das Fernglas ab, er zog sich den Anorak aus und hängte ihn an einen Haken. Flóvent und Thorson warteten.

»Ja, entschuldigt bitte, kommt herein«, sagte der junge Mann. »Ich weiß nicht, was … Wie kann ich euch helfen? Ihr seid von der Polizei?«

»Haben Sie Vögel beobachtet?«, fragte Flóvent und zeigte auf das Fernglas.

»Ja, Kormorane draußen auf Seltjarnarnes. Ihr braucht mich nicht zu siezen.«

»In Ordnung. Du interessierst dich für Vögel?«

»Ja, sehr.«

»Sag uns etwas anderes, hast du vor ungefähr drei Jahren in einer Straßenbaukolonne da oben in der Gegend am Öxarfjörður gearbeitet?«, fragte Flóvent und schloss die Haustür hinter sich und Thorson. Der junge Mann ging mit seinen Besuchern in ein kleines Wohnzimmer, das gleichzeitig auch sein Schlafzimmer war. In einer Ecke befand sich ein gemachtes Bett mit einer Decke darüber. Unter dem Fenster stand ein Schreibtisch, und an zwei Wänden befanden sich Bücherregale. Außerdem gab es in der Kellerwohnung noch eine kleine Küche und ein noch kleineres Bad.

»Ja, ich habe dort mal im Straßenbau gearbeitet.«

»Soweit wir wissen, stammst du aus dem Norden und bist dort aufs Gymnasium gegangen?«, sagte Thorson.

»Ja, stimmt. Auf das Gymnasium von Akureyri.«

Flóvent sah sich in dem kleinen Raum um, sein Blick richtete sich vor allem auf die Bücherregale und den Schreibtisch, auf dem eine Schreibmaschine stand. In ihr steckte ein Blatt Papier, auf das Jónatan einige

Zeilen getippt hatte, bevor er aufgebrochen war, um sich seinem Hobby zu widmen und das Verhalten von Kormoranen auf Seltjarnarnes zu beobachten. Neben der Maschine lagen andere Papiere, und dort stand auch ein Aschenbecher mit ein paar Stummeln darin, und daneben eine Packung Lucky Strike und eine Schachtel Streichhölzer.

Flóvent warf Thorson, der die Zigaretten ebenfalls bemerkt hatte, einen Blick zu.

»Was schreibst du da gerade?«, fragte Flóvent und deutete auf die Schreibmaschine.

»Ich arbeite an einem Referat für ein Seminar an der Uni«, sagte der junge Mann. »Ich studiere Nordistik. Was genau wollt ihr eigentlich von mir? Was ... Weshalb seid ihr hier?«

»Hast du ein Mädchen mit Namen Rósmunda gekannt?«, fragte Thorson.

»Nein«, antwortete der junge Mann.

»Ganz sicher?«

»Ja, das müsste ich doch wissen. Ich kenne niemanden mit diesem Namen.«

»Sagt dir der Name Hrund etwas?«

Jónatan verfolgte Flóvent mit Blicken. Der blätterte in den Papieren auf dem Schreibtisch und ging dann zu den Bücherregalen, wo er sich die Buchrücken ansah.

»Hast du bei deiner Arbeit da oben im Öxarfjörður ein Mädchen kennengelernt, das Hrund hieß?«, fragte Thorson.

Die Augen des jungen Mannes waren immer noch auf Flóvent gerichtet.

»Wonach suchst du?«, fragte er und tat so, als hätte er Thorson nicht gehört.

»Diese Bücher da ...«

»Was ist mit denen?«

»Um was geht es eigentlich in deinem Referat?«, fragte Flóvent und wandte sich dem Studenten zu.

»Es geht um ... Ja, es geht um vieles«, antwortete Jónatan.

»Sammelst du Bücher?«

»Nein, ich bin kein Büchersammler. Die meisten stammen aus Bibliotheken. Ich brauche sie für das Referat.«

Flóvent drehte sich wieder zu den Bücherregalen um und zog ein Buch heraus.

»Er hat nicht gelogen, der Vorarbeiter von eurem Bautrupp«, sagte er, nachdem er es geöffnet hatte.

»Wer bitte?«

»Der Vorarbeiter eurer Straßenbaukolonne im Öxarfjörður. Er hat gesagt, du hättest großes Interesse an alten Volkssagen und dergleichen.«

»Worum geht es in diesen Büchern?«, warf Thorson ein.

»Die meisten haben mit isländischen Sagen und Volksmärchen zu tun«, sagte Flóvent und sah Thorson an. »Gespenstergeschichten, verwunschene Orte, Tabus, verborgene Wesen.«

»Ich brauche diese Bücher für mein Studium«, erklärte Jónatan. »Mein Referat geht über den isländischen Volksglauben, sozusagen von der Besiedlungszeit bis auf die heutigen Tage.«

»Hast du das Mädchen gekannt, nach dem ich gefragt habe? Diese Hrund?«

Jónatan blickte die beiden an.

»Ich weiß, wer Hrund ist«, sagte er schließlich. »Ihr

meint wahrscheinlich das Mädchen, das sich in den Dettifoss gestürzt hat?«

Flóvent nickte.

»Ich weiß nur, wer sie ist. Gekannt habe ich sie nicht.«

»Weißt du, ob sie Interesse an Sagen und Märchen hatte?«

»Das Mädchen?«

»Ja.«

»Wieso … Ich habe ihr doch nichts getan, falls ihr darauf hinauswollt. Seid ihr etwa deswegen hier?«

»Deiner Meinung nach hat ihr also jemand etwas getan?«, fragte Flóvent. »Wir haben aber nichts angedeutet.«

Der Student sah den beiden wieder ins Gesicht. Sein kleines Kellerzimmer schien mit jeder Minute, die verstrich, enger zu werden.

»Ich weiß nichts über sie«, sagte Jónatan. »Nicht das Geringste.«

Einunddreißig

Thorson bewegte sich beinahe unmerklich und blieb an der Tür zum Flur stehen. Flóvent betrachtete den jungen Mann von oben bis unten. Der hatte jetzt allerdings Argwohn geschöpft, nachdem ihm der Grund für den Besuch der Polizisten klar geworden war. Die Blicke des schlaksigen jungen Mannes irrten unruhig zwischen Flóvent und Thorson hin und her, er beugte sich leicht vor, so als befände er sich in der Defensive. Seine scharfe Verneinung, etwas über das Schicksal von Rósmunda zu wissen, überraschte sie und weckte Verdacht. Es sah fast so aus, als hätte er früher oder später damit gerechnet, nach Hrund gefragt zu werden. Und danach, ob es eine Verbindung zwischen ihnen beiden gegeben und ob er ihr etwas zuleide getan hatte.

Flóvent fragte ihn, ob er bereit sei, ihnen zum Frí-kirkjuvegur zu folgen. Weil sie sich etwas eingehender mit ihm unterhalten müssten, was sein Interesse an Volkssagen und seine Bekanntschaft mit Hrund betraf. Der junge Mann lehnte das Ansinnen höflich ab und sagte, er habe derzeit wesentlich wichtigere Dinge zu erledigen; und mit Hrund habe er absolut nichts zu tun. Daraufhin erklärten Flóvent und Thorson ihm, dass sie sich zu anderen Maßnahmen gezwungen sähen, wenn er ihnen nicht freiwillig folgte.

Schließlich gelang es ihnen, Jónatan dazu zu bewegen, sie zu begleiten. Er zog sich den Anorak wieder an und folgte ihnen zum Auto. Auf dem Weg zum Fríkirkjuvegur schwiegen alle, und dort angekommen, begaben sie sich in Flóvents Büro. Er schloss die Tür sorgfältig.

»Wollt ihr mich etwa verhaften?«, sagte Jónatan, als Thorson ihm Kaffee und Wasser anbot.

»Hast du Grund zu glauben, dass wir das vorhaben?«, fragte Thorson.

»Nein, das ist ... Ihr liegt da völlig falsch.«

»Hast du Verwandte hier in Reykjavík?«, fragte Thorson.

»Nein.«

»Freunde? Irgendjemanden, mit dem du sprechen möchtest, bevor wir dir jetzt Fragen stellen?«

»Nein. Ich möchte einfach nur so schnell wie möglich wieder nach Hause, wenn ihr gestattet. Ich brauche nichts zu trinken, ich möchte das hier einfach nur hinter mich bringen. Und ich hoffe, das hier bleibt unter uns.«

»Was meinst du damit, was soll unter uns bleiben?«

»Dass ihr mich hierhin gebracht habt, um mich zu verhören.«

»Das würde ich nicht unbedingt so ausdrücken«, sagte Flóvent. »Hast du etwa Angst davor?«

»Ich möchte nicht, dass es sich an der Uni herumspricht, dass ich was mit der Polizei zu tun habe. Ich verstehe nicht, wieso ich mit euch hierherkommen musste. Ich habe nichts verbrochen.«

»Dann ist es ja gut, sehr gut. Kannst du uns sagen, welcher Art deine Bekanntschaft mit Hrund war?«

»Ich bin ihr ein paar Mal begegnet. Es gab dort in der Nähe unseres Lagers eine Tankstelle mit so einer kleinen Imbissbude. Dort bin ich abends manchmal hingegangen, und sie hat manchmal ihre Freundin besucht, die dort bediente. Da sind wir manchmal einfach so ins Gespräch gekommen. Sie meinte, in ihrer Gegend sei überhaupt nichts los, und sie wollte von mir wissen, ob es nicht viel besser wäre, in Akureyri zu leben. Ich glaube, sie wäre gerne dorthin gezogen. Vielleicht sogar auch nach Reykjavík.«

»Hast du ihr gesagt, dass du dich für den Volksglauben, für verborgene Wesen und derartige Dinge interessierst?«

»Ich habe ihr gesagt, ich würde nach Reykjavík gehen, um dort an der Uni Nordistik und außerdem noch Volkskunde und Geschichte zu studieren, auf diesem Gebiet wollte ich forschen. Und das fand sie interessant.«

»Kennst du Volkssagen, in denen sich verborgene Wesen an Menschen vergreifen?«, fragte Thorson.

»Die gibt es.«

»Hast du ihr solche Geschichten erzählt?«

»Ich weiß nicht mehr, ob … Es kann gut sein, dass wir mal über so etwas geredet haben. Ich weiß es einfach nicht mehr.«

»Hat sie an so etwas geglaubt? An Elfen und okkulte Wesen?«

»Ich glaube … Sie hat so etwas jedenfalls nicht ausgeschlossen«, sagte Jónatan. »Für mich war sie so etwas wie ein richtiges Naturkind.«

»Inwiefern?«

»Sie hatte eine starke Verbindung zu ihrer Heimat,

und die enge Verbindung zur Natur hat sie sehr beein-
flusst. Sie kannte Pflanzen und Vögel, und sie hatte so
etwas, wie soll ich sagen ... Ja, ich kann es einfach nicht
besser ausdrücken, sie war wirklich ein Kind der Natur.
Solche Menschen glauben vielleicht eher als wir anderen an übernatürliche Wesen wie Elfen, Kobolde und
Trolle.«

»Glaubst du an so etwas?«

»Nein, das tue ich nicht«, versicherte Jónatan mit
Nachdruck. »Höchstens als Spiegel von bestimmten
sozialen und gesellschaftlichen Gegebenheiten. Ich
glaube, dass die Volkssagen uns Einblick in die Vorstel-
lungswelt der einfachen Menschen geben können. Sie
geben uns Auskunft über die Denkweise der Isländer
im Laufe der Jahrhunderte, über die Furcht vor etwas
Unbekanntem oder die Sehnsucht nach einem besseren Leben und die Träume von einer besseren Welt. Sie
sagen direkt oder indirekt sehr viel über das Leben in
früheren Zeiten aus. So verstehe ich sie, es handelt sich
keinesfalls um tatsächliche Erfahrungen.«

»War das bei Hrund anders?«

»Das weiß ich einfach nicht.«

»Aber sie war ein Naturkind?«

»Ja, den Eindruck hatte ich.«

»Ist Hrund irgendwann einmal von diesen, wie sollen wir sagen, von solchen übersinnlichen Wesen belästigt worden?«, fragte Flóvent.

»Belästigt? Nein, das glaube ich nicht. Ich sage es
noch einmal, ich habe sie nicht gut gekannt. Und gekannt ist vielleicht auch schon zu viel gesagt. Wir sind
uns nur ein paar Mal begegnet und haben uns ein wenig unterhalten, und vielleicht überinterpretiere ich

sogar die paar Worte, die zwischen uns fielen. Mir ist völlig schleierhaft, was ihr von mir wollt. Was sind das eigentlich für Fragen, und was haben denn unsere Volkssagen mit diesem Fall zu tun?«

»Hatten noch andere in eurer Baukolonne Interesse an Volkssagen und Märchen?«, fragte Flóvent.

»Nein, niemand.«

»Hat vielleicht einer von deinen Kumpels das Mädchen etwas näher gekannt?«

»Nicht, dass ich wüsste.«

Jónatan hatte die Schachtel Lucky Strike von seinem Schreibtisch in die Hosentasche gesteckt. Jetzt nahm er sich eine Zigarette, zündete sie an und blies den Rauch in die Luft. Flóvent schob ihm einen Aschenbecher hin.

»Gute Zigaretten?«

»Ja, die sind prima. Ich bekomme sie von einem Bekannten an der Uni. Seine Schwester ist mit einem Amerikaner zusammen.«

»Du hast wirklich kein Mädchen mit dem Namen Rósmunda hier in Reykjavík gekannt?«, fragte Thorson.

»Nein«, antwortete Jónatan.

»Sie arbeitete in einer Schneiderei.«

»Nein, ich kenne niemanden mit diesem Namen. Ist das nicht . . . Hieß nicht die Frau so, die beim Nationaltheater gefunden wurde?«

»Ja.«

»Wieso fragt ihr mich nach ihr?«

»Diese Rósmunda hatte kein Interesse an verborgenen Wesen oder Volkssagen. Trotzdem haben sie und Hrund eine erstaunlich ähnliche Erfahrung gemacht.

Wir dachten, dass du uns das vielleicht erklären könntest.«

»Worum geht es denn? Was war das für eine Erfahrung?«

»Bevor Hrund verschwand, hat sie angedeutet, dass sie von einem übernatürlichen Wesen, einem männlichen, überfallen wurde«, sagte Flóvent und beugte sich vor. »Rósmunda hat gesagt, dass der Mann, von dem sie höchstwahrscheinlich vergewaltigt wurde, ihr eingeschärft hat, sie solle die verborgenen Wesen dafür verantwortlich machen. Die Geschichten von Hrund und Rósmunda weisen so viele Ähnlichkeiten auf, dass es ganz den Anschein hat, als würde ein und dieselbe Person dahinterstecken. Drei Jahre liegen zwischen diesen vermeintlichen Überfällen durch sogenannte verborgene Wesen. Der eine fand dort oben im Nordosten statt, wo du in der Baukolonne gearbeitet hast. Der andere ereignete sich hier in Reykjavík, und zu dem Zeitpunkt warst du bereits zum Studieren in die Hauptstadt gekommen. Das eine Mädchen hast du gekannt, und jetzt frage ich dich noch einmal: Hast du Rósmunda gekannt?«

Jónatan lauschte Flóvents Ausführungen, und ganz allmählich dämmerte ihm, weshalb die Polizisten bei ihm aufgetaucht waren und wieso sie darauf bestanden hatten, ihn entweder freiwillig oder mit Gewalt ins Büro der Kriminalpolizei zu bringen.

»Bin ich jetzt etwa verhaftet?«, fragte er und sah Flóvent und Thorson entgeistert an.

»Gäbe es deiner Meinung nach womöglich einen Grund dafür?«, fragte Thorson.

»Seid ihr denn … Glaubt ihr etwa im Ernst, dass ich

den beiden etwas angetan habe? Dass ich sie ... sie umgebracht habe?«

»Hast du wirklich nichts mit ihrem Tod zu tun?«, fragte Flóvent.

Jónatans Bestürzung entging ihnen nicht, aber trotzdem wirkte etwas an seiner Mimik und Gestik unecht auf Flóvent und Thorson.

»Nein«, rief Jónatan schockiert, »ihr seid wohl nicht ganz bei Trost?«

»Hast du Hrund nahegelegt, sie solle für das, was du ihr angetan hast, irgendwelche verborgenen Wesen verantwortlich machen?«

»Sie solle sich etwas über verborgene Wesen zusammenlügen?«

»Hast du mit Rósmunda dasselbe Spiel gespielt, nachdem du nach Reykjavík gezogen warst?«

»Nein!«

»Hast du ihr Gewalt angetan?«

»Gewalt angetan?! Nein! Das muss ein Missverständnis sein. Es ... Ich kann nicht glauben, dass ihr das ernst meint. Ich glaube es einfach nicht! Das ist völliger Unsinn«, sagte Jónatan und stand auf. »Ich muss jetzt nach Hause, ich muss unbedingt mit meinem Referat weiterkommen, ich ... Ich habe viel zu tun. Ich bin viel zu beschäftigt, für solche Sachen habe ich einfach keine Zeit.«

Er wollte zur Tür, aber Thorson stellte sich ihm in den Weg, packte ihn am Arm und schob ihn wieder zu seinem Stuhl. Jónatan setzte sich widerstandslos.

»Du kannst leider nicht sofort nach Hause gehen«, sagte Thorson ruhig. »Es gibt nämlich noch einiges, was wir mit dir bereden müssen.«

Zweiunddreißig

Frank Ruddy hörte, dass sich Schritte näherten. Von zwei Männern, glaubte er, und sie hatten es eilig. Vor der Tür seiner Zelle hielten sie an, ein Schlüsselbund klirrte. Frank lag auf seiner Pritsche, rauchte und las in einem Pornomagazin. Jetzt richtete er sich auf. Er rechnete jederzeit damit, entlassen zu werden, schließlich war er lange genug ohne konkrete Anklage in Arrest gewesen. Soviel er wusste, war es nicht gesetzeswidrig, sich den Namen eines Schauspielers zuzulegen und isländischen Mädchen alles Mögliche vorzulügen. Für solche Lappalien mehrere Tage arrestiert zu werden war ganz einfach absurd. Angeblich überprüften sie in Amerika, ob er eine kriminelle Vergangenheit hatte. Viel Glück dabei, sie würden nichts finden können. Sie verdächtigten ihn immer noch, das Mädchen getötet zu haben, auf das er und Ingiborg gestoßen waren. Ein dämlicher Vorwand, sie konnten ihm gar nichts nachweisen.

Frank stand auf, als sich die Tür öffnete und der Aufseher erschien. Thorson war bei ihm.

»Du?«, sagte Frank.

»Wir möchten dich bitten, uns einen kleinen Gefallen zu tun«, sagte Thorson.

»Gefallen? Wie wärs, wenn ihr mir den Gefallen

tun würdet, mich hier rauszulassen? Wie lange wollt ihr mich hier noch festhalten?«

»Ich möchte mit dir eine kleine Fahrt unternehmen«, sagte Thorson. »Danach sehen wir weiter.«

Frank sah ihn an, antwortete aber nicht. Er war keineswegs scharf darauf, Thorson einen Gefallen zu tun, aber auf der anderen Seite machte ihn das Untätigsein verrückt, und so gesehen hatte er nichts dagegen, mal aus seiner Zelle rauszukommen und eine kleine Spritztour zu unternehmen. Er hätte nur gern gewusst, was dahintersteckte.

»Ich habe keine Zigaretten mehr«, sagte er und sah den Gefängnisaufseher an.

»Auf dem Rückweg besorgen wir dir welche«, sagte Thorson.

»Wo willst du mit mir hin?«

»Ich möchte dich bitten, etwas für mich zu tun.«

Frank wurde neugierig.

»Ich hab diesem Mädel nichts getan«, sagte er. »Ich hab sie nur gefunden. Das ist kein Verbrechen.«

»Da hast du recht«, entgegnete Thorson. »Das ist kein Verbrechen.«

»Was soll ich für dich tun?«

»Komm mit, es dauert auch nicht lange.«

Frank ging hinter ihm her über den Korridor. Der Aufseher schloss die Zellentür und sah ihnen nach, wie sie die Gefängnisbaracke verließen.

»Geht es um das Mädel, mit dem ich zusammen war?«, fragte Frank, während Thorson ihn einsteigen ließ. »Geht es um Ingiborg?«

»Nein.«

Sie fuhren los in Richtung Innenstadt.

»Sie behauptet, sie kriegt ein Kind von mir«, sagte Frank nach einigem Schweigen.

Thorson bog in die Hverfisgata ein und fuhr zum Nationaltheater.

»Stimmt das nicht?«

»Nein. Ich lass mir sowas nicht anhängen«, erklärte Frank. »Ich hab doch keine Ahnung, mit wem sie sonst noch zusammen gewesen ist.«

»Ich glaube nicht, dass sie mit jemand anderem zusammen war«, entgegnete Thorson. »Ich habe den Eindruck, dass Ingiborg eine sehr ehrliche junge Frau ist, die geglaubt hat, einem ebenso ehrlichen jungen Mann begegnet zu sein. Soweit ich sehen kann, ist sie da bitter enttäuscht worden.«

»Hast du mit ihr gesprochen?«

»Nur kurz. Am schlimmsten für sie ist deine Lügerei. Dein Verhalten ihr gegenüber. Ich glaube nicht, dass sie sich viel davon erwartet hat, dir von der Schwangerschaft zu erzählen. Sie wollte nur, dass du es weißt. Meiner Meinung nach ist sie – trotz allem – zu dir gekommen, um sich Rat zu holen.«

»Den hat sie allerdings auch bekommen.«

Thorson parkte in der Nähe vom Nationaltheater. Dass Frank Schwierigkeiten machen würde, glaubte er nicht, deswegen legte er ihm keine Handschellen an und bemühte sich, ihn bei Laune zu halten. Thorson ging es darum, dass er mit ihnen kooperierte. Sie waren nur zu zweit unterwegs, andere Polizisten waren nicht in der Nähe.

»Was wollen wir eigentlich hier?«, fragte Frank.

»Komm mit«, sagte Thorson. »Hinter das Gebäude zu der Stelle, wo ihr das Mädchen gefunden habt.«

Frank zögerte.

»Wozu?«

»Mach dir deswegen keine Gedanken, ich will dir keine Falle stellen oder dir irgendetwas anhängen, ich möchte dich nur um einen Gefallen bitten.«

»Was für einen Gefallen?«

»Komm.«

Frank folgte Thorson unsicher hinter das Theatergebäude zu der Nische, wo er und Ingiborg an dem bewussten Abend die tote junge Frau gefunden hatten. Er tat alles, worum Thorson ihn bat. Der blinkte mit einer Taschenlampe ein paar Mal in Richtung der Ecke von Skuggasund und Lindargata. Kurze Zeit später tauchte dort ein Mann auf, er war groß und ging leicht gebeugt. Und er rauchte eine Zigarette. Seine Umrisse waren trotz des Dämmerlichts im Schein der Straßenlaterne deutlich zu erkennen. Die etwas weiter entfernte Laterne war kaputt, genau wie an dem Abend, an dem sie die Tote gefunden hatten.

»Könnte das der Mann sein, den du am Ende der Straße gesehen hast?«, fragte Thorson und wandte sich Frank zu.

Frank betrachtete die Gestalt an der Straßenecke eine ganze Zeit lang.

»Wenn ich sage, dass er es gewesen sein könnte, komme ich dann raus aus dem Knast?«

»Was meinst du damit?«

»Wenn ich auf diese Weise mit euch kooperiere?«

»Es geht nicht darum, dass du etwas sagst, um mir einen Gefallen zu tun«, erklärte Thorson gereizt. »Du sollst nicht mit mir zusammenarbeiten – du sollst mir nur sagen, ob du etwas siehst, an was du dich erinnerst.«

Frank schüttelte den Kopf.

»Ich habe nicht vor, dich mit irgendwas zu bestechen«, sagte Thorson. »Sag mir nur, ob es der Mann sein könnte, den du da drüben an der Straßenecke gesehen hast. Von uns bekommst du keine Gegenleistung. Steht der Mann dort an derselben Stelle, wo du diesen Raucher gesehen hast?«

Frank schaute wieder zu der Straßenecke hinüber.

»Ja, da hat er gestanden.«

»Und?«

»Die Beleuchtung ist nicht sonderlich gut«, sagte Frank, »und damals hatte ich es natürlich sehr eilig, aber ich würde schon sagen, dass er an dieser Stelle gestanden hat.«

»Ganz sicher?«

»Ja, eigentlich schon.«

»Sieh nochmal gut hin und versuch, dich an das zu erinnern, was du gesehen hast.«

Frank tat wie befohlen, sah lange zu dem Mann hinüber.

»Nicht ausgeschlossen, dass ich einen Mann wie diesen dort an der Ecke gesehen habe«, sagte er. »Aber mehr kann ich nicht sagen. Es ist nur sehr wahrscheinlich.«

»In Ordnung«, sagte Thorson. »Und jetzt dreh dich bitte einen Moment weg.«

Frank gehorchte, und Thorson blinkte wieder dreimal mit seiner Taschenlampe. Der Mann an der Ecke verschwand, und ein anderer trat an seine Stelle.

Thorson bat Frank, sich wieder umzudrehen.

»Hat vielleicht dieser Mann mehr Ähnlichkeit mit dem Mann, den du gesehen hast?«

Der Mann an der Ecke war kleiner und ging gebeugter als der erste, und er wirkte sehr viel älter.

Frank blickte lange in die Richtung.

»Was soll ich sagen?«

»Du sollst mir nichts sagen, nur die Wahrheit.«

»Nein«, erklärte Frank schließlich. »Der andere, der sah dem Mann, den ich gesehen habe, sehr viel ähnlicher.«

Als Thorson zum dritten Mal mit der Taschenlampe blinkte, wusste Flóvent, dass es vorbei war. Frank hatte seine Aussage gemacht, und den Lichtsignalen zufolge hatte er Jónatan identifiziert. Er sah, dass Thorson Frank abführte, und er gab seinem Vater, der immer noch mit der Zigarette zwischen den Fingern an der Ecke stand, ein Zeichen, dass es vorbei war.

»Das war es schon«, rief Flóvent. »Du kannst wieder herkommen.«

Jónatan stand an Flóvents Seite. Er war freiwillig mitgekommen und hatte unterwegs immer wieder seine Unschuld beteuert. Er hatte sich an die Ecke gegenüber dem Nationaltheater gestellt, an der Frank in der Nacht, als er und Ingiborg Rósmunda gefunden hatten, angeblich einen rauchenden Mann gesehen hatte. Jónatan hatte genau das getan, um was Flóvent ihn gebeten hatte, nämlich sich eine Zigarette angezündet und sie an der Straßenecke geraucht. Flovent hatte in der Zwischenzeit seinen Vater geholt und ihn gebeten, ihm behilflich zu sein. Der alte Mann war dieser Bitte selbstverständlich nachgekommen. Als Jónatan eine Weile an der Ecke gestanden hatte, nahm Flóvents Vater dessen Platz ein. Obwohl er zeit seines

Lebens Nichtraucher gewesen war, hielt er eine brennende Zigarette in der Hand. Flóvent hatte nämlich darauf bestanden, dass es besser sei, wenn Frank einen Vergleich hätte.

»Und was ist jetzt?«, fragte Jónatan. »Hat die Aktion hier etwas gebracht?«

»Du kommst jetzt besser einfach mit, mein Lieber«, sagte Flóvent und ging mit Jónatan zurück zum Auto. Er fühlte sich unwohl bei dem Gedanken, Jónatan sagen zu müssen, dass er auf einen längeren Aufenthalt im Gefängnis am Skólavörðustígur sich gefasst machen musste.

Dreiunddreißig

Innerhalb kurzer Zeit waren gleich zweimal hintereinander wildfremde Menschen zu Petra gekommen, um etwas über ihre Mutter zu erfahren, die Schneidermeisterin, bei der Rósmunda während der Kriegsjahre gearbeitet hatte. Beide hatten sich angehört, was Petra zu sagen hatte, und beide hatten völlig perplex darauf reagiert. Anscheinend hatten sie ihren Ohren nicht getraut, als Petra ihnen von Rósmundas Botengang zu einem bestimmten Haus in der Stadt erzählte und dass sie sich anschließend geweigert hatte, dieses Haus noch einmal zu betreten.

Beim ersten Besuch hatte ein überaus höflicher Greis bei ihr angeklingelt und mit ihr über Gott und die Welt gesprochen, bevor er mit dem herausrückte, was sein eigentliches Anliegen war, die Verbindung ihrer Mutter zu Rósmunda. Nachdem sie ihm alles erzählt hatte, was sie über Rósmunda wusste, sah der alte Mann aus, als wäre ihm ein Tiefschlag versetzt worden. Und nun saß der andere Mann, der sich Konráð nannte, im gleichen Stuhl wie der Alte, und auch ihn schienen dieselben Informationen aus dem Gleichgewicht zu bringen.

Petra verstand nicht, weshalb das, was sie diesen Männern gesagt hatte, so wichtig war, weil sie die nä-

heren Umstände nicht kannte. Die beiden Männer erfuhren durch Petra, dass ihre Mutter praktisch nie über
Rósmunda gesprochen hatte, nicht mit ihr und auch
nicht mit anderen Leuten, soweit sie wusste. Sie hatte
beiden versichert, dass sie wirklich nicht viel darüber
wusste, wonach sie immer wieder fragten. Im Grunde
genommen nicht mehr, als dass ihre Mutter in den
Kriegsjahren wegen eines schlimmen Verbrechens
von der Polizei verhört worden war. Ob der Mord jemals aufgeklärt worden war, konnte sie nicht sagen.

Letzten Endes ging es Petra nur darum, dass ihre
Mutter sich bis zum Tod mit ihrer nicht sehr rühm-
lichen Rolle im Zusammenhang mit dem Mord an
Rósmunda herumgequält hatte, sie hatte sich niemals
damit ausgesöhnt. Petra war überzeugt, dass die alte
Frau ihre Gründe gehabt hatte, weshalb sie nicht über
die Sache sprechen wollte. Ein paar wenige Male hatte
Petra den Versuch gemacht, sie nach Rósmunda zu
fragen, beispielsweise wenn sie etwas über andere
schwere Verbrechen in der Zeitung gelesen hatte. Sie
hatte aber immer sofort gespürt, dass ihre Mutter sich
dagegen sträubte, an dieses Thema zu rühren, weil sie
keine Erinnerungen heraufbeschwören wollte. Petra
wäre aber nicht im Traum eingefallen, dass ihre Mutter
von Dingen wusste, die ein neues Licht auf einen Kriminalfall werfen konnten.

Petra sah Konráð an. Sie hatte gewissenhaft versucht, sich an alles zu erinnern, genau wie für Stefán
Þórðarson. Sie wollte diesen Leuten, die sich so sehr
für ihre Mutter und Rósmunda interessierten, unbedingt weiterhelfen.

»Spielt es wirklich eine Rolle, dass das Mädchen

sich geweigert hat, ein bestimmtes Haus in Reykjavík zu betreten?«, fragte sie.

»Kam so etwas oft vor, dass sich die Angestellten in den Schneidereien weigerten, irgendwelche Bestellungen von Haus zu Haus auszuliefern?«, war die Gegenfrage von Konráð.

»Darüber weiß ich nichts«, sagte Petra.

»Deine Mutter hat es aber sehr eigenartig gefunden?«

»Ja, das war ihr anzuhören. Wahrscheinlich weil sie nicht gewohnt war, dass ihr Personal nicht gehorchte. Zumal aus einem so unbedeutenden Anlass.«

»Und Rósmunda hat keine Erklärung für ihr Verhalten abgegeben?«

»Nein. Mama war allerdings überzeugt, dass Rósmunda an dem Tag, als sie sie in Tränen aufgelöst vorfand, etwas sehr Schlimmes in diesem Haus erlebt haben musste.«

»Du weißt aber nicht, ob Stefán, oder Thorson, etwas mit dieser Information anfangen konnte?«

»Nein. Der alte Mann war wirklich sehr aufgeregt, als ich ihm davon erzählte, aber erklärt hat er mir nichts. Wie gesagt, ich wusste ja nicht allzu viel. Kurze Zeit später hat er sich dann verabschiedet, und danach habe ich nichts mehr von ihm gehört.«

»Weißt du, was für ein Haus es war, das Rósmunda unter gar keinen Umständen mehr betreten wollte?«

»Mama hat gesagt, dass sie die Frau des Hauses gut gekannt hat. Sie konnte sich nicht vorstellen, dass sie Rósmunda schlecht behandelt hat. Sie hat aber mit der Frau nie darüber geredet. Genauso wenig wie mit anderen. Deswegen hat niemand etwas davon erfahren.

Der Mann von dieser Frau war in der Politik, ich glaube, er war Parlamentsabgeordneter. Und genau deswegen wollte sie nichts in der Sache unternehmen.«

»Parlamentsabgeordneter?«

»Ja. Er ist schon lange tot. Von Mama weiß ich aber, dass er früher recht prominent war. Und seine Frau war in allen möglichen Frauenvereinen und Klubs, und er gehörte zu den Oddfellows oder wie die heißen. Mama war sich ziemlich sicher, dass er auch Freimaurer war. Sein Sohn wurde später Minister.«

»Und zu diesen Leuten wurde Rósmunda mit dem fertigen Kleid für die Frau des Hauses geschickt?«

»Ja. Es war aber nicht nur ein Kleid, das sie hinbringen sollte, sondern auch Bettwäsche. Wunderschöne Bettwäsche, hat Mama gesagt, mit den eingestickten Namen der Eheleute auf den beiden Kopfkissen und auf den Bettbezügen. Daran konnte sich Mama sehr gut erinnern. Sie war immer furchtbar stolz auf ihre Stickereien.«

»Stefán Þórðarson hat also ganz aufgeregt auf das reagiert, was du ihm gesagt hast?«

»Er fiel wirklich aus allen Wolken«, sagte Petra. »Er hat mich mit Fragen bombardiert, genau wie du jetzt, immer wieder stellte er dieselben Fragen, so als müsste er sich vergewissern, dass er alles richtig verstanden hatte.«

»Aber du weißt nicht, was er mit diesen Informationen anfangen wollte?«, fragte Konráð.

»Nein«, antwortete Petra. »Das weiß ich nicht.«

»Und seitdem hast du nichts mehr von ihm gehört?«

»Nein.«

»Hast du ihm auch die Namen von den Angehörigen dieser Familie genannt?«

»Ja, habe ich.«

»Hat er vorgehabt, sich mit diesen Leuten in Verbindung zu setzen?«

»Das weiß ich nicht.«

Petra schwieg eine Weile.

»Irgendwie hatte ich das Gefühl ...«

»Ja?«

»Mir kam es so vor, als hätte er richtige Probleme damit gehabt, wie die Ermittlung damals verlaufen ist. Wahrscheinlich wäre er sonst ja auch nicht zu mir gekommen.«

»Wie meinst du das?«

»Ich glaube, dass er mich deshalb aufgespürt hat. Ich hatte irgendwie das Gefühl, dass der Fall für ihn nicht abgeschlossen war. Und dass er mit sich selber haderte, weil er die Ermittlung nicht zu Ende gebracht hatte. Ich habe es ihm angemerkt, wie der Fall immer noch an ihm nagte, trotz der vielen Jahre, die seitdem vergangen sind. Das Gefühl hatte ich sofort, noch bevor ich ihm sagte, was ich über Rósmunda wusste. Es war, als würde er nach einer Bestätigung dafür suchen, dass er damals richtig gehandelt hatte oder so etwas.«

»Hat er selber auch etwas in der Art gesagt?«, fragte Konráð.

»Nein. Und ich habe ihn auch nicht danach gefragt«, antwortete Petra. »Ich hatte einfach nur dieses Gefühl. Gut möglich, dass ich mich geirrt habe.«

»Könnte es sein, dass es so etwas wie ein schlechtes

Gewissen wegen dieser Ermittlung war, das ihn umtrieb?«

»Ja, genau so kam es mir vor«, sagte Petra. »Ihm schien einfach nicht wohl in seiner Haut zu sein, und nachdem ich ihm von Rósmunda erzählt hatte, fühlte er sich noch schlechter. Als er ging, hat er irgendetwas über einen Studenten vor sich hingemurmelt.«

»Ach ja?«

»Ich habe es nicht richtig verstehen können, aber es hörte sich so an, als hätte er einen Studenten erwähnt.«

»Einen Studenten?«

»Ja.«

»Weißt du, wer das war?«

»Nein. Ich weiß nur, dass der arme alte Mann sich wirklich elend fühlte.«

Vierunddreißig

Jónatan leistete keinen Widerstand, als sie ihn ins Gefängnis am Skólavörðustígur brachten. Auf dem Weg dorthin hatte er aber gegen die Festnahme protestiert und immer wieder betont, er müsse dringend nach Hause, weil er furchtbar viel zu tun habe. Und morgen müsse er schon wieder ganz früh in der Uni sein. Er habe nichts dagegen, die Polizei bei ihrer Arbeit zu unterstützen, aber seine Zeit sei im Augenblick sehr knapp bemessen. Er blieb immer höflich und wurde nicht ausfällig, sondern bat nur darum, freigelassen zu werden. Flóvent entgegnete darauf, es sei jetzt vielleicht etwas zu spät, um sich eingehender darüber zu unterhalten, aber sie würden sich am nächsten Morgen wieder mit ihm befassen. Doch bis dahin müsse er in der Zelle bleiben.

»Ich muss morgen früh zur Uni«, sagte Jónatan.

»Am besten nimmst du dir morgen frei.«

»Ich kann da doch nicht einfach schwänzen«, widersprach Jónatan.

Die Gefängnisaufseher am Skólavörðustígur nahmen sich Jónatans an, er wurde registriert und unter lautstarkem Protest seinerseits in eine Zelle gebracht. Flóvent folgte ihnen und fragte Jónatan, ob er irgendjemanden benachrichtigen solle, aber der schüttelte nur den Kopf, so als könne er immer noch nicht glauben, dass sie ihn tatsächlich in eine Zelle einsperren wollten.

»Ich möchte nicht, dass irgendjemand davon erfährt«, sagte er. »Das hier ist vollkommen absurd, es muss sich um ein ungeheuerliches Missverständnis handeln. Morgen früh werdet ihr mich freilassen müssen.«

Er griff nach Flóvent, als sich die Tür zur Zelle öffnete.

»Schließt mich nicht ein«, sagte er. »Ich bitte dich.«

»Wir sprechen morgen früh miteinander, mein Lieber«, sagte Flóvent. »Es ist schon spät. Es muss leider sein, daran kann ich nichts ändern.«

»Ich halte das nicht aus«, sagte Jónatan. Er war kurz davor, in Tränen auszubrechen. »Das muss ein riesiges Missverständnis sein. Ich verstehe das einfach nicht. Ich habe doch nichts . . . Ich habe doch überhaupt nichts verbrochen.«

»Das klären wir morgen«, sagte Flóvent in beruhigendem Ton. »Mach dir keine Sorgen. Wenn du nichts verbrochen hast, bist du bald wieder zu Hause. Insofern brauchst du nichts zu befürchten.«

»Tu das nicht, ich bitte dich.«

Die Tür schloss sich hinter Jónatan.

»Bitte nicht einschließen!«, rief er wieder, und zum ersten Mal erhob er seine Stimme, sodass der Ruf durch die Tür zu ihnen hinausdrang. Flóvent blieb noch eine Weile vor der Tür stehen, dann ging er. Er hörte noch, dass der Gefangene anfing zu weinen.

Thorson und er hatten keine andere Möglichkeit gesehen, als den jungen Mann in Gewahrsam zu nehmen. Er hatte Hrund gekannt und Kontakt zu ihr gehabt, als er in der Straßenbaukolonne im Öxarfjörður gearbeitet hatte. Er interessierte sich für isländischen Volksglauben und war schon so etwas wie ein Experte für isländische Sagen und Märchen. Hinzu kam, dass Frank Ruddy ihn möglicherweise als den Mann identifiziert hatte, der an dem Abend, als Rósmunda tot aufgefunden wurde, an der Ecke zum Skuggasund eine Zigarette geraucht hatte. Jónatans Marke war Lucky Strike, und sie hatten Zigarettenstummel dieser Marke an der bewussten Straßenecke gefunden. Es waren zwar sehr beliebte Zigaretten, doch im Zusammenhang mit anderen Verdachtsmomenten belastete es Jónatan, dass er genau diese Marke rauchte.

»Frank ist vielleicht nicht der zuverlässigste Zeuge, den man sich vorstellen kann«, sagte Thorson, als sie wieder auf den Skólavörðustígur hinaustraten.

»Hast du ihn freigelassen?«

»Ich habe ihm gesagt, er könne wieder zu seinen Kameraden gehen. Es ist nicht nötig, ihn länger festzuhalten. Mit dem Tod von Rósmunda hat er anscheinend nichts zu tun, wir haben nichts gefunden, was diese Theorie unterstützen würde. Und wie wir inzwischen wissen, hat er in den Vereinigten Staaten keine Straftaten begangen.«

»Er hat gesagt, dass Jónatan derjenige gewesen sein könnte, der an der Straßenecke gestanden hat?«

»Ja. Auf jeden Fall eher als dein Vater.«

»Während meiner Ausbildung in Edinburgh habe ich gelernt, dass Kriminelle häufig an den Tatort zurückkehren. Nicht zuletzt, wenn es um Mord oder vergleichbar schwerwiegende kriminelle Handlungen geht.«

»Du hältst es für wahrscheinlich, dass Jónatan wieder zum Nationaltheater zurückgekehrt ist?«

»Schwer zu sagen. Es kann diverse Gründe dafür geben, wenn Menschen sich dazu getrieben fühlen. Schuldgefühle zum Beispiel. Die setzen einem Täter oft so zu, dass er kurz davor steht, alles zuzugeben, und einige tun das dann auch. Aber auch die Furcht davor, entdeckt zu werden, kann ein Grund sein. Weil diese Menschen befürchten, eine Spur hinterlassen zu haben, die sie verraten könnte, und sie wollen sichergehen, dass das nicht der Fall ist.«

»Du glaubst also, dass der Mörder von Rósmunda an der Ecke gestanden hat? Gleichgültig, ob es nun Jónatan oder jemand anders war.«

Flóvent zuckte mit den Achseln.

»Hast du Frank eingeschärft, er solle sich in Zukunft von den isländischen Frauen fernhalten?«, fragte er.

»Das würde wohl nichts bringen.«

»Seine Aussage spielt vielleicht keine große Rolle«, sagte Flóvent. »Die stärkste Verbindung zwischen Jónatan und den beiden Opfern sind die Volkssagen. Wir sollten beim Verhör besonderes Gewicht darauf legen.«

»Wir wissen, dass es eine Verbindung zu Hrund gibt«, sagte Thorson. »Uns fehlt nur noch eine konkrete Verbindung zu Rósmunda. Ist es nicht an der Zeit, seine Wohnung zu durchsuchen?«

Flóvent warf einen Blick auf seine Armbanduhr.

»Es ist schon spät«, sagte er und dachte an seinen Vater. »Wir sollten vielleicht bis morgen früh damit warten und danach mit dem Studenten reden.«

Thorson nickte zustimmend. Es war ein langer Tag gewesen, und er war müde. Sie fuhren ins Zentrum von Reykjavík und verabschiedeten sich dort voneinander. Flóvent wollte zu Fuß nach Hause gehen und dabei über einiges nachdenken. Thorson ging ins Hótel Borg, um vor dem Zubettgehen noch etwas zu essen. Er war für einige Tage im Hotel Borg einquartiert worden, weil die Räumlichkeiten in der Baracke der Militärpolizei renoviert werden mussten. Dort zu wohnen war nicht das Schlechteste, abgesehen von den Wochenenden, wenn sehr viel mehr Alkohol konsumiert wurde als unter der Woche.

Es war ziemlich voll im Speisesaal, und er setzte sich ein wenig abseits. Eigentlich hatte er Lammbraten bestellen wollen, doch als der Kellner zu seinem Tisch kam, erklärte er in gebrochenem Englisch, dass die Küche leider bereits geschlossen war. Thorson antwortete ihm auf Isländisch und fragte, ob er nicht vielleicht trotzdem noch eine Kleinigkeit zu essen bekommen könnte, schließlich sei er ja auch Gast des Hotels. Der Kellner versprach nachzusehen, ob sich in der Küche etwas auftreiben ließe.

Thorson sah, wie der Hotelbesitzer, ein stämmiger, athletischer Mann, an der Tür zur Küche mit dem Kellner verhandelte. Thorson wusste, dass der Hotelier in jungen Jahren ein bekannter Ringer gewesen und um die Welt gereist war, um sich mit anderen Ringern zu messen. Sogar bis Manitoba war sein Ruf vorgedrungen. Auf diesen Reisen hatte er als Ringer einiges Geld auf die hohe Kante legen können, und davon hatte er das Hotel gebaut, das vorbildlich von ihm geführt wurde.

An diesem Abend saßen im Speisesaal größtenteils amerikanische Offiziere, einige davon in Begleitung von isländischen Frauen. Hin und wieder drang Gelächter von ihren Tischen zu Thorson herüber. Er wusste nur zu gut, was die Isländer mit »Zustand« bezeichneten, denn nicht wenige Klagen wegen der Beziehungen zwischen Isländerinnen und amerikanischen Soldaten waren auf seinem Schreibtisch bei der Militärpolizei gelandet. Die isländischen Behörden hatten versucht, diesem Problem zu begegnen, es wurde sogar ein Jugendgericht eingeführt, aber es existierte nicht sehr lange, weil es nun mal kaum andere Möglichkeiten gab, solchem Tun und Treiben einen Riegel vorzuschieben. Sehr junge Mädchen wurden einfach aus Reykjavík, also dem Ort der Sünde, weggeschickt. Es war nicht gestattet, Frauen mit in die Militärbaracken zu nehmen, und sämtliche Tanzveranstaltungen waren für Jugendliche unter sechzehn Jahren verboten. Diese Regeln wurden aber häufig genug missachtet. Manchmal kam es wegen Frauen zu tätlichen Auseinandersetzungen zwischen Einheimischen und Besatzungsangehörigen, aber es kam auch vor, dass Frauen wegen schlechter Behandlung Anzeige erstatteten. Bei solchen Fällen stellte es sich leider sehr oft heraus, dass der Soldat jenseits des Atlantiks verheiratet war und Familie hatte, was meist viel Kummer und Enttäuschung mit sich brachte.

Thorsons Mutter hatte den Sohn in ihren Briefen gefragt, wie ihm die Heimat seiner Vorfahren gefiele. Er wusste, dass seine Eltern Island manchmal vermissten, sie hatten immer nur gut von dem Land und seinen Menschen gesprochen. Sie waren jung von dort ausgewandert, im ersten Jahrzehnt eines neuen Jahrhunderts, um in einer fernen Welt ein besseres Leben zu beginnen. Bei der Ankunft in der Neuen Welt war ihnen gutes Land zugewiesen worden. Thorsons Mutter hatte Verwandte in Manitoba, die vor einigen Jahrzehnten dorthin ausgewandert waren und sich der Neuankömmlinge annahmen. Seine Eltern waren lebenstüchtige Menschen, sie fassten schnell Fuß und wussten ihre neue Heimat sehr zu schätzen. Auch wenn sie nicht selten an Island zurückdachten und ihre Verwandten und Freunde vermissten, bereuten sie es nicht, ausgewandert zu sein. Thorson schrieb an seine Eltern, dass die meisten Isländer immer noch bitterarm seien, doch durch den Krieg hatte sich ihre Lage verbessert. Es gab jetzt genug Arbeit, und zwar gut bezahlte Arbeit. Die Menschen strömten vom Land und aus den Dörfern nach Reykjavík auf der Suche nach einem besseren Leben und in der Hoffnung auf die Chance, sich eine neue Existenz aufbauen zu können. Möglichkeiten, von denen sie sich nie hatten träumen lassen. Vom sogenannten »Zustand« schrieb er ihnen nicht, weil er keinen Schatten auf das schöne Island ihrer Erinnerungen werfen wollte. Er schrieb den Eltern aber, dass die amerikanische Besatzung einen gewaltigen Einschnitt für das Leben der Nation zur Folge haben würde, so groß, dass es das Land für alle Zeiten verändern würde. Die alte Bauernkultur, aus der die Eltern stammten, gehörte von nun an der Vergangenheit an.

Thorson beendete die kleine Mahlzeit, die der Kellner ihm doch noch serviert hatte, ging auf sein Zimmer und legte sich zur Ruhe. Von unten aus dem Saal drang fröhliches Gelächter zu ihm hoch. Er dachte an sein Zuhause, das tat er manchmal, wenn er sich einsam fühlte. Seine Eltern hatten ihm so viel Schönes über die alte Heimat erzählt, doch was ihm in Island begegnete, stand nicht selten in krassem Kontrast dazu. Von Anfang an hatte er das Gefühl gehabt, sich in einem ganz anderen Land zu befinden als dem, aus dem seine Eltern ausgewandert waren.

Früh am nächsten Morgen betraten Flóvent und Thorson Jónatans Kellerwohnung, um nach Hinweisen zu suchen, dass er Rósmunda gekannt hatte. Wonach sie suchten, wussten sie nicht genau; sie würden es erst wissen, wenn sie es gefunden hatten. Die Schlüssel zu der Wohnung hatte ihnen Jónatan am Abend vorher mit den Worten ausgehändigt, dass sie sich dort gerne umsehen dürften. Er sorgte sich nur darum, dass sie seine Papiere auf dem Schreibtisch durcheinanderbringen könnten, seine Notizen, die Quellenverzeichnisse und anderes, an dem er arbeitete. Was seine Unterlagen und Papiere anging, hielt er eine penible Ordnung ein und hatte ihnen deshalb angeboten, mit ihnen in die Wohnung zu gehen, um ihnen zu zeigen, dass er nichts zu verbergen hatte. Doch die beiden hatten das abgelehnt. »Vielleicht später«, hatte Flóvent gesagt.

Für sie sah die Kellerwohnung wie eine typische Studentenbude aus – ein bisschen unordentlich, viele Bücher, so wie es sich für einen wissensdurstigen jungen Mann gehörte. Sie fanden Bücher über isländische Volkssagen und Märchen, aber auch andere Literatur, die mit seinem Studienfach Nordistik zu tun hatten.

Und auch etliche Bücher, in denen es um sein ornithologisches Hobby ging. Flóvent fand einen kurzen Artikel von Jónatan über Kormorane, die er als große und eindrucksvolle Vögel beschrieb. Meist waren sie fast gänzlich schwarz und wirkten mit ihrer Flügelspannweite beinahe wie Urvögel; abgesehen von ihrem kräftigen Flügelschlag über Wasser waren sie aber auch extrem geschickte Fischer und Taucher.

In einem Regal fanden sie eine Mappe mit Jónatans Zeichnungen von Kormoranen und anderen Seevögeln. Die Bilder zeigten, dass er überdurchschnittlich gut zeichnen konnte. Er schien künstlerisch wirklich begabt zu sein. Einige Bilder waren in klaren Wasserfarben gezeichnet, jedes kleinste Teil kam zur Geltung.

»Schöne Arbeiten«, sagte Thorson.

»Der Junge hat wirklich Talent«, sagte Flóvent und hielt eine Zeichnung hoch, um sie genauer zu betrachten. Er verspürte einen kribbelnden Schmerz im Bauch, der sich schon beim Aufstehen gemeldet hatte. Jetzt war er wieder da.

»Hier ist nichts, was darauf hindeutet, dass er über Mädchen herfällt und ihnen etwas antut«, sagte er.

»Nein«, stimmte Thorson zu. »Er ist ein unschuldiger Nordistikstudent, ein Vogelbeobachter und ein Bücherwurm, der sich außerdem noch für isländischen Volksglauben interessiert.«

»Mir wurde gesagt, dass ...«

»... bei der Polizei in Edinburgh, nehme ich an«, vervollständigte Thorson den angefangenen Satz.

Flóvent musste grinsen.

»Man hat mir beigebracht, dass man nie irgendetwas anderes in Betracht ziehen darf als konkretes Beweismaterial. In diesem Sinne spielt es keine Rolle, was wir von dem jungen Mann und seiner Studentenbude halten oder nicht halten, was für ein geschickter Zeichner er ist oder was für ein unschuldiger Bücherwurm. Unsere Einschätzungen und Gefühle spielen keine Rolle.«

»Schotten können ganz schön zynisch sein.«

»Blöd sind sie nicht«, entgegnete Flóvent.

Er nahm die Dokumente genauer in Augenschein, die Jónatan sich wegen seines Referats besorgt hatte, und blätterte in ihnen, bis sein Blick auf eine Seite fiel, auf der es um die sogenannten verborgenen Wesen ging. Es schien sich um eine Abschrift aus einem alten Gerichtsurteil zu handeln. Die Schrift war kaum leserlich. Flóvent versuchte sich daran, musste aber kapitulieren. Er steckte die Blätter ein, um sich später eingehender mit ihnen zu befassen.

Thorson war auf dem Flur und inspizierte dort einen Kleiderschrank. Zwei Hemden befanden sich darin, ein gefalteter Pullover und etliche Socken. Auf dem Boden lag zusammengeknüllt etwas, was man eine gute Hose nennen konnte. Er untersuchte die Taschen und drehte die Hose auf links. Sein Blick fiel auf einen Flicken im Schritt, der dort irgendwann sorgfältig eingesetzt worden war.

Etwa zehn Minuten später fanden sie die Rechnung einer Schneiderei in den Tiefen einer Küchenschublade.

Fünfunddreißig

Jónatan hatte während der Nacht im Gefängnis kein Auge zugetan. Die Aufseher sahen ab und zu nach ihm und hörten, dass er mit sich selber sprach und vor sich hinweinte. Als ihm das Frühstück in die Zelle gebracht wurde, fragte er nach den beiden Polizisten, die ihn in Gewahrsam genommen hatten. Er müsse ihnen unbedingt sagen, dass er sein Seminar an der Universität nicht verpassen durfte, eigentlich hätte er schon jetzt da sein müssen. Er hoffte immer noch darauf, sobald wie möglich freigelassen zu werden. Anscheinend war ihm immer noch nicht klar, in welcher Lage er sich befand. Er hatte kaum Appetit und rührte das Frühstück, das aus Haferbrei mit zwei Scheiben Schlachtwurst darin und einem Glas Milch bestand, nicht an.

Als Flóvent und Thorson gegen Mittag im Gefängnis eintrafen, war der junge Mann endlich eingeschlafen. Er schreckte hoch, als sich der Schlüssel im Schloss drehte und die Tür sich öffnete. Er richtete sich auf seiner Pritsche auf und sah die beiden Polizisten in der Türöffnung stehen.

»Ich muss eingeschlafen sein«, sagte er.

»Komm bitte mit«, sagte Flóvent. »Hier gibt es einen Raum, in dem wir uns ungestört unterhalten können.«

»Lasst ihr mich danach dann endlich frei?«, fragte Jónatan und stand auf.

»Wir müssen miteinander reden«, erwiderte Flóvent. »Wir haben da einige Fragen an dich, was die beiden Mädchen betrifft. Anschließend sehen wir weiter.«

»Ich habe euren Leuten hier doch gesagt, dass ich überhaupt keine Zeit für sowas habe, ich habe jetzt schon ein Seminar an der Uni verpasst.«

Er folgte ihnen den Korridor entlang in einen kleinen Raum neben der Kaffeestube für die Gefängnisaufseher. Es gab dort einen Tisch und drei Stühle, und auf die setzten sie sich. Flóvent orderte Kaffee für sie drei, aber Jónatan lehnte Kaffee ab. Er machte jetzt einen ruhigen und geradezu gelassenen Eindruck. Der Schlaf, auch wenn er nur kurz gewesen war, hatte ihm offensichtlich gutgetan. Flóvent legte den Artikel über Kormorane auf den Tisch, den er in der Kellerwohnung gefunden hatte, und schob die Blätter zu Jónatan hinüber.

»Interessant zu lesen«, sagte er. »Hast du dich schon immer so für Vögel interessiert?«

»Eigentlich ja. Es war schon immer mein Hobby. Für die Natur habe ich mich immer interessiert, aber vor allem für die Vögel.«

»Und die Kormorane haben es dir besonders angetan?«

»Nein, ich interessiere mich für alle Seevögel. Der Kormoran ist ... Es ist schön, ihn im Flug zu beobachten, er fliegt so schnell und macht den Hals so lang beim Fliegen. Ein sehr interessanter Vogel.«

»Hatte Hrund auch so ein Interesse an Vögeln?«

»Hrund?«, fragte Jónatan. »Ich weiß es nicht, aber ich glaube nicht.«

»Erzähl uns bitte noch einmal, wie du Hrund kennengelernt hast«, sagte Flóvent.

»Ich hab ihr nichts getan!«, sagte Jónatan. »Ich hoffe, ihr glaubt nicht, dass ich ihr was angetan habe. Das habe ich nicht!«

»Habt ihr euch über Vögel unterhalten?«

»Nein, das glaube ich nicht. Vielleicht. Nein, wir haben uns nicht über Vögel unterhalten. Zumindest kann ich mich nicht daran erinnern.«

Flóvent nickte verständnisvoll. Thorson an seiner Seite sagte aber nichts. Jónatan saß ihnen gegenüber und erzählte erneut, dass er da oben im Nordosten an der Tankstelle ein junges Mädchen getroffen hatte, weil dort ihre Freundin arbeitete. Was er sagte, war zum größten Teil identisch mit dem, was er ihnen tags zuvor gesagt hatte; er und Hrund hatten sich nur oberflächlich kennengelernt, sie hatte ihn nach dem Leben in Akureyri gefragt, aber am liebsten wollte sie nach Reykjavík. Und sie hatte die Existenz von Elfen und anderen verborgenen Wesen nicht ausgeschlossen.

»Habt ihr darüber gesprochen, weil sie wusste, dass du dich für den Volksglauben interessierst?«, fragte Flóvent, als Jónatan geendet hatte.

»Ja. Sie wusste, dass ich an die Universität wollte. Ich habe ihr wahrscheinlich gesagt, dass ich Nordistik und Volkskunde studieren wollte.«

»Hast du sie vielleicht als Versuchsperson betrachtet?«, warf Thorson ein.

»Als Versuchsperson? Nein.«

»Aber sie hat dir gesagt, was sie von übernatürlichen Wesen hielt, oder nicht?«

»Ja, kann sein.«

»Was waren das für Geschichten?«

»Nur das übliche Zeug über verwunschene Orte und Felsen als Wohnsitze von Elfen. Sie kannte viele Sagen, aber ihre Kenntnisse waren ziemlich oberflächlich.«

»War sie mit solchen Wesen in Berührung gekommen?«

»Nein, davon hat sie mir nicht erzählt.«

»Sie hat wirklich nicht mit dir darüber gesprochen?«

»Nein.«

»Und sie ist auch nie von solchen okkulten Wesen angegriffen worden?«, fragte Flóvent.

»Nicht, dass ich wüsste.«

»Sie hat dir nichts davon erzählt?«

»Nein.«

»Bist du ganz sicher?«

»Ja. Ich glaube nicht an so etwas. Das kann nur etwas gewesen sein, was sie sich eingebildet hat.«

»Richtig, du glaubst nicht an solche Wesen. Sie gehören nur der Welt des isländischen Volksglaubens an.«

»Ja, selbstverständlich. Und die Brutalität, von der ihr redet, die kenne ich eigentlich nicht. Solche Geschichten wurden vor allem von Frauen erzählt und weitergegeben, und das ist der wichtigste Grund, dass sie überhaupt erhalten blieben. Die Frauen haben unseren Sagenschatz aufbewahrt, und sie schildern eine Welt mit weiblichen Herzensangelegenheiten. Geschichten von Untreue, Schwangerschaften, ausgesetzten Kindern.«

»Ausgesetzte Kinder?«, fragte Flóvent.

»Manches verändert sich im Lauf der Zeit nur sehr wenig.«

»Was meinst du damit?«, fragte Thorson.

Jónatan blickte von einem zum anderen.

»In den Sagen geht es oft um die schwierige soziale Stellung von Frauen. Wenn sie zum Beispiel uneheliche Kinder zur Welt bringen und sich dazu gezwungen sehen, ihre Kinder auszusetzen. In früheren Zeiten war das wahrscheinlich eine Art von Abtreibung. Eine schreckliche Lebenserfahrung. Die Sagen von verborgenen Wesen haben diese Wirklichkeit wohl irgendwie verklärt und vielleicht auch den Schmerz betäubt. In den Sagen bekommen Frauen Kinder mit wunderschönen, zärtlichen Elfenmännern. Die sind das genaue Gegenteil von menschlichen Grobianen. Deswegen werden die ausgesetzten Kinder zu ihnen gebracht, und sie wachsen in guten Verhältnissen bei ihren Vätern auf. Manchmal kehren sie sogar in die Menschenwelt zurück. Volkssagen dienten manchmal dazu, den Frauen über eine schmerzliche Erfahrung hinwegzuhelfen, sie zu lindern.«

»Zärtliche und wunderschöne Männer?«, fragte Thorson.

»Ja, vielleicht ähnlich wie die Amerikaner«, antwortete Jónatan.

»Sind die amerikanischen Männer die modernen verborgenen Wesen?«

»Ich hab das einfach nur so dahingesagt.«

»Und wie findest du das?«, fragte Thorson.

»Ich? Ich finde gar nichts.«

»Gibt es Frauen in deinem Leben?«

»Was hat das denn damit zu tun? Wieso fragst du mich danach?«

»Vielleicht spielt alles, was wir dich fragen, eine Rolle, aber es kann genauso gut sein, dass nichts davon eine Rolle spielt«, sagte Flóvent. »Wir wären nur dankbar, wenn du unsere Fragen beantwortest.«

»Ich habe noch nie eine Freundin gehabt«, sagte Jónatan.

»Und Hrund?«

»Was ist mit ihr?«

»Warst du in sie verliebt?«

»Nein«, sagte Jónatan. »Ich kannte sie so gut wie gar nicht.«

»Hat sie sich vielleicht mit den englischen Soldaten da oben eingelassen?«

»Woher soll ich das denn wissen?«

»Hast du ihr Gewalt angetan?«

»Nein.«

»Wollte sie dir nicht zu Willen sein?«

»Mir zu Willen sein?«

»Wir haben gestern schon über Rósmunda gesprochen«, warf Thorson ein.

»Ja.«

»Du behauptest, sie nicht gekannt zu haben.«

»Ich habe sie nicht gekannt«, sagte Jónatan.

»Und du hast nicht gewusst, wo sie arbeitete?«

»Nein.«

»Was machst du, wenn du etwas an deinen Sachen ausbessern lassen musst?«

Die Frage traf Jónatan völlig überraschend.

»Ich? Was ich … was ich mache?«

»Wenn du dir zum Bespiel ein Loch in die Hose gerissen hast. Oder wenn du Ellbogenschoner auf deine Pullover nähen lassen willst. Kannst du selber mit Nadel und Faden umgehen?«

»Warum … Weshalb fragst du danach?«, sagte er.

»Auf Nähen und Flicken verstehst du dich wohl nicht«, sagte Flóvent.

»Nein.«

»Rósmunda hat in einer Schneiderei in Reykjavík gearbeitet. Dort kann man auch Sachen flicken lassen. Die Schneiderei heißt *Sporið*.«

»Ich hab einmal meine Hose zum Flicken dorthin gebracht«, sagte Jónatan zögernd.

»Hast du sie zu dieser Schneiderei gebracht?«

»Kann sein.«

»Kann sein?«

»Ja.«

»Vielleicht hilft das hier deinem Gedächtnis auf die Sprünge.«

Flóvent legte die Quittung, die er und Thorson bei Jónatan gefunden hatten, auf den Tisch. In der Schneiderei *Sporið* war eine Hose geflickt worden. Jónatan wollte nach dem Zettel greifen, aber Thorson kam ihm zuvor und hielt ihm den Zettel vors Gesicht.

»Ja, das kann stimmen«, sagte Jónatan.

»Hast du gewusst, dass Rósmunda in dieser Schneiderei arbeitete?«

»Ich kenne keine Rósmunda. Ich weiß nicht, weshalb ihr mich hier festhaltet. Ich habe nichts getan und ich würde gerne hier herauskommen.«

»Es wäre wohl besser, wenn du dir einen Rechtsanwalt besorgst«, sagte Flóvent.

»Ich will keinen Rechtsanwalt. Ich kenne keinen

Rechtsanwalt, ich will nur nach Hause. Ich habe keine Zeit für so etwas, das müsst ihr doch verstehen. Ich habe nichts getan, glaubt mir doch endlich.«

Jónatan sprang auf.

»Ihr könnt mich nicht einfach hier festhalten«, sagte er. »Ihr habt kein Recht, mich hierzubehalten. Ich gehe jetzt.«

Flóvent und Thorson waren ebenfalls aufgestanden. Jónatan ging zur Tür, die unverschlossen war. Er öffnete sie und wollte hinaus auf den Korridor, aber Flóvent hielt ihn zurück.

»Lass mich los«, bat Jónatan.

»Du kannst leider nicht einfach gehen«, sagte Flóvent.

Einen Augenblick hatte es den Anschein, als wollte Jónatan auf ihn losgehen, aber offenbar wurde ihm schnell klar, dass er es mit einer Übermacht zu tun hatte.

»Bitte hört damit auf. Lasst mich gehen.«

»Tut mir leid, mein Lieber, aber wir müssen dich festnehmen«, sagte Flóvent. »Weil du unter dem Verdacht stehst, Rósmunda ermordet zu haben. Uns bleibt nichts anderes übrig. Am besten kooperierst du mit uns, doch vor allem solltest du dir einen Rechtsanwalt besorgen.«

Wenig später saß Flóvent in seinem Büro am Fríkirkjuvegur und starrte angestrengt auf einige Blätter, die er vom Schreibtisch in der Kellerwohnung mitgenommen hatte. Auf fünf Seiten hatte Jónatan etwas abgeschrieben, ohne sich besondere Mühe beim Schreiben zu machen, sodass das Geschriebene kaum zu entziffern war. Flóvent versuchte es trotzdem, sich durchzubuchstabieren. Er zog seine Schreibtischlampe näher heran, damit das Licht genau auf die Blätter fiel. Sie waren nicht nummeriert und er brauchte einige Zeit, um die Reihenfolge festzustellen. Den besonderen Sprachstil kannte er aus Sammlungen alter Gerichtsurteile, damit hatte er sich schon einige Male befassen müssen. Es dauerte nicht lange, bis ihm klar wurde, dass jemand auf diesen Blättern den Verlauf eines Prozesses aus dem vorausgegangenen Jahrhundert abgeschrieben hatte. Ein Prozess wegen einer Vergewaltigung. Je mehr Flóvent entziffern konnte und je weiter er las, desto mehr kam er zu der Überzeugung, dass er den richtigen Mann verhaftet hatte.

Sechsunddreißig

Konráð schob eine Schublade zurück in den Akten-
schrank und öffnete die nächste. Er hatte die Hoffnung
noch nicht ganz aufgegeben, doch noch polizeiliche
Unterlagen über den Mord an Rósmunda zu finden.
Eine Aussage, oder zumindest ein Teil davon, befand
sich in einer ansonsten leeren Mappe. Sie stammte von
der Zeugin Ingiborg, die am Nationaltheater auf die
Leiche gestoßen war. Diese Mappe war nur mit einer
Zahl und nichts anderem gekennzeichnet und fand
sich unter anderen Akten aus dem Jahr 1944. Er hatte
alles durchforstet, was in diesem Jahr archiviert worden war, aber das hatte wenig gebracht. Er hatte vor,
auch die Jahre davor und danach durchzugehen, falls
etwas falsch eingeordnet worden war, denn er war fest
davon überzeugt, dass es Unterlagen über ein so
schweres Verbrechen geben musste, es galt nur, sie zu
finden.

Er grübelte darüber, was Petra ihm gesagt hatte, die
Tochter der Schneidermeisterin, bei der Rósmunda
beschäftigt gewesen war. Der alte Thorson war völlig
perplex gewesen, als er erfuhr, dass Rósmunda sich
vor einem bestimmten Haus in Reykjavík gefürchtet
hatte. Von ihrer Mutter wusste Petra, dass es das gut-
bürgerliche Haus eines Parlamentsabgeordneten ge-

wesen war, dessen Bewohner eine gewisse Rolle im öffentlichen Leben spielten und deswegen zu den bevorzugten Kunden der Schneiderei gehörten. Petra hatte die Oddfellows und die Freimaurer erwähnt, als Konráð sich verabschiedete. Thorson hatte die Namen dieser Leute erfahren, und es war gut denkbar, dass er sich jetzt, Jahrzehnte später, mit der Familie in Verbindung gesetzt hatte.

»Ich bin froh, dass du gekommen bist«, hatte Petra gesagt, als Konráð sich nach dem Gespräch von ihr verabschiedete. »Ich hoffe, ich habe dir etwas weiterhelfen können. Meine Mutter machte sich Gedanken bis zu ihrem Tod. Ihr Gewissen hat sie geplagt, weil sie nicht alles gesagt hat, was sie wusste.«

»Deswegen hätte sie sich doch nicht große Gedanken zu machen brauchen«, sagte Konráð aus Höflichkeit.

»Mama hatte aber das Gefühl, großen Schaden angerichtet zu haben«, beharrte Petra. »Und sie glaubte auch, es sei viel zu spät, um es wiedergutzumachen. Es war ihr trotzdem sehr wichtig, sich das Gewissen zu erleichtern. Glaubst du, dass dieser Stefán þórðarson oder Thorson, wie du ihn nennst, umgebracht wurde?«

»Nein, wohl kaum«, sagte Konráð, um sie zu beruhigen.

»Oder vielleicht hat ein anderer darunter gelitten? Mama war sich ziemlich sicher, dass damals niemand verhaftet worden ist und nie ein Urteil gesprochen wurde.«

»Ja, der Meinung bin ich auch.«

»Vielleicht hätte sie von Anfang an die ganze Wahrheit sagen sollen.«

»Sie wollte wahrscheinlich keine haltlosen Gerüchte in die Welt setzen, wie du schon gesagt hast. Es war wohl eine sehr schwierige Entscheidung für sie.«

»Glaubst du, dass du noch herausfinden kannst, was damals geschehen ist?«

»Ich weiß es nicht. Vielleicht ist zu viel Zeit verstrichen.«

Konráð nahm eine Archivmappe nach der anderen zur Hand und blätterte in der Hoffnung darin, auf Rósmundas oder Thorsons Namen zu stoßen, oder auf den eines Studenten, der ebenfalls mit dem Fall zu tun gehabt hatte. Hier und da entdeckte er Flóvents Namen, der zusammen mit Thorson an dem Fall gearbeitet hatte, doch nie im Zusammenhang mit dem Mord an Rósmunda. Flóvent hatte im Zusammenhang mit vielen alltäglichen Delikten ermittelt: Einbruch, Schmuggel, Autodiebstahl und Körperverletzung, und auch bei einigen schwereren Verbrechen. Ab einem gewissen Zeitpunkt tauchte er aber nicht mehr in den Polizeiakten der Nachkriegszeit auf.

Beim Blättern in den alten Dokumenten aus der Besatzungszeit musste Konráð unwillkürlich an die sogenannten »Zustandsjahre« denken. Er hatte erst kürzlich einen Artikel in der Zeitung gelesen, in dem davon die Rede war, in was für einem üblen Ruf die Frauen, die sich mit Soldaten eingelassen hatten, noch lange danach standen. Die Einstellung ihnen gegenüber hatte sich erst durch den Einfluss der feministischen Bewegung geändert. Es hieß, dass die Frauen im Krieg von den jahrhundertealten patriarchalischen Regeln der Bauerngesellschaft befreit worden waren. Sie wurden selbständiger als je zuvor, und genau das hatte diese ablehnende Einstellung zur Folge gehabt. Eine Frau, die Wäsche für das Militär wusch, war selbständige Unternehmerin und verdiente das Vielfache eines Dienstmädchens. Sie unterstand keinem eigenmächtigen Hausherrn mehr und brauchte sich nicht mit einem Ehemann aus einer Torfhütte zufriedenzugeben, sondern hatte plötzlich die Möglichkeit, am Arm eines Mannes aus einer anderen Welt zu weit entfernten Orten zu reisen. Abenteuerlust kam auf. Die Soldaten waren zudem meist viel attraktiver und höflicher als die isländischen Männer.

Konráð musste insgeheim lächeln, wenn er an die isländischen Bauerntölpel dachte. Er ging noch ein Stück weiter zurück in der Zeit bei seiner Suche nach der jungen Frau, die vielleicht für die neugewonnene Freiheit mit ihrem Leben gebüßt hatte. Zwischen den Akten aus dem Jahr 1941 fand er zwei lose Blätter, handgeschrieben, aber sie trugen weder Datum noch Unterschrift. Sie schienen irgendwie verlorengegangen zu sein, vielleicht bei einem Umzug oder beim Ordnen des Archivs, oder man hatte ganz einfach vergessen, sie wegzuwerfen. Die schöne Schrift war gut leserlich, und Konráð gewann den Eindruck, dass es um die Vernehmung eines Mannes ging, dessen Namen nicht genannt wurde. Es war keine polizeiliche Niederschrift im eigentlichen Sinne, sondern eher die Notizen eines Polizisten. Aus ihnen ging hervor, dass ein Mann zum Verhör aus seiner Wohnung ins Gefängnis am Skólavörðustígur gebracht und trotz seines vehementen Protests dort einquartiert worden war. Bei den Vernehmungen stellte sich heraus, dass er das Mädchen im Nordosten Islands gekannt hatte, und in den Notizen stand auch, dass er Kunde in der Schneiderei Sporið gewesen war, wo Rósmunda gearbeitet hatte. Den Eintragungen zufolge studierte der Mann Nordistik an der Universität und hatte ein spezielles Interesse an isländischen Volkssagen. Er arbeitete an einem umfangreichen Referat über dieses Thema. Auf der letzten Seite der Notizen fanden sich einige Worte, die mit einem anderen Stift geschrieben worden waren und im Widerspruch zu der nüchternen Schilderung des Sachverhalts standen – sie schienen später als eine Art persönliche Stellungnahme hinzugefügt worden zu sein: *Was für ein grauenvolles Ende.*

Sonst war den Blättern nichts Wichtiges zu entnehmen. Konráð ließ sich noch einmal die zwei maschinegeschriebenen und von Flóvent unterzeichneten Protokolle vorlegen. Der Handschrift nach zu urteilen stammte die Unterschrift von derselben Person. Er suchte weiter in den Aktenschränken, er öffnete Schubladen und schob sie wieder zu und blätterte in vielen Dokumenten, doch seine Mühe machte sich nicht bezahlt. Er hatte keine Ahnung, wieso in diesen kärglichen Unterlagen ein Mädchen aus dem Norden des Landes erwähnt wurde. Klar war aber, dass dieser Mann unter Verdacht gestanden hatte, Rósmunda ermordet zu haben. Trotzdem war der Fall aber nicht abgeschlossen worden, es hatte nie eine Gerichtsverhandlung gegeben, niemand wurde schuldig gesprochen. Es hatte ganz den Anschein, als sei die Ermittlung zu irgendeinem Zeitpunkt eingestellt worden. Gab es eine Verbindung zwischen diesem jungen Mann und der großbürgerlichen Familie des Parlamentsabgeordneten, die Petra erwähnt hatte?

War der Fall auf politischen Druck hin ad acta gelegt worden?

Ein Student der Nordistik.

Ein Student.

War das der Student, den Thorson Petra gegenüber erwähnt hatte?

Zwei Stunden später beendete Konráð seine Suche im Polizeiarchiv, denn es stand so gut wie fest, dass auch weitere Nachforschungen keine Ergebnisse bringen würden. Er verabredete sich mit seiner früheren Kollegin Marta und erfuhr von ihr, dass sich im Mordfall Thorson nichts Neues ergeben hatte. Auf ihrem Schreibtisch stapelten sich die Videos aus den Sicherheitskameras, die sich im weiteren Umkreis von Thorsons Wohnung befanden. Sie waren nach den Positionen der Überwachungskameras markiert: Supermarkt, Bank und der Namen von schulischen Einrichtungen in der Nähe.

»Wir fangen gerade erst damit an, das Material zu sichten«, sagte Marta, indem sie auf den Stapel deutete. Dann stand sie auf und zog sich den Mantel an. »Falls wir da den einen oder anderen guten Bekannten von uns entdecken sollten. Im Übrigen wissen wir eigentlich gar nicht genau, wonach wir suchen.«

»Also dann viel Vergnügen«, sagte Konráð.

»Hast du irgendetwas für uns?«

»Nichts Konkretes.«

»Uns kommt es fast schon so vor, als hätte der Alte es selber getan«, sagte Marta.

»Sich selber erstickt? Ist das überhaupt möglich?«

»Der Mann war alt und müde«, sagte Marta. Sie hatte es eilig, denn sie war schon viel zu spät dran zu einer Besprechung und konnte kaum Zeit für Konráð erübrigen. »Wir befinden uns praktisch immer noch am Punkt null. Wir können niemanden finden, der einen Grund gehabt haben könnte, Stefán þórðarson aus dem Weg zu räumen. Bei ihm ist nicht eingebrochen worden, nichts wurde geklaut. Es gibt überhaupt kein Motiv. Er hat keine Verwandten hierzulande, und er besaß keinen Freundeskreis, soweit wir wissen. Für ihn gab es nur noch die Aussicht, irgendwann im Altersheim zu landen oder in einem Heim für Pflegefälle. Verstehst du, was ich meine?«

»Nein«, entgegnete Konráð. »Genau daran hat dieser Mann nicht gedacht. Er hat sich noch einmal mit dem alten Kriminalfall der jungen Frau befasst, die tot beim Nationaltheater aufgefunden wurde. Er war seinerzeit an der Ermittlung beteiligt, weil er bei der amerikanischen Militärpolizei war. Ich glaube, er ist in der Ermittlung ein Stück weitergekommen, und genau das ist der Grund dafür, weshalb sein Leben auf diese Weise endete. Du kannst es auch gerne als sein Motiv bezeichnen.«

»In Ordnung. Kannst du uns einen Bericht darüber zukommen lassen?«, fragte Marta. »Den sehen wir uns dann an.«

Das Telefon auf ihrem Schreibtisch klingelte, und sie nahm den Hörer ab. Im gleichen Augenblick meldete sich auch ihr Mobiltelefon.

»Ich schreibe keine Berichte mehr für die Polizei«, sagte Konráð im Gehen und verabschiedete sich abrupt. »Du weißt, wo du mich erreichen kannst.«

Er wollte herausfinden, ob der alten Vigga nicht doch noch ein paar mehr Informationen zu entlocken waren, und machte sich ein weiteres Mal auf den Weg zu ihrem Pflegeheim. Auf den Korridoren herrschte rege Betriebsamkeit, die Patienten gingen auf und ab, viele von ihnen mit Gehhilfen, und zwischen ihnen eilten die Angestellten mit Tabletts und Schüsseln hin und her, sie hatten es eilig. Aus Lautsprechern an der Decke wurden sie mit dem ersten Programm des isländischen Rundfunks beschallt.

Vigga lag in ihrem Bett und verschlief das rege Treiben. Konráð setzte sich auf einen Stuhl neben dem Bett. Von einem Pfleger hatte er in Erfahrung gebracht, dass die alte Frau nie Besuch erhielt und dass es deswegen einiges Aufsehen erregt hatte, als dieser Greis sie neulich besucht hatte. Und Konráð kam jetzt schon zum zweiten Mal.

Ungefähr zwanzig Minuten saß Konráð neben ihr und blätterte in einem entsetzlich langweiligen Lifestyle-Magazin. Auf einmal hörte er, dass die alte Frau sich rührte. Er legte die Zeitschrift weg. Vigga öffnete die Augen und sah ihn an.

»Vigga?«, sagte Konráð.

»Wer bist du?«, fragte Vigga mit schwacher Stimme.

»Ich heiße Konráð, ich war schon vor ein paar Tagen einmal bei dir.«

»Ach ja?«

»Erinnerst du dich daran?«

Vigga bewegte verneinend den Kopf.

»Wer bist du?«, fragte sie wieder.

»Ich heiße Konráð. Du kannst dich selbstverständlich nicht an mich erinnern, aber früher habe ich im

gleichen Viertel gewohnt wie du. Später bin ich wegge-
zogen.«

Vigga war nicht anzumerken, dass sie sich an ihn
erinnerte, weder von früher noch von seinem letzten
Besuch.

»Ich bin vor ein paar Tagen zu dir gekommen,
um dich nach einem Mann zu fragen, der dich besucht
hat. Er hieß Stefán. Während des Krieges arbeitete er
hier bei der Militärpolizei, und damals hieß er Thorson. Kannst du dich an seinen Besuch erinnern? Erinnerst du dich daran, dass du mit ihm gesprochen
hast?«

»Kenne ich Sie?«, fragte Vigga. Plötzlich siezte sie
Konráð.

»Nein, bestimmt nicht, ist viel zu lange her. Dieser
Thorson wollte nur wissen, ob du ihm bei einem Fall
helfen könntest, in dem er selber während des Krieges
ermittelte. Es ging um eine junge Frau, die tot hinter
dem Nationaltheater aufgefunden wurde. Als ich das
letzte Mal da war, hast du eine andere junge ...«

»Haben Sie etwas mit dieser Anstalt zu tun?«

»Nein, ganz und gar nicht«, erklärte Konráð wahrheitsgemäß. »Ich weiß nicht, was du diesem Thorson
gesagt hast. Mir gegenüber hast du gesagt, dass noch
ein anderes Mädchen im Spiel war. Eine junge Frau, die
plötzlich spurlos verschwand. Sie wurde nie gefunden.
Du hast auch verborgene Wesen erwähnt.«

»Die haben sie überfallen«, erklärte Vigga und richtete sich mühsam ein wenig in den Kissen auf.

»Wen denn?«

»Das Mädchen im Norden. Sie hieß Hrund. Sie
wurde nie gefunden. Sie hat sich in den Wasserfall ge-

stürzt. Ihr Vater, war der … war der nicht ein Medium?«

»Nein«, sagte Konráð. Die Frage traf ihn völlig unvorbereitet.

»Doch, das war er! Und er war ein Betrüger!«

»Nein, er …«

»Ein Betrüger!«

»Das war er nicht, er war im parapsychologischen …«

»Ein Lump!«, fauchte Vigga und fiel zurück auf ihr Kissen. »Er war ein verdammt mieser Lump!«

»Vigga?«

Sie antwortete ihm nicht und schloss die Augen.

»Vigga?!«

Eine Dreiviertelstunde später stand Konráð auf und verließ das Zimmer. Es gab keine Veränderung bei Vigga, sie war wieder fest eingeschlafen. Konráð war in ihrem Zimmer geblieben und hatte darauf gewartet, dass sie aufwachte, um sie weiter nach dem Mädchen Hrund zu befragen. Was Vigga bislang von sich gegeben hatte, war ihm ein komplettes Rätsel. Angeblich waren verborgene Wesen über diese Hrund hergefallen, und sie hatte sich deswegen in den Wasserfall gestürzt. Vielleicht hatte sie die gleiche junge Frau gemeint wie bei seinem letzten Besuch. Das Mädchen, das verschwunden und nie gefunden worden war.

Er saß bereits wieder in seinem Auto und wollte den Motor anlassen, als ihm plötzlich die handgeschriebenen Blätter aus dem Polizeiarchiv einfielen, deren Handschrift große Ähnlichkeit mit Flóvents Unterschrift aufwies. Auf den Blättern hatte gestan-

den, dass ein Mann verhört worden war, der »das Mädchen aus dem Norden« gekannt hatte.

Handelte es sich bei dem »armen Mädchen aus dem
Norden« tatsächlich um dieser Hrund?

Er erinnerte sich an das, was sein Vater ihm von
der Séance mit Rósmundas Pflegeeltern erzählt hatte;
es war in Vergessenheit geraten, dass das Medium
von der Nähe eines anderen Mädchens gesprochen
hatte, dem ein kaum weniger schlimmes Schicksal widerfahren war. Konráð, der eigentlich alles andere als
ein leichtgläubiger Mensch war, begann sich zu fragen,
ob damit dasselbe Mädchen gemeint war, das Hrund
hieß.

Siebenunddreißig

Die Frau war nur wenig jünger als Konráð und hatte fast ihr ganzes Leben als Sekretärin gearbeitet, zuletzt bei der staatlichen Krankenversicherung. Sie hieß Eygló und war die Tochter des Mannes, der sich bei der spiritistischen Sitzung, in der es um Rósmunda gegangen war, als Medium ausgegeben und angeblich irgendwelche Kontakte hergestellt hatte. Eygló schlug Konráð vor, sich in einem Café in der Innenstadt zu treffen. Ihre beiden Väter hatten sich gut gekannt und es verstanden, andere Menschen zu täuschen. Konráð hatte nie zuvor mit ihr gesprochen, er wusste gar nicht, wie sie aussah. Er wusste nur, dass Eygló ein Einzelkind war.

Konráð hatte im Internet einen Nachruf auf Eyglós Vater gefunden und war so auf ihren Namen gestoßen. Als er mit Eygló telefonierte, sagte sie ihm, ihr Vater habe nicht gerne über die Zeit gesprochen, während er sich als Medium ausgegeben und Nachrichten aus dem Jenseits übermittelt hatte. Sie kannte aber die Geschichte von Rósmunda und hatte auch schon des Öfteren gegrübelt, was aus diesem Fall wohl geworden war. Konráð konnte ihr sagen, dass die Ermittlung anscheinend zu irgendeinem Zeitpunkt eingestellt und nie zu Ende geführt worden sei.

»Du bist also sein Sohn«, war das Erste, was sie sagte, nachdem sie einander in dem Café begrüßt hatten. Sie hielt seine Hand fest in ihrer, noch als er den Griff schon lockern wollte. Sie musterte ihn eingehend, bevor sie plötzlich seine Hand wieder freigab. »Ich muss zugeben, dass ich nach dem Telefongespräch neugierig geworden bin.«

»Neugierig?«, fragte Konráð, als sie sich setzten.

»Es fehlte nicht viel, und dein Vater hätte meinen Vater zugrunde gerichtet«, sagte Eygló. »Ich wollte unbedingt wissen, wie du aussiehst.«

»Ich hoffe, mein Anblick enttäuscht dich nicht«, sagte Konráð.

»Das wird sich zeigen. Ein schlechter Charakter vererbt sich oft.«

»Ein schlechter Charakter? Was meinst du damit?«

»Mein Vater hat nie schlecht über jemanden geredet, aber über deinen Vater hat er gesagt, dass er einen schlechten Charakter hatte. Bist du bei ihm aufgewachsen?«

»Ich sehe nicht, was … Ich weiß nicht, was für eine Rolle das spielt.«

»Du willst mich doch ausfragen, wieso darf ich nicht das Gleiche bei dir tun?«

»Es geht aber nicht um mich.«

»Bist du sicher?«

»Ja.«

»Und warum sitzen wir dann hier? Hat es etwa nichts mit deinem Vater zu tun und mit den spiritistischen Sitzungen? Hast du mich nicht deswegen angerufen?«

Eygló, eine zierliche, dunkelhaarige kleine Frau,

fast völlig in schwarz gekleidet, blickte Konráð an und wartete auf eine Antwort. Sie wirkte jung für ihr Alter, und unter einer hohen Stirn lagen helle, forschende Augen. Ihre Bewegungen waren rasch, ebenso ihre Gedanken, und sie kam ohne Umschweife zur Sache. Sie hatte Konráð bereits am Telefon gesagt, dass sie genau wie ihr Vater eine Zeit lang als Medium gearbeitet hatte. Konráð überlegte im Stillen, ob sie glaubte, ihre Fähigkeiten von ihrem Vater geerbt zu haben, aber er zögerte, sich auf dieses Terrain zu begeben. Sie hatte erklärt, sie gebe sich nicht als Seherin aus und würde ihre Fähigkeit geheim halten.

»Ich habe wegen Rósmunda angerufen«, sagte Konráð. »Ich hätte gern gewusst, ob dein Vater irgendetwas über sie erzählt hat. Ob er sich über sie und ihr Schicksal informiert hat, bevor die Séance begann. Ob er etwas mehr über ihren Fall gewusst hat.«

»War es nicht die Aufgabe deines Vaters, sich derartige Informationen zu verschaffen?«

»Oh ja«, sagte Konráð. »Er hat mir von der Zusammenarbeit mit deinem Vater erzählt, und auch von der Séance, in der es um Rósmunda ging. Er hat mir aber nicht genau gesagt, was dort geschah. Deswegen kam ich auf die Idee, ob dein Vater dir vielleicht etwas ...«

»Du glaubst nicht an diese Dinge, nicht wahr? An Sehende, an spiritistische Sitzungen«, sagte Eygló.

»Nein«, entgegnete Konráð.

»Du glaubst nicht an ein Jenseits?«

»Nein.«

»Und bist dir ganz sicher?«

Konráð musste lächeln.

»Ja.«

»Aber an irgendwas musst du doch glauben, sonst hättest du mich nicht hierher bestellt. Bist du sicher, dass du nicht weiter sehen kannst, als du glaubst?«

»Hat dein Vater irgendwann einmal über Rósmunda gesprochen?«, fragte Konráð, um das Gespräch in die richtigen Bahnen zu lenken.

»Nein, daran kann ich mich nicht erinnern. Er hat mir aber von der Séance erzählt, auf die du anspielst. Und er hat gesagt, dass dein Vater ihn dazu gezwungen hat, mit ihm zu arbeiten. Hast du das gewusst?«

»Nein«, sagte Konráð.

»Irgendetwas hatte dein Vater gegen meinen in der Hand, aber ich weiß nicht, was. Und deshalb hat er ihn in diesen Schwindel hineingezogen. Mein Vater war ein Sehender, aber das hat deinem Vater nicht gereicht. Für ihn musste mehr dabei herauskommen, weil die Leute dann mehr bezahlen würden. Kennengelernt haben sie sich im parapsychologischen Verein. Ich weiß, dass mein Vater ziemlich labil war. Er strebte so sehr nach Anerkennung. Und außerdem hatte er Alkoholprobleme, er war ein Quartalssäufer, ließ sich manchmal wochenlang nicht zu Hause blicken und wusste danach überhaupt nicht mehr, wo er sich über Tage und Wochen herumgetrieben hatte. Aber in seinem Innersten war er ein guter Mensch. Er wollte den Menschen nichts Böses. Und als Medium hatte er einige Fähigkeiten. Eine Feinfühligkeit, die andere nicht besitzen, und Verständnis für die Fragen von Menschen, die nach Antworten suchen.«

»Weißt du, weshalb auf dieser Sitzung wegen Rósmunda auch noch von einem anderen Mädchen die Rede war?«, fragte Konráð. »Weißt du, was dahintersteckte? Mein Vater hatte ihm nichts über ein anderes Mädchen zustecken können. Aber angeblich war sie auf dieser Séance ganz in der Nähe von Rósmunda, und sie war von großer Kälte umgeben. Hat dein Vater später vielleicht einmal darüber gesprochen? Hat er mehr darüber gewusst?«

»Er wusste, was er spürte«, sagte Eygló, »aber daran glaubst du ja nicht. Du denkst, dass alles, was sich dort zugetragen hat, Schwindel war. Insofern weiß ich eigentlich nicht, wieso du mich danach fragst.«

»Ich möchte das nicht bewerten«, entgegnete Konráð. »Das Seltsame ist nur, dass möglicherweise ein anderes Mädchen mit dem Fall von Rósmunda zu tun hat. Ein Mädchen, das nie gefunden wurde. Ich hätte nur gern gewusst, ob dein Vater etwas über sie wusste.«

Eygló sah ihn an.

»Ich wusste nicht, dass es eine Verbindung zwischen ihr und Rósmunda gab«, sagte sie. »Worum ging es dabei?«

»Das versuche ich gerade herauszufinden«, sagte Konráð. »Ich habe überlegt, ob dein Vater vielleicht irgendwelche Vorgaben hatte, so ähnlich wie mit den Handschuhen und dem Unglück auf See.«

»Vorgaben? Ich weiß, dass mein Vater seherische Fähigkeiten hatte, und falls er die Nähe eines anderen Mädchens gespürt hat, nachdem der Kontakt mit Rósmunda zustande gekommen war, dann war es nicht gelogen. Er war nicht von Natur aus ein Lügner wie ...«

»Wie mein Vater?«

»Ja.«

»Also hat er tatsächlich eine Nähe gespürt, wie du sagst? Wer war das Mädchen? Hat er irgendwann einmal mit dir darüber gesprochen? Ihr Name könnte Hrund gewesen sein.«

»Er kannte keinen Namen«, sagte Eygló, »aber sie hat ihn bei dieser Séance sehr stark bedrängt. Er hat nicht gewusst, wer sie war oder was ihr zugestoßen ist. Er wusste nur, dass es ihr schlecht ging, und ihr war kalt. Mein Vater hat diese Kälte erwähnt, von der du auch gesprochen hast. Er spürte die Kälte.«

»Mehr wusste er nicht?«

»Nein.«

»Auch nicht, wie sie zu Tode gekommen ist?«

»Nein.«

»Kennst du einen Mann namens Stefán þórðarson oder Thorson, wie er sich in früheren Zeiten nannte?«

»Thorson? Nein.«

»Er hat sich nicht mit dir in Verbindung gesetzt?«

»Nein.«

»Dein Vater ist schon lange tot.«

»Ja«, sagte Eygló. »Er ... Es war Selbstmord. Er hatte sich lange Zeit ganz furchtbar elend gefühlt. Er hatte keinen Frieden in der Seele, so hat sich meine Mutter ausgedrückt. Es war kurz nachdem er gehört hatte, wie es deinem Vater ergangen ist.«

»Meinem Vater?«

»Wurde er nicht in der Toreinfahrt zum Schlacht-verband erstochen?«

»Doch, ja. Aber was hatte das mit deinem Vater zu tun?«

»Meine Mutter sagte mir, dass diese Nachricht ihm sehr nahegegangen ist. Und es vergingen nur ein paar Monate zwischen dem, was mit deinem Vater ge-schah, und seinem eigenen Tod.«

»Sie hatten damals aber keinen Kontakt mehr zueinander, oder?«

»Soweit ich weiß nicht, aber ich weiß wirklich nicht alles. Und meinen Vater habe ich eigentlich nicht sehr gut gekannt, ich war damals zu jung. Meine Mutter hat mir später erzählt, dass es ihn tief getroffen hat, als er vom Tod deines Vaters erfuhr. Sie glaubte, es hätte damit zu tun gehabt, dass die beiden früher einmal gute Bekannte gewesen waren und zusammengearbeitet hatten, aber ...«

»Aber was?«

»Vielleicht steckte mehr dahinter.«

»Mehr? Was sollte das sein?«

»Ich weiß es nicht«, erklärte Eygló. »Ich weiß leider fast nichts darüber. Ich weiß nur, dass es meinem Vater nicht gut ging, vielleicht kannst du dir das vorstellen. Niemand macht so etwas, wenn er bei Verstand ist.«

Sie blieb eine Weile schweigend sitzen, Konráð hatte traurige Erinnerungen in ihr geweckt. Plötzlich stand sie auf, um zu gehen. Sie schien es auf einmal eilig zu haben.

»Tut mir leid, dass ich dir nicht weiterhelfen konnte.«

»Ich danke dir, dass du gekommen bist«, sagte Konráð. Er stand ebenfalls auf und ergriff ihre Hand. Diesmal war es nur ein kurzes Händeschütteln. Eygló vermied es, ihm in die Augen zu sehen.

»Ich hoffe, dir sind dadurch keine Unannehmlichkeiten entstanden«, sagte er. »Das wollte ich ganz gewiss nicht.«

»Nein, er ... Nein, bestimmt nicht«, sagte Eygló.

Er sah, dass sie während des Gesprächs seinen verkümmerten Arm bemerkt hatte, und sie bemühte sich, ihn nicht anzustarren. »Ich muss noch einiges erledigen«, sagte sie und verließ das Café.

Konráð setzte sich wieder, strich sich über den Arm und ließ sich ihre Worte durch den Kopf gehen, vor allem das, was sie über seinen Vater gesagt hatte. Überrascht hatte es ihn nicht. Er hatte schon früher Ähnliches gehört und wusste aus eigener Erfahrung nur zu gut, wie rücksichtslos und gewaltbereit sein Vater sein konnte. Nicht zuletzt in der Ehe mit Konráðs Mutter. Sie hatte viele Versuche unternommen, ihren Mann zur Vernunft zu bringen, damit ihr Sohn nach der Trennung bei ihr bleiben konnte, aber ohne Erfolg. Immer wenn sie aus den Ostfjorden nach Reykjavík kam, hatte sie Konráð besucht und mit ihm geredet. Einmal hatte der Vater sie nicht in die Wohnung gelassen, sie musste an der Tür zur Kellerwohnung stehen bleiben. Sie hatte geweint und ihren Mann unter Tränen gebeten, sie nicht von ihrem Sohn zu trennen. Und genau bei dieser Szene befand Konráðs Vater, dass es reichte.

»Darf ich mich nicht wenigstens von ihm verabschieden«, sagte seine Mutter und spähte in den Flur hinein.

»Schnauze«, hatte sein Vater gesagt und ihr die Tür vor der Nase zugeschlagen.

Achtunddreißig

Übers Internet fand Konráð heraus, wann der Parlamentsabgeordnete und seine Frau gestorben waren. Sie hatten Kinder und Kindeskinder hinterlassen. Als Petra ihm von diesen Leuten erzählte, glaubte er zu wissen, um wen es sich handelte. Im Internet fand er die Bestätigung, dass einer der Söhne eine Zeitlang ein führender Politiker und sogar Minister und recht einflussreich gewesen war. Der Parlamentsabgeordnete und seine Frau hatten vier Söhne und eine Tochter. Zwei von den Söhnen waren noch am Leben, die anderen Geschwister waren gestorben. Konráð beschaffte sich die Nachrufe auf den Sohn, der mit sechzig zuhause bei sich eines plötzlichen Todes gestorben war. In einem der Nachrufe wurde eine Herzschwäche erwähnt. Der andere Bruder und die Schwester waren in angemessenem Alter gestorben, wenn man den Nachrufen Glauben schenken durfte. Ihre Kinder hatten sich über ganz Island verteilt, und Nachkommen gab es sogar in Großbritannien und Australien.

Konráð beschloss, zuerst den jüngeren noch lebenden Bruder aufzusuchen. Er wohnte in einem Seniorenheim in Borgarnes. Konráð war ganz froh, aus der Stadt herauszukommen. Einen Tag nach seinem Besuch bei Vigga setzte er sich in sein Auto und fuhr nach Borgarnes. Er brauchte fast zwei Stunden dazu, denn er ließ den Tunnel unter dem Hvalfjörður links liegen und bog stattdessen auf die Straße ein, die um den langen Fjord herumführte. Er wollte die Fahrt genießen. Das Wetter war schön, und kaum jemand fuhr noch diesen Umweg, nachdem der Tunnel eröffnet worden war. Im Inneren des Fjordes herrschte Windstille, und die See war spiegelglatt. Konráð hielt bei den alten Wellblechbaracken an, die oberhalb der gespenstisch leeren Raststätte Þyrill standen.

Die Nissenhütten, die dort seit dem Krieg standen, hatten rot gestrichene Wellblechdächer und wurden gut instand gehalten. Konráð erinnerte sich daran, dass er erst kürzlich in einer Zeitung gelesen hatte, dass die Mitarbeiter der Walfangstation einige von ihnen als Ferienwohnungen nutzten. Als er weiterfuhr, versuchte er sich vorzustellen, wie es dort in den Kriegsjahren ausgesehen hatte. Damals hatten dort noch viel mehr Baracken gestanden, und schwer bewaffnete Kriegsschiffe überwachten die Fjordmündung. Zu Kriegszeiten hatte hier reges Leben und Treiben geherrscht. Jetzt lag tiefes Schweigen über dem Fjord, das nur manchmal vom Geräusch eines Autos durchbrochen wurde. Über der alten Walstation schwebte eine einsame Möwe im Wind, so als würde sie nach vergangenen Zeiten des Aufschwungs Ausschau halten.

Konráð traf kurz nach Mittag in Borgarnes ein und brauchte nicht viel Zeit, um das Seniorenheim zu finden. Er fuhr den Hang zum Parkplatz vor der Anlage hinunter und stellte seinen Wagen ab. Der Name des Mannes stand auf einer Klingel der Gegensprechanlage im Eingang. Konráð hatte sich nicht vorher angemeldet und wusste deshalb nicht, ob der Betreffende überhaupt zu Hause war, als er auf die Klingel drückte. Er wartete eine ganze Weile, bevor er ein weiteres Mal läutete, aber in der Gegensprechanlage meldete sich niemand. Er versuchte es mit der Klingel von einer Wohnung, die seiner Schätzung nach direkt daneben liegen musste, und eine Frau antwortete. Sie sagte, sie habe ihren Nachbarn heute noch nicht gesehen. Aber um diese Tageszeit ginge er manchmal ins Schwimmbad.

Konráð bedankte sich für die Auskunft, setzte sich wieder ins Auto und fuhr zum Schwimmbad. Er hatte das Städtchen Borgarnes schon immer gemocht, der Ort lag wunderschön an einer Meeresbucht. Die Menschen dort waren freundlich, und außerdem spielte diese Gegend in den alten Sagas eine große Rolle. Nur eines ging ihm auf die Nerven, nämlich der nicht endenwollende Strom von Reisenden, sowohl ausländischen als auch isländischen, Reisenden, die an den Kassen der Geschäfte und Kioske Schlange standen. Borgarnes war seit jeher ein beliebter Zwischenstopp für alle, die in den Westen oder Norden des Landes wollten.

Er sah niemanden beim Schwimmbad, der in dem Alter war wie der Mann, den er treffen wollte, und fuhr langsam wieder auf die Hauptstraße zurück. Da entdeckte er einen älteren Herrn aus dem Einkaufszentrum kommen, der eine Einkaufstüte aus dem Alkoholladen in der einen und eine Sporttasche in der anderen Hand hielt. Er wollte ihm schon folgen, doch der Mann stieg in ein Auto ein. Eine Frau saß am

Steuer, und der Wagen bog auf die Straße ein, die aus dem Ort führte.

Er fuhr wieder zum Seniorenheim und drückte auf die Klingel am Hauseingang. Es dauerte nicht lange, bis er ein Rauschen in der Leitung hörte.

»Ja, bitte?«, sagte jemand.

»Spreche ich mit Magnús?«

»Ja.«

»Mein Name ist Konráð, und ich würde mich gerne kurz mit dir unterhalten. Es geht um deine Eltern.«

»Wie bitte?«

Gleich darauf öffnete sich die Tür zu den Aufzügen mit einem summenden Geräusch. Magnús erwartete Konráð vor der Tür seiner Wohnung im dritten Stock. Sie gaben sich die Hand, und Konráð folgte Magnús in die Wohnung. Er sei gerade vom Schwimmen zurückgekommen, sagte Magnús, und Konráð tat so, als würde er zum ersten Mal davon hören.

»Woher weißt du von meinen Eltern?«, fragte Magnús, als sie im Wohnzimmer waren. »Bist du vielleicht einer von denen, die sich mit Ahnenforschung beschäftigen?«

Das Appartement war klein, es bestand aus dem Wohnzimmer mit Kochecke und einem kleinen Schlafzimmer. Aus dem Fenster blickte man auf die Meeresbucht und das Hafnarfjall-Massiv. Magnús war von mittlerer Größe, hatte ein rundes Gesicht und kein einziges Haar mehr auf dem Kopf. Trotz seines Alters wirkte er sehr fit, er bewegte sich rasch und hielt sich kerzengerade. Regelmäßiges Schwimmen scheint seine Wirkung zu tun, dachte Konráð.

»Nein«, sagte er, »ich interessiere mich nicht für Genealogie oder Ahnenforschung. Ich habe aber großes Interesse an alten Kriminalfällen und …«

»Kriminalfällen?«, unterbrach Magnús ihn.

»Ja, und einer von den Fällen, mit denen ich seit einiger Zeit zu tun habe, geht in die Zeit des Zweiten Weltkriegs zurück«, sagte Konráð.

»Wirklich? Und deswegen kommst du zu mir?«

»Ja.«

»Worum geht es denn?«

»Die Angestellte einer Schneiderei wurde damals tot hinter dem Nationaltheater aufgefunden. Sie hieß Rósmunda. Ich denke, viele ältere Menschen erinnern sich an diesen Fall.«

»Ja, ich erinnere mich dunkel«, sagte Magnús nachdenklich.

»Darf ich dich fragen, ob du kürzlich Besuch von einem anderen Mann aus Reykjavík bekommen hast, der Stefán Þórðarson hieß?«

»Stefán Þórðarson? Nein.«

»Früher hat er sich Thorson genannt. Er stammte aus einem der isländischen Siedlungsgebiete in Kanada.«

»Nein, den kenne ich nicht.«

»Er ist nicht nach Borgarnes gekommen, um mit dir über diesen Fall zu sprechen?«

»Nein. Ich kenne keinen Stefán Þórðarson oder Thorson. Ich bekomme nicht viel Besuch hier. Meine beiden Töchter leben in Australien, sie sind nach der Krise Ende der sechziger Jahre dorthin ausgewandert. Sie haben nicht viel Lust, hier in den kalten Norden zu fliegen. Was … Was für ein Anliegen … Was hätte dieser Mann von mir wissen wollen?«

»Er kam während des Krieges nach Island, arbeitete

bei der Militärpolizei und hat in dem Fall des ermordeten Mädchens ermittelt.«

»Und was hat das mit mir zu tun?«

»Er hat in letzter Zeit wieder Nachforschungen wegen dieses alten Falles angestellt, ist aber vor Kurzem gestorben. Du hast vielleicht davon gehört oder gelesen, dass ein sehr alter Mann tot bei sich zu Hause aufgefunden wurde und dass man davon ausgeht, er sei ermordet worden. Genau das ist dieser Thorson.«

»An Nachrichten bin ich nicht sonderlich interessiert. Und ich verstehe immer noch nicht, was ich damit zu tun habe.«

»Nein, entschuldige bitte. Ich werde versuchen, es zu erklären. Das ermordete Mädchen hat in einer Schneiderei in Reykjavík gearbeitet, einer ziemlich großen, sie hieß *Sporið*. Die Kunden dort kamen aus unteren und oberen, also allen Gesellschaftsschichten, wenn man so sagen darf. Dieser Thorson hat erst in letzter Zeit etwas herausgefunden, was er damals nicht wusste. Es gab da eine ganz bestimmte Familie in Reykjavík, die zur guten Kundschaft dieser Schneiderei zählte. Das Mädchen Rósmunda hatte dort bestellte Ware ausgeliefert. Diesen Auftrag führte sie aus, aber danach weigerte sie sich rundheraus, noch einmal das Haus dieser Familie zu betreten.«

»Thorson«, sagte Magnús nachdenklich.

»Erinnerst du dich an ihn?«

»Er war bei der Militärpolizei, hast du gesagt?«

»Ja, das war er. Ich könnte mir gut vorstellen, dass er damals auch Uniform getragen hat. Er war beim kanadischen Militär, hat aber soweit ich weiß hier für die amerikanische Militärpolizei gearbeitet.«

Der Mann hatte Konráð noch keinen Platz angeboten, sie standen immer noch am Eingang zum Wohnzimmer.

»Du möchtest dich vielleicht setzen«, sagte Konráð.

»Ja, ich bin etwas müde nach dem Schwimmen, muss ich zugeben«, sagte Magnús und setzte sich in einen bequemen Sessel. »Was hast du da vorhin über das Mädchen gesagt? In welches Haus wollte sie nicht gehen?«

»Sie muss in diesem Haus etwas sehr Schlimmes erlebt haben, als sie eine fertige Bestellung ins Haus deiner Eltern auslieferte. Danach war sie nicht mehr dazu zu bewegen, etwas dorthin zu bringen.«

Magnús schien immer noch keine Zusammenhänge zu sehen.

»Und was hat das zu bedeuten?«, fragte er.

»Ich denke, dass Thorson erst Jahrzehnte später darauf gekommen ist, was für einen Grund Rósmunda dafür hatte, jemanden in diesem Haus zu fürchten.«

»Zu fürchten?«

»Ja. Genau das ist vermutlich der Grund dafür gewesen, dass sie nicht mehr dorthin gehen wollte.«

»Wieso denn? Vor was hätte sie sich fürchten sollen?«

»Ich hatte gehofft, du würdest mir darauf eine Antwort geben können«, sagte Konráð.

»Ich? Ich weiß überhaupt nicht, wovon du redest, mein Lieber. Ich weiß nicht, wovor sie sich in meinem Elternhaus hätte fürchten müssen.«

Neununddreißig

Jónatan wurde am gleichen Abend noch zu Flóvent und Thorson geführt und offiziell festgenommen. Er hatte sich geweigert, etwas zu essen oder sich mit einem Freund oder Verwandten in Verbindung zu setzen. Er weigerte sich auch, Flóvent Namen von irgendwelchen Verwandten zu nennen, weil er wahrscheinlich immer noch davon ausging, bald wieder nach Hause zu kommen. Er lehnte es strikt ab, einen Rechtsanwalt hinzuzuziehen, dennoch hatte Flóvent für den späteren Abend ein Treffen mit einem Rechtsanwalt arrangiert. Er war sehr darauf bedacht, eine entspannte Atmosphäre zu schaffen, um den jungen Mann nicht noch mehr zu verunsichern. Und er hatte den Eindruck, dass sich die Erregung bei Jónatan inzwischen tatsächlich etwas gelegt hatte.

»Wohin gehst du am liebsten, um Vögel zu beobachten?«, fragte Flóvent, als sie sich gesetzt hatten.

»Meistens fahre ich auf die Halbinsel Seltjarnanes, das ist der interessanteste Platz. Aber auch Schären wie Skarfaklettur weiter drinnen im Sund.«

»Und dein Fernglas hast du immer dabei?«

»Ja.«

»Beobachtest du auf diesen Ausflügen auch etwas anderes als Vögel?«

»Was meinst du damit?«

»Menschen zum Beispiel?«

»Ja, natürlich. Manchmal.«

»Soldaten?«

»Ja, auch. Die sind ziemlich häufig entlang der Küste unterwegs.«

»Siehst du dort auch Frauen?«

»Ich achte nicht besonders auf Frauen. Ich spioniere niemandem nach. Ich verwende mein Fernglas nicht dazu, falls du das meinst.«

»Du hast gesagt, du hättest keine besondere Meinung zu dem, was allgemein als ›Zustand‹ bezeichnet wird. Wenn isländische Frauen sich mit Soldaten treffen, mit ihnen ausgehen, sie heiraten und was weiß ich noch. Was hältst du davon?«

»Gar nichts. Über so etwas denke ich überhaupt nicht nach.«

»Du bist nicht empört deswegen?«

»Nein, so etwas berührt mich einfach nicht. Ich weiß wirklich nicht, wieso ihr danach fragt. Natürlich … Es ist natürlich ein eigenartiger ›Zustand‹, und viele sind nicht damit einverstanden, aber darüber zerbreche ich mir nicht den Kopf. Überhaupt nicht. Ich weiß nicht, wieso ihr mich danach fragt.«

»Bist du Rósmunda zufällig auf einem solchen Vogelbeobachtungsausflug begegnet?«

»Ich hab es euch doch schon oft genug gesagt, ich kenne keine Rósmunda.«

»Kurz vor ihrem Tod hat sie jemandem anvertraut, dass sie von einem Mann vergewaltigt wurde«, sagte Thorson. »Der Täter schärfte ihr ein, dass sie die verborgenen Wesen dafür verantwortlich machen sollte.

Kannst du dir vorstellen, warum er das zu ihr gesagt hat?«

»Nein.«

»Du hast dich im Studium auf Volkssagen spezialisiert. Was denkst du – weshalb hat dieser Mann wohl die übersinnlichen Wesen ins Spiel gebracht?«

»Das weiß ich nicht. Ich habe das Mädchen nicht gekannt. Ich weiß nicht, wovon du sprichst.«

»Du hast sie nicht gekannt?«

»Nein.«

»Hast du ihr Gewalt angetan?«

»Nein. Ich ... Ihr ...«

»Hast du darauf gedrängt, dass sie eine Abtreibung macht?«

Jetzt verschlug es Jónatan die Sprache.

»Bist du nicht über sie hergefallen und hast ihr gesagt, sie solle eine Geschichte von verborgenen Wesen erfinden, die ihr Schlimmes angetan hatten, sonst würde sie dafür büßen müssen?«

»Nein.«

»Hast du nicht genau die gleiche Methode wie bei Hrund im Öxarfjörður angewandt?«

»Nein.«

»Du hast ihr ebenfalls Gewalt angetan und ihr gesagt, sie solle verborgene Wesen dafür verantwortlich machen.«

»Das stimmt doch überhaupt nicht.«

»Kannst du uns sagen, wo Hrund ist?«

»Wo sie ist?«

»Ja.«

»Wie soll ich das denn wissen? Ich habe ihr nichts getan.«

»Hast du noch Verbindung zu ihr gehabt, nachdem sie gesagt hatte, dass sie überfallen worden ist?«

»Nein. Ich habe euch bereits gesagt, dass ich sie kaum kannte. Ich habe sie nur ein paar Mal an der Tankstelle getroffen.«

»Rósmunda aus der Schneiderei, die kanntest du aber.«

»Nein.«

»Du hast doch deine Hose dort reparieren lassen.«

»Ich kenne niemanden aus der Schneiderei. Und es gibt wahrscheinlich noch sehr viel mehr Leute, die sich dort ihre Hosen flicken lassen.«

»Du hast sie genauso kennenlernen können wie seinerzeit Hrund, ohne dass irgendjemand davon wusste. Du hast auf die Verschwiegenheit dieser jungen Frauen gesetzt.«

»Hrund habe ich nur ganz oberflächlich gekannt, ich weiß nicht, wie oft ich euch das schon gesagt habe. Aber diese Rósmunda habe ich überhaupt nicht gekannt. Begreift das doch endlich! Ihr unterliegt da einem sehr großen Irrtum, und wenn ihr nichts dagegen habt, würde ich gerne nach Hause gehen, während ihr diesen Irrtum ausräumt und den Fall aufklärt.«

»Ihren Angehörigen würde es sehr helfen, wenn du uns sagen könntest, wo sich Hrund befindet.«

»Hörst du mir überhaupt zu? Ich habe ihr nichts angetan, nicht das Allergeringste. Ich will hier raus. Mir geht es hier nicht gut. Für mich ist das alles sehr unangenehm, und ich verstehe es nicht. Es ist mir vollkommen unbegreiflich, dass ihr euch einbildet, ich könnte einem anderen Menschen etwas zuleide tun. Als könnte ich einen Menschen umbringen. Das ist ... Ich begreife einfach nicht, wie euch so etwas überhaupt einfallen kann.«

»Du solltest vielleicht besser warten, bis du einen Rechtsbeistand hast«, sagte Flóvent. »Ein Rechtsanwalt kann dir raten, wie du dich verhalten solltest.«

»Ich brauche keinen Rechtsbeistand. Ich will, dass ihr einfach damit aufhört. Ich will nach Hause. Ich muss zur Uni. Das hier ist vollkommen absurd. Total verrückt.«

Flóvent nahm die Blätter zur Hand, die er in Jónatans Studentenbude an sich genommen hatte, und legte sie ihm vor. Thorson hatte sie ebenfalls gelesen und wusste, was sie enthielten. Jónatan sah auf die Blätter, ohne eine Miene zu verziehen.

»Gehören sie dir?«, fragte Flóvent.

Jónatan gab ihm keine Antwort.

»Ist das deine Schrift?«

»Ja«, sagte Jónatan, »das ist meine Schrift. Wo hast du die her?«

»Von deinem Schreibtisch«, sagte Flóvent. »Du weißt, was auf diesen Blättern steht.«

»Selbstverständlich weiß ich das«, entgegnete Jónatan. »Ich sammle schließlich Stoff für mein Referat. Hast du sie von meinem Schreibtisch genommen?«

»Du hast da etwas aus einer Sammlung von Gerichtsurteilen abgeschrieben, nicht wahr?«, fragte Flóvent.

»Ja.«

»Ich habe das Urteil nachgeschlagen. Du hast es sogar wörtlich abgeschrieben.«

»Natürlich. Weil ich aus dieser Quelle zitieren will.«

»Würdest du uns bitte sagen, um was es geht, um was es in diesem Gerichtsverfahren geht?«

»Das wisst ihr doch schon, wenn ihr das Urteil gelesen habt.«

»Es ist ein Prozess wegen Vergewaltigung«, sagte Flóvent.

»Ja.«

»Ein junges Dienstmädchen und ein Knecht.«

»Ja.«

»Und in Anbetracht dessen, womit wir uns hier gerade befassen müssen, sind das sehr besondere Umstände.«

»Dazu kann ich nichts sagen«, erklärte Jónatan.

»Soll ich dir vielleicht die Einzelheiten erzählen?«, fragte Flóvent.

»Mach, was du willst«, sagte Jónatan. »Was du tust, geht mich nichts an. Ich will, dass ihr mich freilasst. Ich habe nichts getan. Nichts!«

Flóvent sah Jónatan lange schweigend an, bevor er begann, ihm das Urteil in diesem Fall in Erinnerung zu bringen. Das Gerichtsverfahren hatte in der ersten Hälfte des neunzehnten Jahrhunderts stattgefunden. Es ging um eine junge Dienstmagd, die sich auf einem Bauernhof in Südisland verdingt hatte, sie war mit den Sagen von Elfen und übernatürlichen Wesen aufgewachsen und wusste so einiges über Felsen und Hügel in der näheren Umgebung, von denen die Leute behaupteten, dass in ihnen verborgene Wesen zu Hause waren. Einmal wurde sie mit einem Auftrag zu einem anderen Hof geschickt, der ziemlich weit entfernt war. Als sie sich gegen Abend wieder auf den Rückweg machte, begegnete sie einem Knecht vom Nachbarhof, unweit eines Hügels, in dem angeblich Elfen wohnten. Sie kannte den Knecht, weil er ihr schon seit einiger Zeit nachgestellt hatte. Jetzt trat er ihr bei diesem Hügel in den Weg und verlangte, dass sie ihm zu Willen sein sollte. Das Mädchen weigerte sich hartnäckig und wollte weitergehen, doch der Knecht packte sie, um sie zu zwingen. Es kam zu einer heftigen Auseinandersetzung, und der Knecht setzte brutal seinen Willen durch. Er drohte ihr das Schlimmste an, wenn sie ihn verraten würde. Als sie fragte, wie sie die Verletzungen in ihrem Gesicht und die zerfetzte Kleidung erklären sollte, sah er zu dem Hügel hinüber und sagte ihr, sie solle die verborgenen Wesen dafür verantwortlich machen. Die junge Frau kehrte mit Verletzungen im Gesicht und zerfetzter Kleidung zu ihrem Hof zurück, und sie tat, was ihr der Knecht befohlen hatte. Einige glaubten ihr, andere nicht, darunter die Hausfrau, die ihr auch nach einiger Zeit die Wahrheit entlocken konnte. Als das Mädchen schließlich mit der wahren Geschichte herausrückte, gab der Knecht die Tat zu und erhielt seine Bestrafung.

»Habe ich das korrekt wiedergegeben?«, fragte Flóvent, als er mit der Geschichte geendet hatte.

»Das gehört neben vielem anderen zu dem, was ich in meiner Arbeit untersuche«, sagte Jónatan. »Dass der Volksglaube in verschiedenen Varianten zum Ausdruck kommt. Es ging damals um einen juristischen Fall, den ich bemerkenswert fand.«

»Du willst nicht zugeben, dass du selber diese Geschichte als Vorbild genommen hast?«

»Nein, ich verstehe nicht … Ich weiß nicht, was ich sagen soll. Das ist vollkommen absurd.«

»Hast du nicht Hrund genau das geraten, wovon in diesen Gerichtsunterlagen berichtet wird?«

»Nein«, sagte Jónatan. »Nichts dergleichen.«

»Und hast du nicht dasselbe Spiel später auch mit Rósmunda gespielt?«

»Nein! Was redest du da für einen Quatsch!«

»Willst du damit sagen, dass deine Idee nicht aus diesem Urteil stammt?«, sagte Flóvent.

»Ich habe keine Ahnung, wovon du sprichst«, erklärte Jónatan. »Wirklich nicht. Ich möchte einfach nur freigelassen werden.«

»Was wir untersuchen, dreht sich ganz genau um das, wovon in diesem Urteil die Rede ist«, sagte Flóvent. »Und wir finden bei dir zu Hause die Abschrift dieses alten Falls. Willst du etwa behaupten, dass es sich nur um einen Zufall handelt?

»Ich habe keine Ahnung, was ich behaupten soll«, entgegnete Jónatan. »Ich begreife einfach nicht, wie ihr auf so etwas Abwegiges verfallen seid. Alles, was ihr mir sagt, ist für mich vollkommen unverständlich.«

»Wir würden uns gern mit deiner Familie in Verbindung setzen«, sagte Thorson. »Warum willst du uns nicht sagen, wie und wo wir deine Eltern erreichen können?«

»Die haben nichts mit dieser Sache zu tun.«

»Sie wollen doch bestimmt wissen, wie es dir geht. Vielleicht sind sie schon in Sorge um dich. Hast du nicht regelmäßig Kontakt zu ihnen?«

»Nein. Ich ... Ich will nicht, dass sie erfahren, dass ich im Gefängnis bin.«

»Und deine Geschwister? Hast du Kontakt zu ihnen?«

»Ich habe keine Geschwister.«

»Du bist also der einzige Sohn?«

»Ja, der einzige Sohn, genau das«, sagte Jónatan und verzog den Mund wie zu einem Grinsen. »Würdet ihr mir jetzt gestatten zu gehen? Könnt ihr vielleicht endlich mit diesem Schwachsinn aufhören?«

»Warum willst du uns nicht etwas über dich erzählen?«, fragte Thorson. »Dann verstehen wir dich vielleicht besser und können das hier früher beenden.«

»Ich kann euch gar nichts sagen, ihr verwendet ja alles gegen mich. Wenn ich meine Hose zur Reparatur bringe, bin ich schon ein gemeingefährlicher Verbrecher und werde eingesperrt. Was soll ich euch sonst noch erzählen? Egal, was ich sage, ihr legt mir ja doch alles zu meinen Ungunsten aus.«

»In Ordnung«, sagte Flóvent freundlich. »Mach, was du willst. Wir werden schon herausfinden, wer deine Angehörigen sind und uns mit ihnen in Verbindung setzen, ob du das willst oder nicht. Hoffentlich gelingt uns das noch heute Abend. Ich hatte gehofft, du würdest mit uns kooperieren, damit wir schneller vorankommen – aber wie du willst.«

Flóvent stand auf und rief nach dem Aufseher. Der kam und brachte Jónatan in seine Zelle am Ende des Korridors. Flóvent und Thorson hörten, wie die schwere Zellentür ins Schloss fiel, bevor sie auf die Straße gingen. Über dem Eingang zum Gefängnis brannte eine Glaslaterne, unter der sie die nächsten Schritte besprachen. Rieselnder Schnee hatte für glatte Straßen gesorgt.

»Er ist entschlossen, es uns nicht leicht zu machen«, sagte Thorson.

»Vielleicht tut er das, weil er weiß, in was für einer schwierigen Situation er ist«, sagte Flóvent und sah drei Militärjeeps hinterher, die mit Vollgas den Skólavörðustígur hinunterfuhren.

Es war Flóvent nicht entgangen, dass auf einmal viel mehr Militärschiffe vor dem Hafen auf Reede lagen, die Besatzungsmacht war sehr viel präsenter als zuvor. Thorson sagte ihm, dass demnächst Truppenverlagerungen nach England stattfinden würden, weil von dort aus die Invasion auf den Kontinent erfolgen sollte. Wenn die Alliierten erst mal Fuß auf dem Festland gefasst hätten und der Rückzug der Deutschen an der Ostfront weiterginge, könnte man davon ausgehen, dass der Krieg bald zu Ende sein würde, möglicherweise schon in etwa einem Jahr. Flóvent verspürte Erleichterung bei dem Gedanken, nicht nur weil dann die schrecklichen Ereignisse in Europa und in anderen Weltteilen vorbei sein würde, sondern auch, weil dann in Island alles wieder so werden könnte wie vor dem Krieg. So zumindest hoffte er. Doch je länger der Krieg dauerte, desto mehr kam er zu der Überzeugung, dass nichts mehr wieder so werden würde wie früher.

Es hatte ganz den Anschein, als könnte Thorson Flóvents Gedanken lesen, während der den Jeeps nachblickte.

»Die Truppenbewegungen haben begonnen«, sagte er.

»Der Anfang vom Ende?«, fragte Flóvent.

»Hoffentlich.«

»Musst du auch mit?«

»Ja.«

»Weißt du, wann?«

»Sehr bald schon. Den Befehl habe ich heute Morgen erhalten.«

»Wirst du auch an den Kämpfen teilnehmen müssen?«

»Davon gehe ich aus.«

»Kein angenehmer Gedanke.«

»Nein, wirklich nicht.«

»Die Deutschen werden euch mit aller Härte empfangen.«

»Ja, aber sie wissen nicht, wo wir landen. Niemand weiß das. Also können wir ...«

»Ihr könnt sie überraschen.«

»Genau das ist die Idee.«

»Weißt du schon, was du nach dem Krieg machen wirst?«

»Nein.«

»Du findest es wohl unangenehm, darüber zu sprechen«, bemerkte Flóvent.

Thorson zuckte mit den Achseln, als sei es ihm egal.

»Das kann ich verstehen«, sagte Flóvent. »Das ist ... Das wird keine Vergnügungsreise.«

»Man rechnet mit vielen Verlusten, zumindest in den ersten Tagen. Solange wir noch auf dem Kontinent Fuß fassen müssen.«

»Musst du wirklich an dieser Invasion teilnehmen, könntest du dich nicht dieser Einberufung entziehen?«

»Wieso sollte ich?«, fragte Thorson und blickte in die rieselnden Schneeflocken. »Ich habe darum gebeten, an die Front geschickt zu werden.«

Vierzig

Sie hörten, wie sich hinter ihnen die Tür des Gefängnisses öffnete.

»Ich dachte mir schon, dass ihr noch hier seid«, sagte der Aufseher, der Jónatan in seine Zelle gebracht hatte. »Der junge Mann will noch mal mit euch sprechen. Soll ich ihn wieder ins Verhörzimmer bringen?«

Flóvent und Thorson sahen sich an.

»Was will er denn?«

»Ich weiß es nicht«, sagte der Aufseher. »Er möchte noch einmal mit euch reden. Er hat gefragt, ob ihr schon weg wärt.«

»Hol ihn«, sagte Flóvent.

Sie warteten im Verhörraum auf den Inhaftierten, ohne sich die Mäntel auszuziehen oder sich zu setzen. Dann wurde Jónatan hereingeführt, er setzte sich an den Tisch.

»Ich halte es nicht länger hier aus«, sagte Jónatan. Seine Verzweiflung hatte sich noch gesteigert, das war ihm anzumerken. Seine bittenden Blicke irrten zwischen Flóvent und Thorson hin und her.

»Leider können wir in dieser Hinsicht wohl kaum etwas für dich tun«, sagte Flóvent. »Du kannst geistlichen Beistand bekommen. Ich gehe davon aus, dass man dir das bereits angeboten hat.«

»Ich habe nichts mit einem Pastor zu besprechen. Ihr trefft doch die Entscheidungen.«

»Du hast dich nicht gerade kooperativ verhalten«, sagte Flóvent.

»Was kann ich denn tun, wenn ihr nichts von dem glaubt, was ich euch sage?«

»Ist das alles, was du uns zu sagen hast?«, fragte Flóvent.

»Ich ...«

Jónatan verstummte.

»Wieso hast du uns wieder hereinrufen lassen?«, fragte Thorson.

Jónatan antwortete nicht.

»Wir reden morgen früh miteinander, Jónatan«, sagte Flóvent. »Ich habe jetzt keine Zeit mehr.«

Er öffnete die Tür und rief nach dem Aufseher.

»Geht bitte nicht!«, bat Jónatan.

Weder Flóvent noch Thorson antworteten darauf. Der Gefängnisaufseher griff ihm unter den Arm und zog ihn vom Stuhl hoch. Er führte ihn den Korridor entlang zur Zelle. Als er Jónatan hineinschieben wollte, setzte der sich zur Wehr.

»Ich kann hier nicht noch eine Nacht bleiben«, flüsterte er so leise und undeutlich, dass der Aufseher nicht verstand, was er sagte.

»Was sagst du?«

»Ich werde es ihnen zeigen«, flüsterte Jónatan.

Der Aufseher zögerte.

»Was hast du gesagt? Ich hab dich nicht verstanden.«

»Ich gehe einfach mit ihnen dorthin.«

Der Aufseher drehte sich um und rief nach Flóvent

und Thorson, die gerade durch die Korridortür gingen. Sie blieben stehen und sahen, dass der Aufseher ihnen zuwinkte.

»Was ist denn jetzt schon wieder?«, rief Thorson ihm zu.

»Er will euch noch etwas sagen«, rief der Aufseher.

Jónatan holte tief Luft.

»Ich werde euch zeigen, wo wir uns im Schattenviertel getroffen haben.«

»Was hast du gesagt?«, rief Flóvent und ging auf Jónatan zu. Thorson folgte ihm.

»Ich zeige euch den Ort«, sagte Jónatan lauter.

»Im Schattenviertel?«, fragte Flóvent. »Hast du dich dort mit Rósmunda getroffen?«

Jónatan nickte.

»Ich zeige euch, wo.«

»Jetzt?«, sagte Thorson.

»Ja, jetzt gleich. Ich gehe mit euch dorthin und zeige euch, wo wir uns getroffen haben.«

»In Ordnung«, sagte Flóvent. »Wenn du darauf bestehst, machen wir das. Bist du dann auch bereit, mit uns über das zu reden, was dort passiert ist?«

»Erst gehe ich mit euch dorthin, und danach rede ich mit euch. Ich brauche aber meinen Anorak, ist es nicht kalt draußen?«

»Wieso jetzt auf einmal diese plötzliche Einsicht?«, fragte Thorson.

»Wollt ihr, dass ich das mache, oder nicht?« entgegnete Jónatan gereizt. Auf einmal war alles Zögerliche von ihm abgefallen.

»Selbstverständlich wollen wir das«, antwortete Flóvent.

»Anschließend könnt ihr mich nach allem fragen.«

»In Ordnung. Wirst du dann gestehen, Rósmunda getötet zu haben?«

»Soll ich jetzt mit euch dorthin gehen oder nicht?« Jónatan sah Flóvent trotzig in die Augen.

»Hol seinen Anorak«, wies Flóvent den Aufseher an. »Wir warten solange hier.«

Der Aufseher beeilte sich. Die Tür zur Zelle stand immer noch offen, und Jónatan schaute hinein. »Ich ertrage es nicht, eingesperrt zu sein«, flüsterte er so leise, dass es kaum zu hören war.

Flóvent und Thorson warteten schweigend darauf, dass der Aufseher mit dem Anorak zurückkehrte. Flóvent hatte zwar Mitleid mit dem jungen Mann, überlegte aber doch, ob er ihm nicht Handschellen anlegen sollte. Die lagen im Auto, und er beschloss, sie ihm dort anzulegen. Er erwartete keinerlei Schwierigkeiten, sondern ging davon aus, dass Jónatan bereit war, mit ihnen zu kooperieren. Flóvent wollte ihm Entgegenkommen zeigen. Wenn Jónatan ihnen zu dieser Tageszeit den Schauplatz zeigen wollte, um das Einsperren in die Zelle etwas hinauszuzögern, war dagegen nichts einzuwenden. Es war schließlich das Wichtigste, dass Jónatan sich eines Besseren besonnen hatte und mit ihnen kooperierte.

Endlich kam der Aufseher mit Jónatans Anorak, und sie gingen wieder zum Ausgang. Flóvent und Thorson nahmen ihn zwischen sich, und Thorson hielt ihn am Arm fest. Den Wagen hatten sie ganz in der Nähe des Gefängnisses geparkt. Als Thorson die hintere Tür öffnete, damit Jónatan einsteigen konnte, riss der sich los und rannte davon.

»Verdammt«, schrie Thorson und lief hinter ihm her. Flóvent saß schon auf dem Beifahrersitz, reagierte aber fix, sprang aus dem Auto und folgte den beiden.

Jónatan rannte an der Gefängnismauer entlang und bog um die nächste Straßenecke in Richtung Laugavegur. Thorson war nur ein paar Meter hinter ihm, und etwas weiter zurück kam Flóvent ihnen nach, dessen Schuhe waren allerdings bei dem Wetter nicht für eine Verfolgungsjagd geeignet. Straßen und Bürgersteige waren eisig glatt, und er hatte größte Mühe, nicht auf seinen profillosen Sohlen auszurutschen und zu stürzen. Thorson kam Jónatan noch ein wenig näher, als sie den Veghúsastígur hinunterrannten. Ohne nach rechts oder links zu blicken, wollte Jónatan in rasantem Tempo den Laugavegur überqueren, doch genau in diesem Augenblick raste ein Militärjeep den Laugavegur hinunter, und Jónatan wurde von ihm erfasst.

Thorson sah, wie der junge Mann in die Luft geschleudert wurde, auf der Motorhaube des Jeeps landete und dann mit dem Kopf auf dem Bürgersteig aufprallte. Der Fahrer des Jeeps verlor die Gewalt über sein Fahrzeug, geriet auf den Bürgersteig und fuhr gegen eine Wand. Ein Passant konnte sich im allerletzten Augenblick noch vor dem Jeep retten. Die beiden Insassen des Jeeps erlitten Schnittwunden im Gesicht, weil sie gegen die Windschutzscheibe geschleudert wurden, die in tausend Splitter zerbrach. Einer von ihnen kletterte völlig benommen aus dem Auto und brach auf dem eisglatten Bürgersteig zusammen. Der andere schrie vor Schmerz, denn er war hinter dem Steuer eingeklemmt und hatte sich vermutlich einige Rippen gebrochen. Und auch das Schienbein, man

konnte den Knochen sehen, der selbst durchs Hosen-
bein herausragte.

Thorson lief zu Jónatan und kniete bei ihm nieder.
Das Blut aus der Wunde am Kopf strömte auf das Trot-
toir und bildete schnell eine große Lache. Er starrte mit
aufgerissenen Augen zum Himmel. Thorson ging davon aus, dass der Tod beim Aufprall auf das Pflaster sofort eingetreten sein musste.

Flóvent ging neben den beiden in die Hocke. Immer
noch rieselten um sie herum Schneeflocken nieder,
von denen einige in Jónatans Augen landeten und sich
wie winzige Tränen in ihnen auflösten.

Einundvierzig

Konráð fuhr in Gedanken versunken zurück nach Reykjavík. Es dämmerte schon, aber das nahm er kaum wahr. Ebenso wenig wie die starken Windböen unterhalb des Hafnarfjall-Massivs, obwohl er sehr häufig gegensteuern musste. Es entging ihm auch, dass er kurze Zeit später mit viel höherer Geschwindigkeit als erlaubt von einer Überwachungskamera geblitzt wurde. Er war in Gedanken immer noch in Borgarnes. Magnús und er hatten lange über den Fall von Rósmunda gesprochen. Magnús wusste entweder nichts über diese Familienangelegenheit, oder aber er wollte nichts wissen.

»Was besagt es schon, wenn das Mädchen sich geweigert hat, irgendwas in meinem Elternhaus auszuliefern«, hatte Magnús gesagt. »Das besagt überhaupt nichts.«

»Vielleicht nicht«, hatte Konráð geantwortet. »Trotzdem vermute ich, dass es im Gesamtzusammenhang doch wichtig sein könnte.«

»Im Gesamtzusammenhang «, wiederholte Magnús. »Du redest wie ein Politiker.«

Er sagte das in einem Ton, als hätte er keine besonders gute Meinung von Politikern.

»Euer Vater war Abgeordneter, nicht wahr?«, entgegnete Konráð.

»Ja, er war in der Politik.«

»Und ihr wart fünf Geschwister im Elternhaus, vier Söhne und eine Tochter?«

»Ich bin mir nicht sicher, was ich davon halten soll, dass ihr euch mit meinen Familienverhältnissen beschäftigt«, erklärte Magnús. »Was genau erwartest du dir von mir mit deinen Fragen?«

»Gab es in eurem Haus Angestellte? Lebten außer der Familie noch andere in eurem Haus?«

»Noch einmal – worauf willst du eigentlich mit deinen Fragen hinaus?«, erwiderte Magnús.

»Ich versuche herauszufinden, wem eine junge Frau namens Rósmunda nie wieder begegnen wollte. Vielleicht deiner Mutter oder deiner Schwester? Erinnerst du dich an irgendetwas, was in diese Richtung deuten könnte?«

Magnús sah Konráð lange Zeit in die Augen.

»Meine Mutter konnte manchmal schon ein richtiger Drache sein«, sagte er schließlich. »Aber meine Schwester war die Liebenswürdigkeit in Person. Willst du vielleicht auf so etwas hinaus?«

»Aber was ist mit dir und deinen Brüdern?«

»Was soll mit uns sein?«

»Habt ihr Rósmunda gekannt?«

»Nein«, sagte Magnús. »Ich kann mich nicht daran erinnern, dass einer von uns ein Mädchen gekannt hat, das in einer Schneiderei arbeitete.«

»Aber du kannst dich doch daran erinnern, was mit Rósmunda geschehen ist?«

»Ich habe doch vorhin schon gesagt, dass ich nur ganz vage Erinnerungen habe.«

»Du erinnerst dich aber vielleicht noch daran, ob

bei euch zuhause darüber geredet wurde? Oder wie darüber geredet wurde?«

»Nein. Wenn, dann nur, weil es ein schrecklicher Mord war. Wahrscheinlich wurde auch in anderen Familien so darüber geredet. Versuchst du etwa, den Tod des Mädchens meiner Familie anzuhängen? Nach all diesen Jahren? Findest du nicht, dass das etwas zu weit geht?«

»Ich hänge niemandem etwas an. Ich versuche nur herauszufinden, weshalb Rósmunda, kurz bevor sie tot aufgefunden wurde, sich geweigert hat, euer Haus zu betreten. Aber wenn es dir unangenehm ist, will ich dich nicht damit belasten.«

Magnús antwortete nicht.

»Könnte es sein, dass dein Vater politischen Druck ausgeübt hat, um die Mordermittlung zu stoppen?«

»Politischen Druck?«

»Ich weiß nicht, wie ich es anders ausdrücken soll«, sagte Konráð. »Ich verstehe natürlich sehr gut, dass du dich überrumpelt fühlst. Für mich ist es einfach nur rätselhaft, dass an den Stellen, wo es eigentlich einiges Material zu dem Fall geben müsste, überhaupt nichts zu finden ist. Natürlich gab es in den Kriegsjahren sehr viele andere und vielleicht wichtigere Fälle, und mitunter gingen auch Berichte verloren oder wurden nicht archiviert. Doch über Rósmunda finde ich so gut wie nichts, noch nicht einmal in den Zeitungen. Dort heißt es nur, dass sie tot aufgefunden wurde. Es gibt auch keine Gerichtsakten, und deswegen kommt es einem beinahe so vor, als sei da ein Verbrechen unter den Teppich gekehrt worden. Deswegen habe ich darüber nachgedacht, ob dein Vater als einflussreiche

Persönlichkeit in diesen Jahren etwas damit zu tun gehabt haben könnte.«

Magnús hörte Konráð zu, ohne eine Miene zu verziehen.

»Ich verstehe absolut nicht, auf was du hinauswillst«, sagte er dann. »Ich wüsste nicht, dass mein Vater seinen Einfluss je auf solch zweifelhafte Weise geltend gemacht hätte. Er hat natürlich immer um seinen Wahlkreis kämpfen und deswegen allen möglichen Leuten alle möglichen Gefallen erweisen müssen, das war aber damals vollkommen selbstverständlich. Ich glaube nicht, dass er von diesem Fall überhaupt Kenntnis gehabt hat. Wenn ja, dann habe ich einfach nie davon erfahren. Ich jedenfalls weiß nichts darüber.«

»Einer deiner Brüder lebt noch«, sagte Konráð.

Magnús nickte.

»Weißt du, ob er von diesem Mann besucht wurde, von dem ich dir erzählte, diesem Thorson?«

»Ich habe seit Jahrzehnten nicht mehr mit meinem Bruder geredet, und auch nicht mit seiner Familie.«

»Tatsächlich?«

»Ja, aber ich möchte nicht mit einem Fremden darüber sprechen. Ich denke, es wäre besser, wenn wir es hierbei bewenden ließen.«

»Selbstverständlich«, sagte Konráð. »Vielen Dank, dass du bereit warst, mit mir zu reden. Nur noch eine Frage: Kennst du, oder vielmehr kanntest du in den Kriegsjahren ein Mädchen oder eine junge Frau, die Hrund hieß?«

Magnús schüttelte den Kopf.

»Es könnte sein, dass ihr etwas Ähnliches widerfahren ist wie Rósmunda. Aber das ist nur eine Vermutung von mir.«

»In den Kriegsjahren?«

»Ja.«

»Nein. Oder vielleicht doch...«

»Was meinst du mit doch?«

»Irgendwann habe ich von einem Mädchen gehört, das sich in den Dettifoss gestürzt haben soll«, sagte Magnús. »Sie lebte da im Nordosten, irgendwo am Öxarfjörður. Und sie hieß Hrund, da bin ich mir ziemlich sicher.«

»Von wem hast du zuerst etwas über sie gehört?«

»Wahrscheinlich von meinem Vater. Er war dort oben im Nordosten unterwegs, als es passierte.«

»Dein Vater war damals in dieser Gegend auf Reisen?«

»Ja. Und deswegen hat sich mir der Name des Mädchens eingeprägt. Ich bin selber einige Male am Dettifoss gewesen, und dort kommt mir dieses arme Mädchen immer wieder in den Sinn. Wir haben Verwandte in der Ecke da oben, und die hat mein Vater manchmal besucht, vor allem im Sommer.«

»Weißt du, was damals passiert ist?«

»Ich kann mich nicht genau erinnern, es ist ja auch schon sehr lange her«, sagte Magnús. »Irgendwie wurde darüber geredet, dass dieses Mädchen nicht ganz normal war. Wahrscheinlich aus Liebeskummer. Sie glaubte wohl an alle möglichen übernatürlichen Dinge, und angeblich hatte sie eine starke Verbindung zu solchen Erscheinungen wie Elfen und Huldren, bevor sie verschwand.«

»Mehr weißt du nicht?«

»Nein, leider. Das klang alles ziemlich verworren. Aber das haben solche Geschichten ja meistens an sich.«

»Und sie wurde nie gefunden?«

»Nein. Ich glaube, es wurden nie irgendwelche Überreste von ihr gefunden.«

Magnús stand auf. Anscheinend wollte er dem ohnehin unerwünschten Besuch ein Ende machen.

»Ich muss mich jetzt etwas hinlegen«, sagte er. »Entschuldige bitte.«

»Ja natürlich, es tut mir leid«, sagte Konráð und stand auf.

»Nach dem Tod unseres Vaters haben mein Bruder und ich uns wegen des Erbes überworfen«, sagte Magnús auf dem Weg zur Tür. »Für mich sah es so aus, als würde Hólmbert sich rücksichtslos und dreist alles unter den Nagel reißen. Ich legte keinen Wert darauf, es zum Äußersten kommen zu lassen. Aber trotzdem – wir haben seit vielen Jahren nicht mehr miteinander gesprochen. Deswegen kann es durchaus sein, dass dieser Mann, den du genannt hast, dieser Thorson, zu ihm gegangen ist. Aber ich würde nie etwas davon erfahren.«

»Ich verstehe«, sagte Konráð.

»Aber der Mann hätte bestimmt nicht viel davon gehabt.«

»Thorson? Weshalb nicht?«

»Es hat kaum Sinn, meinen Bruder zu fragen, ob er Besuch von diesem Mann bekommen hat.«

»Weshalb sagst du das?«

»Und für mich ist es zu spät, eine Versöhnung herbeizuführen.«

Magnús blieb eine Weile stumm.

»Soweit ich weiß, ist die Krankheit im Endstadium«, sagte er dann.

»Ist er krank?«

»Hólmbert hat Alzheimer, und ich weiß nur so viel, dass die Krankheit sehr stark fortgeschritten ist«, sagte Magnús. »Er ist wohl inzwischen völlig aus der Welt.«

»Das tut mir leid.«

»Ja, sowas ist schlimm«, sagte Magnús und öffnete die Tür zum Hausflur. »Ansonsten ist er immer kerngesund gewesen. Hat nie irgendwelche Beschwerden gehabt, aber das hat wohl nichts zu sagen, wenn es um geistigen Verfall geht.«

»Nein, wahrscheinlich nicht«, sagte Konráð. »Es hat also keinen Zweck, mit ihm zu sprechen?«

»Nein, hat es nicht«, erklärte Magnús und verabschiedete sich mit einem festen Händedruck von seinem Gast.

Konráð musste das Tempo verlangsamen, als er im Außenviertel Grafarvogur in einen Stau geriet. Die ganze Strecke hatte er gegrübelt, seine Gedanken kreisten um Magnús, um Hrund und um Rósmunda, um den Wasserfall und das Nationaltheater. Er überlegte krampfhaft, was für eine Verbindung es zwischen den beiden jungen Frauen geben könnte. Thorson hatte auf der Suche nach Antworten auf seine Fragen die alte Vigga besucht. Hatte er durch sie von Hrund erfahren? Oder kannte er vielleicht diesen Fall noch aus seiner Zeit bei der Militärpolizei und war nur zu Vigga gegangen, um sich etwas bestätigen zu lassen? Inzwischen hatte sich herausgestellt, dass Magnús' Vater, der Parlamentsabgeordnete, im Nordosten Islands unterwegs gewesen war, genau um die Zeit, als Hrund spurlos verschwand. Und Rósmunda hatte sich geweigert, je wieder einen Fuß in das Haus dieses Mannes zu setzen. Gab es da eine Verbindung? Und wusste Magnús vielleicht mehr, als er ihm gesagt hatte?

Konráð steckte im Stau. Er dachte an den Abgeordneten in Reykjavík, der Verwandtschaft im Nordosten Islands hatte und im Zusammenhang mit Hrund und Rósmunda aufgetaucht war. Er dachte auch an die Aussagen dieser jungen Frauen, an diese Geschichten über verborgene Wesen. Und er rekapitulierte das, was ihm, als er die ersten Schritte in seiner Laufbahn als Kriminalbeamter gemacht hatte, über sogenannte Zufälle beigebracht worden war.

Unter keinen Umständen durfte man an Zufälle glauben.

Niemals.

Zweiundvierzig

Spät in der Nacht setzten sich Flóvent und Thorson noch einmal im Büro am Fríkirkjuvegur zusammen. Jónatans Leiche war ins Leichenschauhaus überführt worden, und die Soldaten aus dem Jeep lagen im Krankenhaus. Der Jeep würde zum Reparaturdienst des Militärs im Skerjafjörður abgeschleppt. Die Aussagen von Flóvent und Thorson wurden zu Protokoll genommen, und am nächsten Tag würden sie einen ausführlicheren Bericht liefern.

Sie wussten immer noch nicht, wen sie wegen Jónatans Tod benachrichtigen mussten. Ihre Ermittlungen steckten noch in den Anfängen, sie kannten noch nicht einmal die Namen der engsten Angehörigen. Jónatan hatte ihnen die Sache nicht leicht gemacht, er hatte sich strikt geweigert, irgendetwas über sein Privatleben preiszugeben.

Sie saßen schweigend voreinander. Die einzige Lichtquelle im Raum war die Lampe auf Flóvents Schreibtisch. Das leise Rieseln hatte sich in ein dichtes Gestöber verwandelt, und der Schnee legte sich wie ein Teppich über die Stadt. Die Dunkelheit lastete schwer auf ihnen, genau wie ihre Schuldgefühle. Beider Gedanken gingen in die gleiche Richtung. Ein junger Mensch, der in ihrem Gewahrsam war, hatte sein

Leben lassen müssen. Sie hatten versagt. In gewisser Weise trugen sie die Schuld an seinem Tod, auch wenn sie sich bemüht hatten, ihn einfühlsam zu behandeln. Ein winziger Moment der Unachtsamkeit ihrerseits hatte ihn das Leben gekostet.

»Glaubst du wirklich, dass er uns den Tatort zeigen wollte?«, fragte Thorson schließlich. »Oder war das nur ein Vorwand?«

Flóvent antwortete nicht gleich. Er dachte daran, wie sehr Jónatan darunter gelitten hatte, in eine Zelle eingesperrt zu sein. Vielleicht hätten sie sehen müssen, auf was es zusteuerte, aber sie hatten die Vorzeichen missachtet. Vor dem Verlassen des Gefängnisses hätte einer von ihnen ihm Handschellen anlegen müssen. Sie hätten das alles besser berücksichtigen müssen. Sie hätten besser auf ihn aufpassen müssen.

»Flóvent?«

»Was ist?«

»Hat er es vielleicht nur als Vorwand benutzt, dass er uns den Tatort im Schattenviertel zeigen wollte? Denkst du, dass er vielleicht nie die Absicht hatte, uns dorthin zu führen?«

»Dass es ein Vorwand war, um fliehen zu können?«

»Ja.«

»Ich weiß es nicht«, sagte Flóvent. »Und im Nachhinein lässt sich das auch nicht mehr feststellen. Eine Antwort auf diese Frage werden wir wohl nie bekommen. Warum haben wir ihm nicht Handschellen angelegt? Weshalb waren wir so unvorsichtig?«

»Ich war einfach nicht darauf gefasst«, sagte Thorson. »Und du ebenfalls nicht. Ich glaube nicht, dass wir einen Fehler gemacht haben. Wir wollten ihm doch nur zeigen, dass wir ihm vertrauen, weil das nun einmal wichtig ist. Aber dann ist er vor das Auto gelaufen. Sonst hätten wir ihn eingeholt, ich war ja nur noch ein paar Meter von ihm weg, als er von dem Jeep erfasst wurde. Ein verrückter Fluchtversuch, der tragischerweise so endete.«

Flóvent nickte geistesabwesend.

»Wir konnten doch nicht voraussehen, dass er die Flucht ergreifen würde«, fuhr Thorson fort. »Er wollte doch mit uns zusammenarbeiten ... Ihm ging es wirklich schlecht in der Zelle, das wussten wir. Deshalb wollte er doch gestehen – weil wir ihn gefasst hatten.«

»Mag sein«, entgegnete Flóvent. »Aber vielleicht haben wir ihn auch zu Unrecht verdächtigt. Hat er noch etwas gesagt?«

»Nein«, sagte Thorson. »Ich denke, er war sofort tot. Wahrscheinlich hat er nicht einmal wirklich mitbekommen, was passiert ist.«

Thorson war der Meinung, dass der Jeep sehr viel mehr Tempo draufgehabt hatte als erlaubt, und er ging davon aus, dass es ein Nachspiel geben würde. Thorson hatte mit dem Insassen gesprochen, der blutend auf dem Bürgersteig gesessen hatte. Seiner Aussage nach hätten sie nichts gesehen, und urplötzlich sei etwas gegen das Auto geprallt. Es sei alles so schnell gegangen. Sie hätten nicht reagieren können, weil sie den Mann erst sahen, als das Auto ihn schon erfasst hatte. Der Soldat erlitt einen Schock, als er erfuhr, dass Jónatan tot war.

Flóvent konnte kaum verbergen, wie sehr ihn das alles mitnahm.

»Es war seine Entscheidung«, sagte Thorson. »Er hätte das nicht tun dürfen.«

Flóvent schwieg. Er wusste, dass Thorson ihn aufzurichten versuchte, und vielleicht konnte man es tatsächlich so auffassen, dass der junge Mann sein Schicksal selber herausgefordert hatte. Flóvent wusste aber nur zu genau, dass sie die Lage falsch eingeschätzt hatten.

»Wir hätten es besser machen können«, sagte er. »Wir hätten uns anders verhalten müssen. Wir hätten seine Familie informieren und ihm sofort einen Rechtsbeistand besorgen müssen.«

»Wir waren doch im Begriff, das zu tun«, sagte Thorson. »Du hast ihm doch gesagt, dass wir uns noch am selben Abend darum kümmern würden. Vielleicht hat er sich deswegen zu diesem verzweifelten Schritt entschlossen. Vielleicht wollte er mit seinen Angehörigen sprechen, noch bevor wir es tun konnten. Wer kann sagen, was er gedacht hat? Uns wollte er jedenfalls nichts sagen.«

»Nein, er war ein schwieriger Mensch«, sagte Flóvent. Sein Gesicht verzerrte sich, und er griff sich an den Bauch. »Er war verdammt schwierig.«

»Geht es dir nicht gut?«, fragte Thorson.

»Nein, es ist nichts. Ich habe seit einiger Zeit immer mal wieder Schmerzen im Bauch. Sie kommen und gehen. Es kommt wohl von dieser Ermittlung, sie hat mir zu schaffen gemacht.«

Am nächsten Tag sprach Flóvent früh am Morgen mit Jónatans Dozenten an der Universität, von dem er sich weitere Informationen über den jungen Mann erhoffte. Thorson war nicht dabei, denn sie waren übereinstimmend zu dem Ergebnis gekommen, dass die Militärpolizei nichts mehr mit dem Fall zu tun hatte. Im Grunde genommen hatten sie das schon eine ganze Weile gewusst, aber Thorson wollte, dass sie den Fall gemeinsam aufklärten. Doch inzwischen hatte Thorson seinen Einsatzbefehl erhalten und musste sich darauf vorbereiten, in wenigen Tagen nach England geschickt zu werden.

Der Dozent erschrak sichtlich, als er von Jónatans Tod erfuhr. Er sagte Flóvent, dass der junge Mann zwar ein sehr eigenwilliger, aber auch ein sehr guter Student gewesen sei. Er hatte ihn in Zusammenhang mit seinen schriftlichen Arbeiten zweimal zu sich nach Hause eingeladen, und dabei hatten sie festgestellt, dass sie ein gemeinsames Hobby hatten, nämlich Vögel zu beobachten. Dadurch war ein freundschaftliches Verhältnis zwischen ihnen entstanden. Der Dozent wusste, dass Jónatan ein Adoptivkind war und seine leiblichen Eltern nicht kannte. Er war in einer Familie auf einem Hof in der Nähe von Húsavík aufgewachsen, und weil er begabt war, wurde er auf das Gymnasium in Akureyri geschickt. Nach dem Abitur war er zum Studium nach Reykjavík gegangen, wo er von Verwandten der Pflegefamilie unterstützt wurde. Seine Adoptivmutter im Norden hatte eine Schwester in Reykjavík, Sigfríður mit Namen, und in deren Haus hatte Jónatan so etwas wie ein zweites Zuhause gefunden.

»Wissen Sie etwas über seine Beziehungen zu Frauen?«, fragte Flóvent.

»Nein«, antwortete der Dozent. »Darüber hat er nie

gesprochen. Zumindest nicht mit mir. Und er hat auch nicht viele Freunde gehabt, er war ein Einzelgänger.«

Flóvents nächster Besuch galt Jónatans Familie in Reykjavík, um ihnen den Tod von Jónatan mitzuteilen. Sie wohnte in einer Villa am Laufásvegur, die von einem großen Garten umgeben war. Auf seinem Weg zum Eingang kam Flóvent an einem kleinen Teich vorbei, der bis auf den Grund zugefroren war. Ein Dienstmädchen kam zur Tür und führte ihn in einen Salon. Sie fragte ihn nach seinem Anliegen, aber Flóvent antwortete nicht darauf. Das Mädchen ging, um die Herrschaft zu benachrichtigen, und nach kurzer Zeit betrat eine Frau um die fünfzig den Salon und begrüßte Flóvent.

»Sie möchten sicher mit meinem Mann sprechen?«, fragte sie sehr formell.

»Ja, wahrscheinlich wäre es richtig, wenn ich auch mit ihm spreche«, sagte Flóvent. »Sie sind wohl Sigfríður?«

»Ja«, bestätigte die Frau. »Und Sie heißen?«

»Flóvent. Ich bin von der Polizei und möchte mit Ihnen über Jónatan sprechen.«

»Was Sie nicht sagen. Ist etwas geschehen?«

»Es tut mir sehr leid, Ihnen sagen zu müssen, dass er nicht mehr lebt. Er wurde gestern Abend auf dem Laugavegur von einem Militärjeep angefahren und ist noch am Unfallort verstorben.«

Die Frau blickte Flóvent mit weit aufgerissenen Augen an.

»Jónatan?«

»Ja. Es war ein Unfall. Er war …«

»Was sagen Sie da? Er ist tot?«

In diesem Augenblick kam ein älterer Herr in den Salon. Flóvent erkannte ihn sofort, er war Parlamentsabgeordneter. Der Dozent an der Universität hatte ihm den Namen genannt.

»Dieser Mann ... Er sagt, dass Jónatan tot ist«, sagte die Frau und wandte sich ihrem Mann zu.

»Jónatan?«, fragte der Mann. »Was ... Wie kann das sein?«

»Er ist von einem Auto angefahren worden, sagt er.«

Der Mann wandte sich an Flóvent.

»Ist das wahr?«

»Leider ja«, sagte Flóvent. »Ich bin von der Kriminalpolizei. Jónatan wurde gestern Abend auf dem Laugavegur von einem Militärjeep angefahren. Aber da ist noch etwas anderes ...«

Die Eheleute starrten Flóvent an.

»Etwas anderes?«, fragte der Abgeordnete.

»Jónatan war in Polizeigewahrsam, als der Unfall passierte«, erklärte Flóvent. »Er wollte nicht, dass irgendjemand davon erfuhr, und hat sich geweigert, die Namen von Angehörigen oder Freunden zu nennen. Auch einen Rechtsbeistand hat er abgelehnt. Er befand sich in Untersuchungshaft wegen des Mordes an der jungen Frau, die vor Kurzem tot hinter dem Nationaltheater aufgefunden wurde. Er ist vor dem Gefängnis geflohen, rannte blindlings über den Laugavegur und wurde von einem Jeep erfasst.«

Dem Ehepaar stand während Flóvents Ausführungen das Entsetzen ins Gesicht geschrieben. Er ließ ihnen eine angemessene Zeit, um diese Nachricht zu verarbeiten. Sie sahen sich gegenseitig und auch Flóvent mit ungläubigen Blicken an.

Flóvent hatte auf einer Besprechung mit seinen Vorgesetzten dargelegt, was in der Zeit zwischen dem Auffinden von Rósmundas Leiche und Jónatans Unfalltod geschehen war. Er musste zwar scharfe Kritik dafür einstecken, Jónatan entwischen zu lassen, aber ihm wurde auch Verständnis entgegengebracht, und man war einstimmig der Meinung, dass Flóvent die Ermittlung weiterführen sollte.

»Ich kann es nicht glauben«, stöhnte die Frau des Hauses und tastete nach einem Stuhl. Flóvent kam ihr zu Hilfe, und sie setzte sich.

»Mord?«, fragte der Abgeordnete.

Flóvent nickte. »Ich fürchte ja.«

»Das ist doch völlig abwegig! Wie kann so etwas sein?«

»Alles deutet darauf hin«, sagte Flóvent. »Er sagte uns, er wolle uns den Ort zeigen, an dem er mit der jungen Frau verabredet war, und wo er sie dazu gezwungen hat, ihm zu Willen zu sein. Wir wollten mit ihm dorthin, aber er floh, und dabei kam es zu dem Unfall. Wir konnten überhaupt nichts machen, er hat sich losgerissen und ist davongerannt.«

»Hätten Sie nicht besser auf ihn achtgeben müssen?«, fragte der Abgeordnete.

»Ja, sicher«, gab Flóvent zu. »Aber weil er sich auf einmal kooperativ zeigte, schenkten wir ihm Vertrauen. Deswegen haben wir ihm auch keine Handschellen angelegt. Es war ein Unfall, ein tragischer Unfall.«

»Wurde er nach dem Unfall noch ins Krankenhaus gebracht...?«

»Nein«, sagte Flóvent. »Er war sofort tot, und er wurde ins Leichenschauhaus gebracht. Sie können...«

Die Tür zum Salon öffnete sich erneut, und jetzt betrat ein junger Mann den Raum.

»Da seid ihr ja«, sagte er. Er schien sofort zu spüren, dass etwas Schlimmes passiert war. »Was ist...?«

»Hólmbert«, sagte die Frau. Sie stand auf und ging zu ihm. »Der Polizist hier sagt, dass Jónatan tot ist.«

»Jónatan?«

»Er wurde von einem Auto angefahren«, sagte die Frau. »Der arme Junge. Aber damit nicht genug – er war in Polizeigewahrsam, und der Polizist sagt, dass Jónatan das Mädchen ... dieses Mädchen da am Nationaltheater ermordet hat. Ist das nicht vollkommen absurd? Ist das nicht vollkommener Irrsinn?«

»Er stand unter Verdacht«, korrigierte Flóvent.

»Jónatan?«, stöhnte der junge Mann wieder.

»Ist das nicht vollkommen absurd?«, wiederholte die Frau. »So etwas Absurdes hab ich noch nie gehört. Und dass er mit ihr in diesem Viertel gewesen sein soll, dass er ihr etwas angetan haben soll...«

Der junge Mann sah Flóvent an.

»Stimmt das?«

Flóvent nickte.

»Ich ... Das kann ich einfach nicht glauben.«

»Haben Sie ihn gut gekannt?«, fragte Flóvent.

Der junge Mann schien mit seinen Gedanken woanders zu sein, sodass Flóvent die Frage wiederholen musste.

»Ich ... Wir haben uns gut gekannt«, sagte er. »Ist er tot? Ist Jónatan wirklich tot? Und Sie glauben wirklich, dass er...?«

»Dass er dem Mädchen etwas angetan hat? Ja, das glaube ich«, sagte Flóvent. »Vieles deutet darauf hin, leider. Er gab vor, uns den Tatort zeigen zu wollen, und dabei hat er die Gelegenheit zur Flucht ergriffen, deswegen kam es zu diesem tragischen Unfall.«

Dreiundvierzig

Die Familie stand schweigend im Salon und versuchte, mit den schockierenden Nachrichten fertigzuwerden, die Flóvent ihnen überbracht hatte. Dass Jónatan, ein junger Mann, der eng mit der Familie verbunden war, tot war und zudem noch unter dem Verdacht stand, eine junge Frau ermordet zu haben, die er einige Monate zuvor vergewaltigt und geschwängert haben soll. Dem Parlamentsabgeordneten und seiner Frau schien das alles sehr nahe zu gehen, und ihr Sohn wollte Flóvents Worten kaum Glauben schenken. Flóvent ließ ihnen einige Zeit, um sich wieder zu fangen, doch dann begann er mit seinen Fragen. Alle antworteten ihm ohne zu zögern, und Flóvent erhielt die gewünschten Informationen, bis die Frau des Hauses erklärte, sie sei am Ende ihrer Kräfte. Sie bat ihren Mann, sie hinauszubegleiten.

»Ich habe Jónatan schon ziemlich lange nicht mehr gesehen«, sagte sie. »Er kam nur manchmal hierher. Aber er war ein guter Junge, das möchte ich Ihnen sagen, was auch immer Sie von ihm glauben.«

»Sprechen Sie mit meinem Sohn«, sagte der Abgeordnete und ging mit seiner Frau zur Tür. »Er hat Jónatan am besten gekannt. Hólmbert«, sagte er und drehte sich zu seinem Sohn um, »du sagst dem Mann alles, was du weißt, wenn es der Polizei dabei hilft, Licht in diese tragische Angelegenheit zu bringen.«

Hólmbert nickte, er war immer noch wie benommen. Geistesabwesend suchte er in seiner Tasche nach einer Schachtel Zigaretten, von denen er sich eine anzündete. Flóvent winkte ab, als der junge Mann ihm auch eine anbot.

»Ich kann es einfach nicht glauben«, sagte Hólmbert. »Jónatan? Wer hätte so etwas je für möglich gehalten?«

»Es geht einem nahe, wenn es um jemanden geht, den man gut zu kennen glaubt«, sagte Flóvent.

Hólmbert sah ihn an.

»Es ist vielleicht...«

»Ja?«

»Es mag vielleicht unpassend wirken, wenn ich es gerade jetzt erwähne...«

»Was denn?«

»Ich mochte nichts sagen, solange meine Mutter anwesend war«, erklärte Hólmbert und ging zur Salontür, um sich zu vergewissern, dass sie wirklich geschlossen war. »Ich muss Ihnen aber jetzt eines sagen – ich war schon kurz davor, mich wegen Jónatan mit der Polizei in Verbindung zu setzen.«

»Tatsächlich?«, sagte Flóvent. »Aus welchem Grund?«

»Er... Es ist ungefähr drei Tage her, da hat Jónatan mich um ein Treffen gebeten, weil ihm etwas auf dem Herzen lag. Wir waren uns zufällig in der Uni über den Weg gelaufen. Ich studiere Jura, auch wenn mich das Fach zu Tode langweilt. Jónatan machte einen sehr niedergeschlagenen Eindruck auf mich, und ich versprach ihm, mich bei ihm zu melden. Und ich bin noch am gleichen Abend zu ihm gegangen und spürte sofort, dass er sehr unruhig war. Als ich nicht lockerließ, ihn nach dem Grund dafür zu fragen, da hat er angefangen, über dieses Mädchen zu reden, das Sie erwähnt haben. Rósmunda, so hieß sie doch, oder? Ich hatte in den Zeitungen über sie gelesen. Mir kam es so vor, als würde er die ganze Zeit meinen Fragen ausweichen. Fast so, als würde er von irgendwelchen Schuldgefühlen gequält.«

»Was genau hat er gesagt?«

»Viel war es nicht. Er hatte das Mädchen einige Monate vorher auf einer Tanzveranstaltung für Studenten getroffen, und sie hatten einen Spaziergang auf die Halbinsel Seltjarnarnes gemacht, und danach wollte sie zu ihm nach Hause. Mehr wollte er eigentlich nicht sagen. Er hatte sie auf dem Fest wiedererkannt, weil sie bei einer Schneiderei arbeitete.«

»Bei der Schneiderei *Sporið*?«

»Das weiß ich nicht mehr.«

»Was ist dann passiert?«

»Jónatan hat wirklich nicht viel gesagt, aber soweit ich ihn verstanden habe, hat er ... hat er versucht, sie zu zwingen, ihm zu Willen zu sein. Erst ist sie wohl darauf eingegangen, aber dann hat sie ihn gebeten, damit aufzuhören. Das hat er aber nicht getan.«

»Hat er gesagt, dass es Rósmunda war?«

Hólmbert nickte.

»Es kam zu einem Kampf, und das konnte man ihr ansehen. Er hat ihr gesagt, sie solle behaupten, verborgene Wesen seien über sie hergefallen. Mit denen kannte Jónatan sich bestens aus, er wusste alles über

Elfen und andere übernatürliche Wesen. Auf jeden Fall hat er ihr Schlimmstes angedroht, falls sie zur Polizei gehen würde.«

»Und das hat er Ihnen erzählt?«

»Ich habe es ihm nach und nach entlocken können. Ich konnte gar nicht recht glauben, dass er zu so etwas imstande war, und er selber konnte es eigentlich auch nicht fassen. Und wenn das alles stimmt … es gibt wirklich keine Rechtfertigung für eine solche Tat.«

»Hat Jónatan gewusst, dass Rósmunda schwanger war und eine Abtreibung gemacht hat?«

»Nein, das glaube ich nicht«, sagte Hólmbert. »Davon hat er jedenfalls nichts gesagt.«

»Hat Jónatan auch zugegeben, sie umgebracht zu haben?«

»Er hat es mehr oder weniger direkt gesagt.«

»Warum?«

»Ich glaube, sie hat damit gedroht, ihn anzuzeigen. Und wie gesagt, ich stand kurz davor, mit diesen Informationen zur Polizei zu gehen, ich habe nur gezögert, weil ich Jónatan so gut kannte, und weil das alles sehr schwierig für mich war.«

»Weil eine familiäre Verbindung zu Ihrer Mutter besteht?«

»Vielleicht hat das auch eine Rolle gespielt«, sagte Hólmbert beschämt. »Ich habe Jónatan natürlich zugeredet, freiwillig zur Polizei zu gehen, denn natürlich fand ich die Sache ungeheuerlich. Ich habe es Jónatan auch angesehen, dass er sich deswegen elend fühlte. Ich habe mit niemandem darüber geredet, auch nicht hier zuhause.«

»Auch nicht mit Ihrem Vater?«

»Nein. Mit niemandem.«

»Hat Jónatan vielleicht auch ein anderes Mädchen erwähnt? Hrund hieß sie.«

Hólmbert schüttelte nachdenklich den Kopf. Er hatte schmale Gesichtszüge, der Mund war klein, die Lippen dünn wie ein Strich über dem Kinn. Und auch seine Nase war klein und zierlich, und das blonde Haar lichtete sich bereits. Alles an ihm wirkte zart und empfindlich.

»Sie hat im Öxarfjörður gelebt«, sagte Flóvent. »Jónatan hat dort in einer Straßenbaukolonne gearbeitet, als das Mädchen verschwand.«

»Nein, er hat nur über Rósmunda gesprochen.«

»Ist er vielleicht auch auf seine Beweggründe eingegangen?«

»Soweit ich verstanden habe, war ihm der Gedanke daran, wie sich die Sitten in Reykjavík gelockert haben, unerträglich. So sagte er. Diesen sogenannten ›Zustand‹, den hasste er. Wie isländische Frauen sich auf Soldaten einließen, und wie die Soldaten diese Frauen dann behandelten. Das alles hat er nur mit viel Argwohn beobachtet. Das wusste ich auch schon vorher, er hat oft mit mir darüber geredet. Für ihn war das unanständig und unmoralisch, und es ging ihm wirklich nahe.«

»Und dafür hat Rósmunda büßen müssen?«

»Das weiß ich nicht, ich weiß nur, wie seine Ansichten waren«, sagte Hólmbert. »Ich wäre Ihnen sehr dankbar, wenn Sie meinen Namen in diesem Zusammenhang nicht erwähnen würden. Mir geht es schon schlecht genug, wenn ich Ihnen das alles erzähle, so als würde ich … Ich hätte schon längst mit Ihnen sprechen sollen. Aber Jónatan und ich, wir waren befreundet, verstehen Sie.«

In diesem Moment ging die Tür wieder auf, und der Abgeordnete erschien. Er schloss die Tür sorgfältig hinter sich.

»Entschuldigen Sie bitte«, sagte er zu Flóvent. »Hat mein Sohn Ihnen weiterhelfen können? Was für tragische Nachrichten haben Sie uns da überbracht. Ich habe bereits in die Wege geleitet, dass seine Familie im Norden verständigt wird. So wie die Dinge stehen, gehe ich davon aus, dass möglichst wenig Aufhebens um die Sache gemacht wird. Dass er in aller Stille beerdigt wird, der arme Junge. Spricht etwas dagegen?«

»Ich glaube nicht«, sagte Flóvent. »Sie können ihn jederzeit beerdigen, auch wenn die Ermittlung noch andauert.«

»Wieso wird sie weitergeführt?«

»Wir müssen noch mit seiner Familie im Norden sprechen. Wir müssen die einzelnen Bruchstücke besser zusammenfügen und das ein oder andere bestätigt bekommen. Ihr Sohn ist uns sehr behilflich gewesen.«

»Ich verstehe, wenn Sie sagen, dass Sie Ihre Arbeit zu Ende bringen müssen. Aber meinen Sie nicht, dass seine Familie schon genug zu erleiden hat? Können Sie ihnen nicht diese lästige Fragerei ersparen? Wenn ich Sie richtig verstanden habe, liegt doch alles ziemlich eindeutig auf der Hand. Wenn Sie möchten, kann ich mit Ihren Vorgesetzten darüber reden, wie in dieser Angelegenheit weiter verfahren werden soll.«

»Ja, nein, das…«

»Es betrifft auch mein Haus und meine Familie in ziemlich direkter Weise«, sagte der Abgeordnete mit

Nachdruck. »Ich hoffe, Sie können Verständnis für meine Lage aufbringen. Sie ist nicht gut, und sie kann sehr schwierig werden, wenn nicht mit äußerster Diskretion vorgegangen wird. Der junge Mann stand hier in Reykjavík quasi unter unserer Verantwortung, weil meine Frau ihn der Verwandtschaft wegen bei uns aufgenommen hatte. Es wäre furchtbar, wenn wir alle mit in den Schmutz gezogen würden, nur weil wir ihm behilflich gewesen waren. Dem Jungen gilt selbstverständlich unser tiefstes Mitgefühl, dass er so vom rechten Wege abgekommen ist, zusammen mit diesem Mädchen, das Sie erwähnten. Aber darum geht es jetzt doch nicht mehr, sondern darum, dass wir alles versuchen müssen, damit nicht noch Schlimmeres dadurch entsteht. Es wurde wahrlich schon genug zerstört. Verstehen Sie, worauf ich hinauswill?«

Flóvent fand, dass die Eheleute die Zeit gut genutzt hatten, um sich zu besprechen. Ihm drängte sich der Verdacht auf, dass sie sich genau deswegen zurückgezogen hatten.

»Selbstverständlich werde ich bei meinem weiteren Vorgehen Rücksicht darauf nehmen«, sagte er. »Und mit meinen Vorgesetzten können Sie sich gerne in Verbindung setzen. Soweit ich sehen kann, ist dieser Fall für alle, die etwas damit zu tun haben, eine schwere Prüfung. Und deswegen ist es natürlich am besten, wenn alles Weitere in aller Stille vor sich geht.«

»Genau das wollte ich hören«, sagte der Abgeordnete. »Es handelt sich um einen überaus heiklen Fall, von dem in Anbetracht der Lage so wenig wie möglich bekannt werden sollte.«

Vierundvierzig

Konráð saß in seiner Küche im Vorort Árbær, trank Rotwein und dachte über den Besuch bei Magnús in Borgarnes nach. Er hatte eine alte Platte aufgelegt, *Borgin sefur* von Helena Eyjólfsdóttir, und bei diesen Klängen konnte Konráð endlich etwas entspannen. Die Autofahrt nach Borgarnes und das Grübeln über die bisherigen Ergebnisse seiner Recherchen hatten ihn müde gemacht. Er hatte aber einiges erreicht und war fest entschlossen, dem Alzheimerpatienten Hólmbert einen Besuch abzustatten, auch wenn sein Bruder Magnús der Ansicht war, dass es nicht viel bringen würde. Er war überzeugt, dass Thorson vor seinem Tod noch versucht hatte, Hólmbert zu befragen. Nachdem Konráð schon so viele Puzzlestücke aus Thorsons letzten Lebenstagen zusammengefügt hatte, wollte er nun unbedingt wissen, ob ihm das gelungen war.

Rósmunda hatte einen furchtbaren Schock erlitten, vermutlich im Hause des Parlamentsabgeordneten. Und der Abgeordnete war zur gleichen Zeit im Nordosten Islands unterwegs gewesen, als Hrund spurlos verschwand. Die jungen Frauen hatten sich gewissermaßen in einer ähnlichen Lage befunden, beide waren dazu gezwungen worden, die Vergewaltigung mit einem Angriff von übernatürlichen Wesen zu erklären. Konnte es sein, dass der Abgeordnete etwas damit zu tun hatte? Und war Thorson vielleicht zu demselben Ergebnis gekommen? Aber weshalb war er erst jetzt und nicht schon damals, als er direkt an der Ermittlung im Fall Rósmunda beteiligt war, diesem Verdacht nachgegangen? Weshalb versuchte Thorson ein ganzes Menschenalter später immer noch, die Tatumstände zu erforschen? Er war völlig perplex gewesen, als er von Petra erfuhr, dass Rósmunda sich geweigert hatte, Aufträge auszuführen, bei denen sie das Haus des Abgeordneten betreten musste. Thorsons Reaktion war nur dadurch zu erklären, dass es mit der Vorgeschichte, mit der damaligen Ermittlung zu tun hatte. Er hatte wahrscheinlich mehr über diesen Fall gewusst als jeder andere, und ihm war es endlich gelungen, Fakten miteinander zu verknüpfen, von deren Verbindung er bislang keine Ahnung gehabt hatte.

Konráð wusste nicht viel über diesen Abgeordneten. Er ging ins Internet, um mehr über ihn und seine Karriere herauszufinden. Kurz nach der Gründung der Republik Island 1944 hatte sich dieser Mann aus der Politik zurückgezogen und ein Importunternehmen übernommen, das noch bis zum heutigen Tag bestand und zu den allergrößten in Island zählte. Es hieß, er habe sich in den Jahren nach dem Krieg seine politischen Beziehungen zunutze gemacht, damals waren Devisenhandel und Import vielerlei Einschränkungen unterworfen. Im Hintergrund war er aber die ganze Zeit über ein sehr wichtiger Drahtzieher in seiner Partei geblieben, und er starb hochbetagt Ende der siebziger Jahre. Die Firma übernahm sein Sohn Hólmbert. Anscheinend empfand der Abgeordnete mehr für diesen Sohn als für seine anderen Kinder.

Diese Leute haben sich wirklich ihren Erfolg im Leben gesichert und können damit zufrieden sein, dachte Konráð und ging ins Wohnzimmer, um noch eine Platte von Helena Eyjólfsdóttir aufzulegen. Bei der Gelegenheit öffnete er auch eine weitere Flasche Rotwein, und mit den einschmeichelnden Klängen im Hintergrund setzte er sich wieder in die Küche. Der Blick aus dem Küchenfenster ging Richtung Westen, wo gerade die Sonne unterging. Er dachte darüber nach, wie oft Geld und Besitz Familien auseinanderreißen konnten, und was für ein erbärmlicher Grund das letztendlich war. Von den Kindern der Familie waren nur noch die Brüder Magnús und Hólmbert am Leben, und sie hatten jahrzehntelang kein Wort miteinander gewechselt. Und sogar nachdem Hólmbert von dieser schweren Krankheit heimgesucht wurde, war das für Magnús kein Anlass gewesen, den Kontakt wieder aufzunehmen. Jetzt entschuldigte er sich damit, dass es zu spät war.

Konráð hatte sich im Internet auch über Hólmbert schlau gemacht und herausgefunden, dass er und sein Vater die Firma erfolgreich vergrößert und deren Aktivitäten erweitert hatten, sodass sie heute Anteile an Fischereiunternehmen, an einer Fluggesellschaft und einer großen Baumarktkette besaß. Hólmbert hatte Jura an der Universität Islands studiert, aber keinen Abschluss gemacht. Gegen Ende des Krieges war er nach Amerika gegangen und hatte dort geschäftliche Kontakte für die Firma geknüpft, was ihr sehr zustattengekommen war. Seine Frau saß zwar auch im Vorstand des Unternehmens, war aber vor allem bekannt für ihr wohltätiges Engagement bei einer kirchlichen Hilfsorganisation und beim Roten Kreuz. Hólmbert hatte sich auch eine Zeit lang in der Politik versucht, er war ins Parlament gewählt worden, hatte sogar zweimal einen Ministerposten innegehabt, doch dann hatte er sich zurückgezogen und sich ganz und gar der Firma gewidmet. Er war Ehrenmitglied in diesen und jenen Vereinigungen des Wirtschaftslebens und mit Orden ausgezeichnet worden.

Der Sohn übernahm die Geschäftsleitung kurz nach der Jahrtausendwende. Hólmbert galt da schon als etwas senil, wahrscheinlich hatten sich bereits die ersten Anzeichen der Alzheimer-Erkrankung bemerkbar gemacht, vermutete Konráð.

Konráð musste auf einmal wieder an das denken, was Magnús in Borgarnes ihm von der Reise seines Vaters in den Nordosten des Landes erzählt hatte. Zur gleichen Zeit, als sich das Mädchen Hrund vermutlich das Leben genommen hatte. Eine neue Frage drängte sich ihm auf, die er Magnús hätte stellen sollen. Er warf einen Blick auf die Uhr. Vielleicht war es noch nicht zu spät.

Er suchte nach der Nummer und gab sie auf seinem Handy ein. Er sah noch einmal auf die Uhr und überlegte, ob der alte Mann sich nicht schon schlafen gelegt hatte. Seine Frage konnte schließlich auch bis morgen warten. Er wollte gerade aufgeben, als am anderen Ende das Gespräch angenommen wurde.

»Ja?«, hörte er Magnús sagen.

»Entschuldige, Magnús, dass ich so spät noch anrufe«, sagte Konráð. »Ich habe dich hoffentlich nicht geweckt.«

»Wer ist denn da?«

»Konráð, ich habe dich heute besucht. Warst du schon eingeschlafen? Es hat nämlich auch Zeit bis morgen.«

»Was ... Wieso rufst du so spät noch an?«

»Es geht nur um eine kleine Sache, die mir nicht mehr aus dem Kopf gegangen ist, seit wir uns verabschiedet haben.«

»Ach ja?«

»Du hast mir gesagt, dein Vater sei oben im Norden auf Reisen gewesen, ungefähr zu der Zeit, als Hrund verschwand.«

»Ja.«

»Hat er dir noch mehr über den Fall erzählt, vielleicht etwas, was mit dem Mädchen zu tun hatte, was er von den Leuten in der Gegend gehört hat?«

»Nein, nichts. Nur das mit den verborgenen Wesen.«

»Das hat er dir erzählt?«

»Ja. Er und mein Bruder.«

»Dein Bruder?«

»Ja, Hólmbert.«

»Wieso wusste er von der Sache?«

»Er war damals dort mit meinem Vater unterwegs. Sie haben beide davon erzählt. Und später hörte ich natürlich noch mehr darüber, als ich selber ...«

»War Hólmbert mit deinem Vater im Öxarfjörður, als das Mädchen verschwand?!«

»Ja. Hólmbert war schon immer Papas Liebling, Vater nahm ihn manchmal mit auf solche Reisen. Du hast ...«

Die Verbindung wurde schlechter, und Konráð verstand nicht, was Magnús sagte.

»Entschuldige, ich habe das nicht gehört, bei mir ist der Akku fast leer. Könntest du …?«

»Vor Kurzem rief ein Mann bei mir an und stellte genau die gleiche Frage«, sagte Magnús. »Er hat nach Hólmbert und meinem Vater und nach dieser Reise in den Nordosten gefragt. Du hast mich nach einem Mann gefragt, der mich besucht haben könnte. Vielleicht ist das ja der Mann, aber der hat nur bei mir angerufen. Ich hatte es einfach vergessen.«

»Du meinst Thorson? Oder wie gesagt Stefán. Hat er dich angerufen?«

»Ja, der Mann hieß Stefán. Er hat behauptet, er würde etwas über die Gegend da oben im Nordosten schreiben, über seltsame Vorfälle dort oben, und dann brachte er die Rede auf dieses Mädchen, und ich habe ihm gesagt … Aus irgendwelchen Gründen hat er vor allem nach Hólmbert gefragt, aber die hat er mir nicht genannt.«

»Und was hast du ihm gesagt?«

»Dasselbe wie dir, dass Hólmbert mit unserem Vater eine Reise im Nordosten gemacht hat. Ich habe mich vielleicht nicht genau genug ausgedrückt, als du über Rósmunda gesprochen hast. Bei uns zu Hause wussten wir zwar davon, weil ein Freund der Familie etwas damit zu tun hatte. Er hieß Jónatan. Mir wurde aber nie genau gesagt, worum es ging. In unserer Familie durfte nicht darüber geredet werden, es war so etwas wie ein Familiengeheimnis.«

»Und deswegen hast du mir nichts davon gesagt?«

»Ich bin es nicht gewohnt, mit Fremden über so etwas Privates zu reden«, sagte Magnús.

»Wer war dieser Jónatan?«

»Er war Student an der Universität.«

»Hast du Student gesagt?«, fragte Konráð, der sich plötzlich daran erinnerte, dass Thorson auch etwas von einem Studenten gemurmelt hatte, als er bei Petra gewesen war.

»Ja, er starb bei einem Verkerhrsunfall. Ich habe ihn nicht sehr gut gekannt. Mein Bruder Hólmbert und er waren befreundet. Mehr kann ich dir wirklich nicht dazu sagen. Gute Nacht.«

Fünfundvierzig

Thorson folgte langsamen Schritts den Pfaden, die ihn an Gräbern mit Kreuzen und Grabsteinen vorbeiführten, von denen einige eingesunken waren. Sie standen schief und waren verwittert und von Moos überzogen. Die Inschriften konnte man teilweise kaum noch entziffern, weil die Gräber so alt waren. Die Jahreszahlen wiesen zurück in eine längst vergangene Zeit zu Anfang des vergangenen Jahrhunderts. Als Thorson genauer hinsah, wurde ihm bewusst, dass er bereits älter als die meisten hier geworden war. Einige stammten aus Kriegszeiten. Seit seiner Rückkehr nach Island war er oft auf den Friedhof gegangen, um auf diesem Pfad zu dem Grab zu gelangen. Früher hatte er sich rascher vorwärtsbewegt, jetzt war der Weg beschwerlicher für ihn. Die Jahre waren vorbeigegangen, eines hatte dem anderen geglichen. Auf Island hatte er den Frieden und die Ruhe gefunden, die er nach dem Krieg gesucht hatte. Das einzig Verwunderliche war dieses lange Leben. Thorson blieb vor dem Grab stehen. Ihm war leichter ums Herz als oft zuvor, denn diesmal hatte er gute Nachrichten zu überbringen, auch wenn sie zu spät kamen.

Obwohl die Ereignisse so lange zurücklagen, hatte Thorson Rósmunda und Jónatan niemals vergessen können. Eines Tages am Küchentisch hatte er in den Zeitungen geblättert und bei einem Nachruf auf eine Frau innegehalten, die in derselben Schneiderei wie seinerzeit Rósmunda gearbeitet hatte. Er erinnerte sich an den Namen und erkannte sie auf dem Foto, das dem Nachruf folgte. Sie war Rósmundas Freundin gewesen. Er beschloss, zu ihrer Beerdigung zu gehen. Flóvent und er hatten damals mit ihr gesprochen und so von der Vergewaltigung erfahren. Ihm war klar, dass nicht mehr viele Menschen lebten, die sich noch an diesen Mord erinnern konnten, und ihre Zahl verringerte sich immer mehr. Er selber war schon hochbetagt, und er wusste, dass schon bald niemand mehr von Rósmundas Schicksal wissen oder sich Gedanken darüber machen würde.

Die Kirche war gedrängt voll gewesen, als Thorson eintraf, doch er fand ganz hinten noch einen Sitzplatz. Der Pastor traf den Ton nicht, aber der gemischte Chor sang die üblichen Beerdigungslieder ganz ordentlich. Nach der Trauerfeier waren die Kirchengäste zum Leichenschmaus im Gemeindehaus eingeladen. Dort traf Thorson einen früheren Kollegen, sie hatten 1974 zusammen am Bau der großen Brücken auf den riesigen Sandern östlich von Vík gearbeitet, durch die der Straßenring rund um die Insel geschlossen wurde. Als sie auf die Tote zu sprechen kamen, erklärte Thorson dem ehemaligen Kollegen, dass er die Frau von früher kannte. Sie hatte in derselben Schneiderei gearbeitet wie das Opfer in einem Mordfall, und er hatte damals an der Ermittlung teilgenommen. Der Ingenieur wurde neugierig, und Thorson erzählte ihm die wichtigsten Fakten. Dabei stellte sich heraus, dass der Kollege eine Frau namens Geirlaug kannte, die eine enge Verbindung zur Familie der Schneidermeisterin hatte. Geirlaug war eng mit ihrer Tochter befreundet. Er erinnerte sich aber nicht an den Namen der Frau.

»Was sagst du da, hatte die Schneiderin eine Tochter?«, fragte Thorson.

»Sie war ein Einzelkind, soweit ich weiß«, sagte der Ingenieur. »War da nicht etwas faul bei den Mordermittlungen damals? Etwas in der Art hat Geirlaug mir irgendwann mal erzählt.«

»Wieso denn? Was soll faul gewesen sein?«

»Das weiß ich nicht mehr.«

»Etwas, was mit der Schneidermeisterin zu tun hatte?«

»Ja, genau.«

»Hat diese Geirlaug mit ihr gesprochen?«, fragte Thorson.

»Ja, oder vielleicht sogar eher mit der Tochter.«

Ein paar Tage später entschloss sich Thorson, Geirlaug anzurufen, und er erfuhr von ihr, dass die Tochter der Schneiderin Petra hieß. Er zögerte eine Zeit lang, sich mit ihr in Verbindung zu setzen, doch schließlich raffte er sich auf. Petra hatte nichts dagegen, ihn zu treffen, sie lud ihn zu sich nach Hause ein. Und dort erfuhr er, was weder er noch Flóvent damals wussten: Rósmunda hatte sich strikt geweigert, das Haus des Abgeordneten jemals wieder zu betreten. Eben des Abgeordneten, der später zusammen mit seinem Sohn Hólmbert eine wichtige Rolle spielte, denn ihre Aussagen bestätigten den Verdacht, dass Jónatan den Mord verübt hatte, so zwingend, dass Flóvent seine Ermittlungen einstellte.

Rósmundas Fall hatte Thorson verfolgt, seit er sich an einem regnerischen Tag auf dem Kai von Flóvent verabschiedete, die Kriegsjahre hindurch und auch die ersten Jahre nach dem Krieg. Er ging zunächst zurück nach Kanada, beendete seinen Militärdienst, studierte Ingenieurwissenschaften und verwirklichte seinen Traum, Brückenbauer zu werden. Er blieb zunächst noch einige Jahre in Kanada, aber als sein Vater nach kurzer Krankheit verstarb, nahm er wieder Verbindung zu seinen Bekannten in Island auf. Kurze Zeit später wurde ihm dort eine Stelle angeboten. Ursprünglich wollte er nur einige Jahre in Island verbringen, um nach den Jahren des Unfriedens endlich wieder Frieden in seiner Seele zu finden. Seine Mutter hatte gemerkt, wie sehr er sich verändert hatte, als er von den Schlachtfeldern in Europa zurückkehrte; sie spürte seine Trauer und seine innere Anspannung, Eigenschaften, die sie gar nicht an ihrem Sohn kannte. Thorson verlor nie viel Worte über seine Teilnahme an den Kämpfen, seiner Ansicht nach gab es nichts, womit er sich brüsten könnte. Ihm war zwar eine kanadische Tapferkeitsmedaille verliehen worden, aber er fühlte sich nicht als Held. Diese Bezeichnung verdienten seiner Meinung nach viel eher die Kameraden, die er im Kampf verloren hatte und die er vermisste.

»Wieso willst du zurück nach Island?«, hatte seine Mutter ihn gefragt. Sie war dagegen, dass er zurück auf die Insel ging.

»Ich habe mich dort wohl gefühlt«, sagte der Sohn.

»Glaubst du, dass du jemals wiederkommst?«

»Das denke ich schon. Aber es kommt mir so vor, als sei es wichtig für mich. Ich möchte die Ruhe finden, die es dort noch gibt, weil man so abseits von allem ist. Ich habe das Gefühl, sie könnte mir guttun.«

»Willst du es dir nicht doch noch mal überlegen?«, fragte seine Mutter, die neben ihm stand und zusah, wie er seine Tasche packte.

»Ich glaube nicht«, sagte Thorson. »Ich habe viel an Island denken müssen, seit ich das Land verließ, und ich möchte einfach noch einmal hin.«

»Geht es um das Mädchen, von dem du mir erzählt hast? Hast du das Gefühl, noch mehr in dieser Sache tun zu müssen? Willst du deswegen dorthin?«

Thorson hatte seiner Mutter von Rósmundas Fall erzählt, eines Abends, als er sehr niedergeschlagen war und die Gedanken an die Kriegserlebnisse vertreiben wollte. Er hatte seit seinem Abschied von Island oft an seinen Dienst bei der Militärpolizei und die Zusammenarbeit mit Flóvent denken müssen. Und sich dabei auch wieder vor Augen geführt, was aus ihrer letzten gemeinsamen Ermittlung geworden war. Er hatte sich den Kopf darüber zerbrochen, ob sie etwas anders oder besser hätten machen können. Er war diesen Gedanken nie losgeworden, weil er sich selber die Schuld daran gab, wie es gelaufen war. Er hätte besser auf Jónatan achtgeben müssen. Und er wusste, dass Flóvent sich noch schlechter fühlte als er. Dazu bedurfte es nicht vieler Worte.

Zwei Tage nach dem tragischen Tod von Jónatan hatten sie sich ein letztes Mal am Kai getroffen. Flóvent war gekommen, um sich von Thorson zu verabschieden, dem ein anderer Einsatz bevorstand. Flóvent hatte ihm in allen Einzelheiten von dem Besuch im Haus des Abgeordneten berichtet und auch darüber, dass der Sache wahrscheinlich nicht weiter nachgegangen werden würde. Dem konnte Thorson nichts hinzufügen. Er spürte, wie sehr dieser Ausgang Flóvent bedrückte, dem es nicht darum ging, ob er wegen Fehlverhaltens im Dienst bestraft werden würde. Der Abgeordnete hatte sich sehr für ihn eingesetzt und den oberen Chargen bei der Polizei versichert, dass seitens der Familie von Jónatan keinerlei Nachspiel zu befürchten war.

Ein eiskalter isländischer Regenschauer war auf sie niedergeprasselt. Thorson und Flóvent gaben sich die Hände und versprachen sich ein Wiedersehen nach dem Krieg. Sie konnten die eigenen Worte kaum verstehen. Das gesamte Hafengebiet starrte von Waffen, und unzählige Soldaten marschierten an ihnen vorbei. Sämtliche Worte gingen in Schreien, Rufen, Gedröhn und taktfesten Schritten unter.

»Nein«, sagte Thorson zu seiner Mutter, nachdem er seine Tasche zugemacht hatte. »Ich muss ... Ich brauche eine neue Umgebung. Ich komme hier einfach nicht zur Ruhe. Ich kann es kaum erklären, aber in den allerschlimmsten Stunden, als die Kämpfe so erbittert waren wie nie zuvor, als ich rings um mich herum vom Tod umgeben war, habe ich an Island gedacht. Es war ganz seltsam. Ich habe an die Ruhe dort, an den Frieden gedacht. In diesem Land herrschen ein wunderbares Licht und ein wunderbares Schweigen. Ich habe mich immer danach gesehnt, das wiederzufinden.«

Einer der ersten Wege nach Thorsons Rückkehr führte ihn zu Flóvents Adresse. Er erinnerte sich daran, wo das Haus gestanden hatte, und als er eines Tages dort anklopfte, kam Flóvents Vater zur Tür, den er sofort erkannte. Sie hatten ja einmal zusammen an der Ecke zum Skuggasund gestanden. Sie begrüßten sich, und Flóvents Vater erinnerte sich ebenfalls an ihn und ließ ihn ein. Er sei so alt und klapprig geworden, sagte er, als Hafenarbeiter tauge er nichts mehr, und er fristete sein Leben von der Sozialhilfe.

»Hast du keinen Kontakt mehr zu ihm gehabt?«, fragte der Vater, als Thorson nach Flóvent fragte.

»Leider nein. Wir wollten uns nach dem Krieg treffen, aber das hat sich etwas hinausgezögert. Immer mal wieder hab ich mir vorgenommen, ihm zu schreiben, aber daraus ist nie etwas geworden.«

»Dann weißt du es also gar nicht?«

»Was weiß ich nicht?«

»Schlimm, dass du auf diese Weise davon erfährst, aber mein Flóvent lebt nicht mehr. Er ist vor knapp zwei Jahren gestorben.«

»Gestorben?!«

»Nach eurer gemeinsamen Ermittlung hat er den Polizeidienst quittiert und als Büroangestellter beim Finanzamt gearbeitet. Bis er eines Tages ins Krankenhaus kam.«

»Was sagst du da? Wie …«

»Er hat schon lange was am Magen gehabt, aber sich nie darum geschert. Es war Magenkrebs.«

Der alte Mann wischte sich über die Augen.

»Und er hat einen schrecklichen Tod gehabt, der arme Junge, es war ein fürchterlicher Tod. Du kannst ihn auf dem Friedhof besuchen, er liegt ganz in der Nähe von seiner Mutter und seiner Schwester.«

»Das habe ich nicht gewusst«, sagte Thorson. »Mein aufrichtiges Beileid.«

»Ich danke dir. So war das, so ist es dem armen Jungen ergangen.«

»Ich ... Ich war auf vieles gefasst, aber nicht auf das, um die Wahrheit zu sagen.«

»Niemand weiß, was das Schicksal für ihn bereithält, an dieser alten Weisheit ist nicht zu rütteln.«

Thorson wusste nicht, was er sagen sollte. Flóvents Vater war in seine eigenen Gedanken versunken, und so saßen sie beide eine ganze Weile schweigend da. Nur der Wasserhahn in der Küche tropfte, und mit einem leisen Plopp fiel Tropfen für Tropfen ins Spülbecken.

»Hat er mit dir über den Fall dieses Mädchens geredet, dass beim Nationaltheater gefunden wurde?«, fragte Thorson schließlich.

»Nein, oder nur ganz selten. Ich glaube, er hat es verdrängen wollen. Er hat einfach nicht daran denken wollen. Ich habe ihm angemerkt, dass er mit dem Ausgang der Sache nicht zufrieden war. Wahrscheinlich hatte es etwas mit dem Unfall zu tun, als euch der Gefangene entwischt ist.«

»Ja, das war wirklich schlimm.«

»Das hat er auch gesagt. Es kam mir so vor, als wäre mein Flóvent vorzeitig gealtert, und schuld daran war dieser schreckliche Fall.«

»Es war eine sehr schwierige Ermittlung.«

»Flóvent hat schwer darunter gelitten. Ich glaube, er war sogar entschlossen, den Fall noch einmal aufzurollen, aber darüber ist er gestorben. Den Brief von ihm hast du leider nie bekommen.«

»Welchen Brief?«

»Er hat dir geschrieben, wusste aber nicht, wohin er

den Brief schicken sollte, deswegen hat er ihn einfach an deine Kompanie adressiert. Das hat aber wohl nichts gebracht, denn der Brief kam zurück. Er muss hier noch irgendwo sein. Ich habe ihn nach seinem Tod in seinen Sachen gefunden.«

Der alte Mann ging in sein Zimmer und kam zurück mit einem Umschlag, der an Thorson adressiert war. Thorson nahm den Brief entgegen und öffnete ihn.

Reykjavík, 13. Dezember 1947

Mein lieber Thorson!

Ich hoffe, dieser Brief gelangt in deine Hände. Ich weiß nicht, ob du den Krieg lebend überstanden hast, und dies ist ein Versuch, es herauszufinden.

Ich habe in den vergangenen Jahren oft an dich und unsere Zusammenarbeit denken müssen, und ich weiß nicht, ob ich dir genug gedankt habe für deine Unterstützung und für deine Hilfsbereitschaft. Das möchte ich hiermit tun.

Ich kann nur versuchen, mir vorzustellen, welche Schrecken des Krieges über dich hereingebrochen sind. Über die Invasion in der Normandie habe ich viel gelesen, und insofern glaube ich zu wissen, was für grauenvolle Dinge sich vor deinen Augen abgespielt haben müssen.

Unser letzter gemeinsamer Fall liegt mir immer noch schwer auf der Seele. Ich glaube zwar, dass wir zum richtigen Ergebnis gekommen sind, aber manchmal beschleicht mich auch der Verdacht, dass wir sehr viel besser hätten arbeiten können. Beispielsweise wenn wir

*den Fall einmal aus einer ganz anderen Perspektive
betrachtet hätten. Wahrscheinlich quält mich einfach
immer noch das Gewissen wegen des Studenten. Ich
habe mich praktisch nie damit abfinden können, wie
dieser Fall endete. Jónatans Familie im Norden war
natürlich entsetzt, als sie von seinem Schicksal erfuhr,
aber nachdem sie über alle Umstände informiert worden waren, gaben sie uns keine Schuld an seinem Tod.*

*Unser wichtigster Zeuge und Helfer war Hólmbert,
der Sohn des Abgeordneten. Er hat sämtliche Verdachtsmomente gegen Jónatan uns gegenüber bestätigt. Das
hätte mich eigentlich beruhigen sollen, aber ich finde
trotzdem keinen Frieden in meiner Seele.*

*Also, lieber Freund, ich wäre froh über eine Nach-
richt von dir, und sei es auch nur eine Zeile. Damit ich
weiß, dass du lebst – dann würde ich mich besser fühlen.*

Dein Flóvent

Thorson blickte auf das Grab seines alten Freundes,
schlug das Zeichen des Kreuzes darüber und sprach
ein kurzes Gebet. Flóvents Vater stand unweit davon
bei einem der Massengräber, die ausgehoben werden
mussten, als die Spanische Grippe in Island grassierte.
Thorson wusste, dass dort Flóvents Mutter und die
Schwester lagen, Seite an Seite mit anderen Opfern der
Epidemie.

Ruhe in Frieden, stand auf Flóvents Grabstein, und
Thorson wusste, wenn dieser Wunsch irgendwo Be-
rechtigung hatte, dann an diesem Grab.

Sechsundvierzig

Thorson hatte das Pflegeheim ausfindig gemacht, in dem Hólmbert untergebracht war. Nach seinem Besuch auf dem Friedhof machte er sich auf den Weg dorthin. Er kannte den Mann nicht, hatte nie zuvor mit ihm gesprochen und war ihm nie auch nur von Ferne begegnet. An den Namen aber erinnerte er sich gut, denn in seinem Brief hatte Flóvent gesagt, dass er ihnen damals sehr geholfen hatte, die noch bestehenden Lücken zu füllen, was die Bekanntschaft von Jónatan und Rósmunda anbelangte. Nur so konnte der Fall abgeschlossen werden, falls es unter solchen Umständen überhaupt möglich war.

Thorson nahm den Bus. Das war sehr bequem, denn eine der Linien, die beim Friedhof hielten, brachte ihn ganz in die Nähe des Pflegeheims. Er fuhr schon lange nicht mehr Auto, die Geschwindigkeit auf den Straßen, die ungeduldigen anderen Autofahrer, der dichte Verkehr, das war ihm alles zu viel. Er fand es sehr angenehm, mit dem Bus zu fahren, und das tat er sehr häufig, nur nicht bei wirklich schlechtem Wetter, dann nahm er sich lieber ein Taxi.

Unterwegs dachte er über seinen Besuch bei der Tochter der Schneiderin nach, über Hólmberts Rolle in dem Mordfall und über das Telefongespräch mit Magnús in Borgarnes, von dem er erfahren hatte, dass Hólmbert seinen Vater auf der Reise in den Nordosten Islands begleitet hatte. Allmählich fügte sich das Puzzle in seinem Kopf zusammen, all die Dinge, von denen er bislang nichts gewusst hatte. Dinge, die ihm und Flóvent wissentlich vorenthalten worden waren. Es gab da wohl irgendwo jemanden, dem daran gelegen war, dass diese Dinge für immer in der Versenkung verschwanden. Thorson musste an Flóvents Brief denken, und dessen letzte Worte gingen ihm durch den Kopf, als er das Pflegeheim betrat – irgendwie finde ich keinen Frieden in meiner Seele, hatte Flóvent geschrieben.

Ihm wurde gesagt, auf welcher Station Hólmbert lag, und er fuhr mit dem Aufzug auf diese Etage. Mit Birgitta hatte er noch nicht über seine neuen Erkenntnisse gesprochen, sie hätte sich nur aufgeregt und sich Sorgen um ihn gemacht. Außerdem wollte er abwarten, was er noch in Erfahrung bringen würde, bevor er sich in irgendwelche Trugschlüsse hineinsteigerte, die ja auch vollkommen abwegig sein konnten. Bei der Ermittlung seinerzeit war nie zutage gekommen, dass Rósmunda sich geweigert hatte, das Haus des Abgeordneten zu betreten, und ebenso wenig die Tatsache, dass der Abgeordnete und sein Sohn sich genau zu der Zeit im Nordosten aufgehalten hatten, als Hrund spurlos verschwand. Diese Informationen waren der Polizei vorenthalten worden, aber sie waren unerhört wichtig. Mit ihnen hatte sich eine völlig neue Perpektive eröffnet.

Thorson fand das Zimmer, in dem ein Mann in ungefähr seinem Alter in einem Krankenbett lag, umgeben von Familienfotos, Kinderzeichnungen und Blumen in Kristallvasen.

»Hólmbert?«, sagte Thorson und näherte sich dem Bett. »Bist du Hólmbert?«

Der Mann reagierte nicht darauf. Er lag auf dem Rücken und starrte mit geöffneten Augen zur Decke. Trotzdem hatte es den Anschein, als schliefe er.

»Entschuldige, dass ich einfach so hereinspaziere, aber ...«

Thorson hielt mitten im Satz inne, als ein Pfleger hereinkam und ihn grüßte. Er trug ein Tablett mit Medikamenten und einem Glas Wasser. Er richtete den alten Mann in seinem Bett auf und half ihm dabei, die Tabletten zu schlucken.

»Bin ich hier vielleicht nicht im richtigen Zimmer?«, fragte Thorson. »Ich wollte zu Hólmbert.«

»Doch, hier bist du richtig«, sagte der Pfleger. »Bist ...? Kann ich dir behilflich sein?«

»Ich habe ihn noch nie besucht.«

»Hast du versucht, mit ihm zu reden? Hólmbert ist sehr krank. Er hat Alzheimer und reagiert kaum auf irgendwelche Besuche.«

»Ach, das wusste ich nicht. Alzheimer?«

»Gehörst du zur Familie?«

»Nein, ich bin nur ein alter Bekannter. Ich habe keinen ... wir haben viele Jahre überhaupt keinen Kontakt mehr gehabt. Es hat also keinen Sinn, mit ihm zu reden?«

»Du kannst es versuchen, aber mach dir keine Hoffnungen, dass er darauf eingeht«, sagte der Pfleger und ging mit seinem Tablett ins nächste Krankenzimmer.

Thorson lehnte die Tür an und setzte sich an Hólmberts Bett. Er hatte Mitleid mit diesem Mann, dem das Schicksal übel mitgespielt hatte. Auch wenn es nur ungewissen oder gar keinen Erfolg haben würde, er wollte ihm zumindest sagen, weshalb er gekommen war.

»Mein Name ist Thorson«, sagte er. »Und Flóvent hieß ein Freund und Kollege von mir in früheren Zeiten. Wir haben seinerzeit den Mord an einem Mädchen hier in Reykjavík untersucht, es war während des Krieges. Sie hieß Rósmunda und arbeitete in einer Schneiderei, die auch für deine Familie gearbeitet hat. Sie hat des Öfteren Bestellungen in eurem Haus abgeliefert, aber auf einmal weigerte sie sich, das zu tun. Einige Monate bevor sie tot aufgefunden wurde, war sie vergewaltigt worden, und der Täter hatte ihr eingeschärft, irgendwelche verborgenen Wesen dafür verantwortlich zu machen.«

Hólmbert starrte aus kleinen, farblosen Augen reglos zur Decke.

»Drei Jahre zuvor hatte ein Mädchen im Öxarfjörður, Hrund hieß sie, eine ähnliche Geschichte von Elfen erzählt, von denen sie überfallen worden sei«, fuhr Thorson fort. »Sie litt große Seelenqualen und verschwand kurze Zeit später spurlos. Es kann sein, dass sie verunglückt ist, ihre Leiche wurde nie gefunden. Es kann auch sein, dass sie umgebracht wurde und dass ein sehr einflussreicher Mann aus Reykjavík damit zu tun hatte, der zur gleichen Zeit im Nordosten auf Reisen war, als sie behauptete, von verborgenen Wesen überfallen worden zu sein.«

Thorson rückte etwas näher an Hólmberts Bett.

»Kannst du mir vielleicht dazu etwas sagen?«

Hólmbert zeigte keinerlei Reaktion.

»Warst du schon weitergereist, oder warst du noch im Öxarfjörður, als das Mädchen verschwand?«

Hólmbert rührte sich nicht.

»Diese Geschichte von übernatürlichen Wesen stellt eine Verbindung zwischen den beiden jungen Frauen dar«, sagte Thorson. »Ihre Aussagen stimmten jedenfalls erstaunlich überein. Flóvent und ich haben den Mann gefunden, der Rósmunda getötet hat. Er hieß Jónatan und hat uns gegenüber die Tat praktisch gestanden. Es gab da eine Verbindung zu deiner Familie, aber im eigentlichen Sinne verwandt war er nicht mit euch. Du hast Flóvent geholfen, den Fall zu lösen, hast deinen Beitrag zu der Ermittlung geleistet, indem du in gewisser Weise deinen Freund verraten hast. Alles schien zu passen. Und es war sicherlich nicht gut, dass Flóvent und ich ebenfalls schon zu dieser Ansicht gekommen waren. Wir haben Fehler bei der Ermittlung gemacht. Jónatan starb, während er in unserem Gewahrsam war. Vielleicht ist es uns so vorgekommen, als sei sein Tod so etwas wie eine gerechte Strafe für das gewesen, was er Rósmunda angetan hatte. Und deswegen brauchten wir keine Gewissensbisse zu haben, dass wir nicht genug auf ihn aufgepasst hatten. Deinen Aussagen wurde nur zu gern Glauben geschenkt, sie hätten zu keinem besseren Zeitpunkt erfolgen können – das Timing war perfekt.«

Hólmbert bewegte sich auf einmal und wandte sein Gesicht Thorson zu.

»Ich glaube, dass du es gewesen bist«, sagte Thorson und sah ihm in die Augen. »Du hast Rósmunda ermordet, und du hast das Leben von Hrund zerstört und sie vermutlich auch umgebracht. Ich habe noch nicht herausgefunden, ob du zu der Zeit, als sie verschwand, noch in der Gegend warst, aber das kriege ich noch raus. Durch deinen Freund Jónatan kanntest du all die Sagen von Elfen und verborgenen Wesen, denn er kannte sich damit aus. Deswegen haben wir geglaubt, er müsste es gewesen sein. Aber er war es nicht, du warst es. Du hast von ihm solche Geschichten gehört, also dass Elfen sich an Menschen vergreifen können, und dabei ist dir die Idee gekommen. Ich werde es an die Öffentlichkeit bringen. Jónatan war unschuldig, und wir haben ihn ins Gefängnis gesperrt. Er war unschuldig!«

Hólmbert starrte Thorson an. Seine Mundwinkel begannen zu zittern, und die farblosen Augen füllten sich mit Tränen. Die Muskeln in seinem Gesicht zuckten, so als wollte er etwas sagen. Seine blutleeren Lippen versuchten, ein Wort zu bilden, aber heraus kam nur ein fast tonloses Röcheln.

»Was ist?«, fragte Thorson. »Was willst du sagen?«

Hólmbert nahm alle seine Kräfte zusammen, um das herauszubekommen, was er sagen wollte.

»... Rós ... Rósmunda«, flüsterte er.

In dem Moment ertönte ein Geräusch auf dem Flur, und die Tür öffnete sich.

Siebenundvierzig

Konráð war auf dem Weg zu dem Pflegeheim, in dem sich Hólmbert befand. Er hatte in einigen Heimen im Großraum Reykjavík telefonisch angefragt und schließlich herausgefunden, wo Hólmbert untergebracht war. Es gab keine anderen Isländer in seinem Alter, die diesen Namen trugen. Konráð gab sich als alten Bekannten vom Lande aus, der gerne mit ihm sprechen wollte. Er hatte mit einer Pflegerin auf der Station telefoniert, die Hólmbert recht gut kannte. Die gesprächige Frau sagte ihm, dass Hólmbert sehr stark nachgelassen hatte, ganz besonders in den letzten Wochen sei es bergab mit ihm gegangen. Deswegen sei er inzwischen praktisch kaum noch ansprechbar und müsse ständig betreut werden – nicht einmal mit den einfachsten Dingen des täglichen Lebens käme er noch zurecht. Er sei hier aber gut versorgt. Die Frau drängte Konráð, Hólmbert zu besuchen, alle Besuche seien selbstverständlich sehr gern gesehen, auch wenn der Patient selber sie kaum noch wahrnahm. In den meisten Fällen wüssten auch die Familie und die Angehörigen der Patienten das zu schätzen. Auf Konráðs Frage, ob Hólmbert viel Besuch bekomme, antwortete die Pflegerin, das sei nicht der Fall. Seine Freunde seien fast alle schon tot, die Familie sei wohl nicht sehr groß.

Konráð betrat die Eingangshalle des Pflegeheims, und am Informationsschalter sagte man ihm, dass Hólmberts Zimmer im dritten Stock sei, und er wurde auf die Aufzüge hingewiesen. Auf der Station sah es nicht viel anders aus als in Viggas Heim. Die Angestellten eilten geschäftig hin und her, und etliche Patienten machten ein paar Schritte auf dem Korridor, mit oder ohne Gehgestelle. Einige vollständig angezogen, andere in Bademänteln. In den Zimmern lagen die Bewohner entweder schlafend im Bett, oder sie lasen oder hörten Radio und warfen Konráð neugierige Blicke zu, als er vorbeiging.

Hólmbert war nicht auf seinem Zimmer, und als Konráð nach ihm fragte, sagte man ihm, er befände sich wohl im Aufenthaltsraum. Dorthin wurde er morgens im Rollstuhl gebracht und sah sich alles an, was das Fernsehen zu bieten hatte. Konráð erkundigte sich, ob Hólmbert an seinen Rollstuhl gefesselt sei, und erhielt die Antwort, dass er sich eigentlich kaum noch anders bewegen könne. Er fragte auch, ob Hólmbert in letzter Zeit das Pflegeheim verlassen habe, doch das war schon seit mindestens zwei Monaten nicht mehr der Fall gewesen.

»Der Arme, die Krankheit ist bei ihm schon in einem sehr fortgeschritten Zustand, fürchte ich«, sagte eine Krankenschwester.

Schließlich fand Konráð Hólmbert im Aufenthaltsraum. Er saß in seinem Rollstuhl und starrte auf den großen Bildschirm, auf dem Zeichentrickfiguren herumwieselten. Der Ton war abgestellt, aber das störte ihn wohl nicht, er sah nur die Bilder und schien zufrieden zu sein. Er trug einen dicken blaukarierten Hausmantel, und seine knochigen kalkweißen Beine steckten in Filzpantoffeln. Auf seinem Kopf gab es noch einige farblose Haarsträhnen, und die grauen Bartstoppeln waren einige Tage alt. Die kleinen Augen waren ebenso farblos wie die noch verbliebenen Haare, sein Gesicht war verhärmt, und die Lippen um den verkniffenen Mund waren nahezu unsichtbar. Er warf noch nicht einmal einen Seitenblick auf Konráð, als der sich auf einen Stuhl neben ihn setzte.

»Hólmbert?«, sagte Konráð.

Der alte Mann antwortete nicht und starrte unverwandt auf den Flachbildschirm.

»Hólmbert?«, wiederholte Konráð.

Wieder reagierte Hólmbert nicht darauf, sondern starrte weiter auf die Mattscheibe.

Konráð wusste nicht viel über Alzheimer, er hatte sich aber ein wenig im Internet informiert: Eine Demenzerkrankung, die zunächst das Kurzzeitgedächtnis betraf und später auch den vollständigen Gedächtnisschwund nach sich zog. Mit der Zeit kam es zu Verhaltensauffälligkeiten und anderen Verfallserscheinungen. Die Krankheit war unheilbar, auch wenn neue Medikamente angeblich das Fortschreiten hinauszögern konnten. Sie führte innerhalb von zehn Jahren zum Tode. Aufgrund der Demenz wurden die Menschen nach und nach vollkommen unselbständig, zum Schluss verloren sie sogar die Sprache. Die Krankheit hatte nicht zuletzt auch gravierende Auswirkungen auf die Angehörigen, die miterleben mussten, wie ein gesunder und rüstiger Mensch geistig und körperlich verfiel.

»Ich würde dir gerne ein paar Fragen stellen, wenn

du gestattest«, sagte Konráð. »Es geht um einen alten Kriminalfall während des Krieges. Er hat mit zwei jungen Frauen zu tun, Rósmunda hieß die eine, die andere Hrund.«

Von Hólmbert kam keine Reaktion.

»Erinnerst du dich an diese Namen?«, fragte Konráð.

Hólmbert starrte immer noch unverwandt auf den Bildschirm, so als befände sich außer ihm niemand im Raum.

»Hólmbert?«

Der alte Mann antwortete nicht.

»Erinnerst du dich an Rósmunda? Erinnerst du dich an ein Mädchen, das Rósmunda hieß und in einer Schneiderei arbeitete?«

Der Zeichentrickfilm war zu Ende, und der nächste begann. Auf dem Flur näherte sich ein etwa sechzigjähriger schlanker und gut aussehender Mann in dunklem Anzug. Konráð glaubte, er würde in eines der anderen Zimmer auf dem Korridor gehen, aber stattdessen betrat er den Fernsehraum und fragte brüsk, wer Konráð sei.

»Ich habe unten gehört, dass er Besuch bekommen hat«, sagte er. »Darf ich fragen, wer du bist?«

»Mein Name ist Konráð.«

Konráð stand auf und streckte die Hand aus, um den Mann zu begrüßen. Es kam zu einem kurzen Händedruck.

»Und was willst du von meinem Vater? Woher kennst du ihn?«

»Eigentlich kenne ich ihn nicht«, sagte Konráð. »Bist du ...«

»Ich bin sein Sohn, mein Name ist Benjamín. Wenn du ihn nicht kennst, was willst du dann hier?«

»Ich hätte gern gewusst, ob er kürzlich Besuch von einem Mann namens Thorson bekommen hat. Er könnte auch den Namen Stefán þórðarson verwendet haben.«

»Thorson? Stefán?«

»Ja. Aber wenn ich richtig verstanden habe, wird dein Vater mir nur wenig helfen können. Es ist wohl eine sehr schwere Krankheit, es tut mir leid für dich.«

»Danke. Ja, es ist eine schwere Krankheit.«

»Vielleicht weißt du ja, ob dieser Thorson ihn besucht hat?«

»Thorson? Nein, nie gehört. Es kann aber sein, dass ich davon nichts mitbekommen habe. Mein Vater hatte viele Freunde ... Er hat viele Freunde, aber ich kenne sie nicht alle.«

»Nein, natürlich nicht, klar. Was mich betrifft, ich beschäftige mich mit einem alten Kriminalfall aus den Zeiten des Zweiten Weltkriegs und habe gehofft, dass ich vielleicht irgendwelche Auskünfte von ihm dazu erhalten könnte. Aber wahrscheinlich ist das ausgeschlossen.«

»Es hat keinen Zweck, ihn nach etwas zu fragen. Es hat auch keinen Sinn, überhaupt mit ihm zu reden.«

»Darf ich fragen, ob du vielleicht etwas über diesen Fall weißt?«

»Über einen Fall aus dem Zweiten Weltkrieg?«

»Ja«, sagte Konráð. »Eine junge Frau wurde ermordet, sie hieß Rósmunda.«

»In der Tat, in unserer Familie wissen wir von diesem Fall«, erklärte Benjamín. »Ich weiß aber nicht, was du damit zu tun haben könntest. Oder was dich das angeht.«

»Ich war früher bei der Kriminalpolizei, bin aber jetzt im Ruhestand, wie es so schön heißt. Ich wurde gebeten, Erkundigungen über diesen Thorson oder Stefán einzuziehen. Du hast sicher auch in den Nachrichten gehört, dass er tot in seiner Wohnung aufgefunden wurde und dass man davon ausgehen muss, dass er erstickt worden ist.«

Benjamín nickte. »Ja, das habe ich.«

»Mir ist bekannt, dass Thorson mit deinem Onkel Magnús in Borgarnes gesprochen hat. Und das, was er von ihm erfahren hat, führte dazu, dass Thorson deinen Vater besucht hat, und das ist wahrscheinlich gar nicht so lange her. Ich bin überzeugt, dass Thorson hier in dieses Heim gekommen ist, um mit deinem Vater zu sprechen.«

»Davon weiß ich nichts.«

»Und was ist mit dir?«

»Was soll mit mir sein?«

»Hast du dich mit diesem Thorson getroffen?«

»Nein.«

»Ganz sicher?«

»Sicher? Hast du irgendeinen Grund, mir eine Lüge zu unterstellen?«

Konráð zuckte mit den Achseln.

»In wessen Auftrag bist du eigentlich hier?«, fragte Benjamín.

»Ich versuche, der Kripo behilflich zu sein. Du kannst eine Kommissarin namens Marta anrufen, sie wird es dir bestätigen.«

»Du kannst natürlich die Angestellten hier fragen«,

sagte Benjamín. »Vielleicht können die sich an diesen Mann erinnern. Ich jedenfalls nicht. Ich habe ihn nie getroffen. Mein Onkel Magnús hat jahrzehntelang keinerlei Kontakt zu meinem Vater gehabt, und ich weiß wirklich nicht, ob er ein guter Informant ist. Er hat jeglichen Kontakt zu seinem Bruder abgebrochen, und ich könnte mir durchaus vorstellen, dass mein Onkel dazu imstande wäre, meinem Vater alles Mögliche anzuhängen.«

»Meinst du damit, dass Magnús Lügen über deinen Vater verbreitet?«

»Wie bereits gesagt, ich ziehe es vor, mit Unbekannten nicht über interne Familienangelegenheiten zu sprechen«, sagte Benjamín. »Und falls du nichts dagegen hast, würde ich jetzt lieber mit meinem Vater allein sein und in Ruhe gelassen werden.«

»Selbstverständlich«, sagte Konráð. »Bitte entschuldige die Störung. Nur eines noch. Du hast dich sofort an den Fall Rósmunda erinnert, darf ich fragen weshalb?«

»Wenn ich es dir sage, lässt du uns dann in Frieden?«

»Natürlich.«

»Im engsten Familienkreis wussten wir vom Schicksal dieser Rósmunda, aber darüber hinaus waren nur sehr wenige Menschen eingeweiht«, sagte Benjamín, der versuchte, seine Ungeduld zu beherrschen. »Die Polizei hat den Mann, der sie umgebracht hat, recht bald aufgespürt. Er hieß Jónatan und war ein enger Freund der Familie. Das alles war sehr schwierig für die Familie, wie du dir vielleicht vorstellen kannst. Jónatan starb, während er in Polizeigewahrsam war. Er versuchte zu fliehen und wurde dabei von einem Auto angefahren. Sehr tragische Ereignisse – sowohl, dass er das Mädchen ermordet haben sollte, als auch das, was mit ihm geschah. Mein Großvater war Parlamentsabgeordneter und hat an einigen Fäden gezogen und es so arrangiert, dass der Fall diskret behandelt wurde und nicht an die Öffentlichkeit gelangte. Er hat selber mit den Eltern der jungen Frau gesprochen und ihnen erklärt, was für Unannehmlichkeiten ihm dadurch entstehen könnten. Wir wussten ja, wer dahintersteckte, der unselige Mörder war ja gefunden. Großvater war der Ansicht, dass kein Anlass dazu bestünde, unsere Familie in einen Skandal zu verwickeln.«

Konráð lauschte den Worten Benjamíns sehr aufmerksam, vor allem die Begründung für die Vertuschung klang interessant in seinen Ohren. Jetzt begriff er endlich, weshalb in den polizeilichen Akten praktisch nichts zu finden war. Die Kriminalpolizei musste sich damals ihrer Sache sehr sicher gewesen sein, sonst wäre sie nicht auf so einen Deal eingegangen. Oder aber der Abgeordnete hatte derartig viel Einfluss gehabt, dass man sich gezwungen sah, den Fall so unauffällig wie möglich zu den Akten zu legen.

»Ich glaube, dass Thorson erst vor Kurzem neue Informationen über deinen Vater erhalten hat«, sagte Konráð. »Er war seinerzeit einer der Ermittler, er war damals bei der Militärpolizei. Ihm ist dieser Fall nie aus dem Kopf gegangen, vielleicht weil er fand, dass er nie richtig zum Abschluss gebracht wurde. Weißt du von dem Schicksal einer jungen Frau namens Hrund, die damals im Öxarfjörður lebte?«

In diesem Augenblick gab der alte Mann im Rollstuhl Geräusche von sich, und sie drehten sich zu ihm um.

»...ósmun...«

Beide starrten den alten Mann an. Sein Blick war zwar immer noch auf den Bildschirm und den Zeichentrickfilm gerichtet, aber er versuchte eindeutig, etwas zu sagen. Er war vollkommen in seine eigene Welt eingesponnen, ihm war noch nicht einmal klar, dass sein Sohn zu Besuch gekommen war, ganz zu schweigen von Konráðs Anwesenheit.

»... rós... mund...«, flüsterte er mit heiserer Stimme in Richtung Fernseher.

»Papa, ich bin es, dein Sohn Benjamín.«

Hólmbert reagierte nicht auf diese Bemerkung, er starrte immer noch auf den Fernseher.

»Hólmbert«, fragte Konráð, »kannst du mich hören?«

Der alte Mann saß in seinem Rollstuhl und rührte sich nicht, so als gingen ihn die beiden Männer im Aufenthaltsraum überhaupt nichts an.

»Was hat er versucht zu sagen?«, fragte Konráð.

»Ich weiß es nicht. Du solltest jetzt lieber gehen.«

»Hast du nicht auch gehört, dass es so klang wie...«

»Er kann alles Mögliche gemeint haben«, fiel Benjamín ihm ins Wort. Er war mit seiner Geduld am Ende. »Darf ich dich bitten, ihn in Ruhe zu lassen. Es geht... Lass uns jetzt allein.«

Er ging zur Tür und hielt sie auf.

»Mach, dass du rauskommst«, sagte er.

Konráð gab nach.

»Selbstverständlich, ich bitte um Entschuldigung. Es war nicht meine Absicht, euch zu stören«, sagte er, ging auf den Korridor und hörte, wie hinter ihm die Tür ins Schloss fiel. Als er wieder auf der Straße war, griff er nach seinem Mobiltelefon und rief Marta an.

»Was ist?«, ließ sich seine Freundin vernehmen.

»Hast du nicht mal irgendwelche Videoaufnahmen aus einer Sicherheitskamera in der Nähe von Stefáns Wohnung erwähnt?«

»Doch, ja. Sogar von einigen Kameras, aber das bringt nichts.«

»Wieso nicht?«

»Weil ich nicht weiß, wonach ich suchen soll. Da sind einfach nur Leute, die kommen und gehen, und ich habe keine Ahnung, wer da unterwegs ist.«

»Lass mich einen Blick darauf werfen.«

»Was hast du herausgefunden?«

»Das ist mir noch nicht ganz klar«, sagte Konráð. »Aber die Videoaufzeichnungen möchte ich mir anschauen. Ich weiß nämlich, wonach ich suche.«

»Dann beeil dich bitte«, sagte Marta. »Ich will nämlich bald nach Hause.«

Achtundvierzig

Konráð hatte seine liebe Mühe damit, Benjamín dazu zu bringen, sich mit ihm hinter dem Nationaltheater zu treffen, um über etwas zu reden, was seinen Vater und Rósmunda betraf. Zuerst lehnte Benjamín dieses Ansinnen rundheraus ab, für so etwas habe er einfach keine Zeit. Und er verlangte noch einmal von Konráð, ihn und seine Familie in Ruhe zu lassen. Die Idee mit dem Treffen am Nationaltheater fand er völlig absurd, und er erklärte, kein Interesse an Konráðs dramaturgischen Experimenten zu haben, um den Namen seiner Familie in Misskredit zu bringen. Was in grauer Vorzeit geschehen war, sei dort auch gut aufgehoben, meinte er. Rósmundas Fall habe die Polizei bereits vor Jahrzehnten gelöst, der Mörder sei gefunden worden, und er habe nicht das geringste Interesse daran, sich mit fragwürdigen Verdächtigungen und abstrusen Theorien abzugeben.

Konráð entgegnete ihm, dass es nicht nur um den Fall Rósmunda gehe, es gebe auch neue Erkenntnisse im Fall Thorson. Er würde am Nationaltheater auf ihn warten, um ein paar Details mit ihm durchzugehen. Es würde aber keine Rolle spielen, wenn Benjamín nicht erschiene, der Fall würde dann einfach seinen Lauf nehmen, mehr habe er dazu nicht zu sagen.

»Hast du die Polizei darüber informiert?«, fragte Benjamín nach einigem Schweigen.

»Zum Teil«, entgegnete Konráð. »Aber meinen endgültigen Bericht muss ich noch schreiben.«

Benjamín erklärte, damit wolle er nichts zu tun haben und legte auf. Konráð schaltete sein Handy ab. Er saß im Auto und sein Blick war auf die dunkle Ecke gerichtet, in der Rósmunda seinerzeit aufgefunden worden war. Damals beherrschte der Krieg die Welt, und das Nationaltheater wurde von der Besatzungstruppe als Depot genutzt. Er hatte sein Auto auf der Lindargata in der Nähe der Ecke zum Skuggasund geparkt. Nur wenige Menschen waren unterwegs. Eine schwarze Katze schlich über die Straße und verschwand zwischen zwei Häusern. Ein verliebtes Paar spazierte auf dem Bürgersteig zum Hügel mit dem Denkmal des ersten Siedlers.

Konráð stieg aus, ging zum Theater hinüber und sah an den dunklen Obsidianwänden hoch und ihren dem Säulenbasalt nachempfundenen Strukturen, die auf die Nation und ihre Traditionen verweisen sollten. Innerhalb dieser dicken, dunklen Wände wurde zur Unterhaltung des Publikums die menschliche Existenz inszeniert, Trauer und Freude zu gleichen Anteilen, genau wie im Leben. Der Unterschied bestand nur darin, dass die Theatergäste am Ende des Stücks nach Hause gehen konnten. Im wirklichen Leben endete das Schauspiel nie.

Eine Dreiviertelstunde später beschloss Konráð, der Warterei ein Ende zu setzen und wieder nach Hause zu fahren. Die Hoffnung, dass Benjamín kommen würde, hatte er aufgegeben. Doch als er die Wagentür öffnete, bemerkte er einen Mann, der bewegungslos an der Ecke zum Skuggasund stand und zu ihm hinüberschaute.

»Benjamín?«, rief Konráð.

Benjamín überquerte die Straße und kam auf ihn zu, er war also bereit zu einem Treffen. Konráð war es zumindest gelungen, seine Neugier zu wecken.

»Weshalb bestellst du mich hierher?«, fragte Benjamín. »Was hat das zu bedeuten?«

»Ich danke dir, dass du gekommen bist.«

»Du hast mir ja keine andere Wahl gelassen«, sagte Benjamín.

»Kommst du vielleicht auch sonst manchmal hierher? Weil es hier geschehen ist?«

»Ich gehe hin und wieder ins Theater, wenn du das meinst. Sonst habe ich hier nichts verloren.«

»Ganz sicher?«

»Ich weiß nicht, weshalb ich das tun sollte. Genauso wenig weiß ich, was du von mir möchtest. Was hier passiert ist, hat weder etwas mit mir noch mit meiner Familie zu tun.«

»Trotzdem bist du gekommen.«

Benjamín ging nicht auf diese Bemerkung ein. Das Nationaltheater wurde von Scheinwerfern angestrahlt, und Umrisse von ihnen beiden wurden auf die Wand projiziert, so als wären sie Spieler in einem seltsamen Schattentheater.

»Ich bin hier aufgewachsen«, sagte Konráð. »Genau in diesen kleinen Straßen, bei diesen Häusern. Hier habe ich auch zuerst von Rósmunda gehört, sie wurde dort in der Nische gefunden. Der Fall berührt mich auch persönlich, deshalb beschäftigt er mich so sehr.

Mein Vater hat bei uns zuhause eine spiritistische Sitzung abgehalten, auf Wunsch von Rósmundas Eltern. Was hat man damals nicht alles gemacht, Knochen wurden ausgebuddelt und woanders begraben, und so manch ein falscher Sehender witterte seine Chance – aber das steht auf einem anderen Blatt. Ich weiß nicht, wieso und weshalb dieser angebliche Seher meinem Vater von einem anderen Mädchen erzählte, dem ein nicht weniger schlimmes Schicksal als Rósmunda zuteilgeworden war, Hrund hieß sie. Von ihr erfuhr ich neulich in direktem Zusammenhang mit der Geschichte von Rósmunda, und zwar von einer alten Bekannten aus diesem Viertel hier. Würde ich an das glauben, was auf solchen Séancen zutage kommt, was ich aber nicht tue, hätte ich glauben können, dass eben diese Hrund das Mädchen war, dessen Nähe das Medium gespürt hat.«

»Du hast von neuen Informationen gesprochen«, sagte Benjamín. »Was meinst du damit? Ist das alles? Spiritistische Sitzungen? Alter Aberglaube?«

Konráð musste lächeln. »Du hast mir gesagt, du hättest Thorson nicht im Pflegeheim deines Vaters getroffen. Ich glaube aber, dass er dort gewesen ist, als er herausfand, dass dein Vater genau zu der Zeit oben im Nordosten gewesen ist, als Hrund spurlos verschwand. Für Thorson war das ein ganz wichtiger Hinweis, dem er seinerzeit nicht nachgegangen war. Deshalb war ihm so viel daran gelegen, mit deinem Vater zu sprechen, um endlich die Wahrheit ans Licht zu bringen.«

»Und was soll daran neu sein? Hast du mich deswegen extra hierher bestellt?«

»Warst du bei Thorson, nachdem er bei deinem Vater war?«

»Nein.«

»Hat er dir nicht gesagt, dass er der Sache auf den Grund gehen und den Fall wieder aufrollen lassen wollte?«

»Ich habe nie mit dem Mann geredet«, erklärte Benjamín.

»Und wenn ich dir sagen würde, dass wir Videoaufzeichnungen von Sicherheitskameras an zwei Orten in der Nähe von Thorsons Wohnung haben, die zeigen, dass du ganz in der Nähe gewesen bist, als Thorson umgebracht wurde?«

»Sicherheitskameras? Was willst du damit sagen?«, fragte Benjamín nach einer kleinen Pause.

»Nach deinem Besuch bei Thorson sieht man dich im Laufschritt auf dem Schulhof in der Nähe«, sagte Konráð. »Auf dem Weg zu Thorson bist du am Eingang einer Bank vorbeigekommen, da hattest du es nicht so eilig. Die Zeit stimmt. Du warst gegen Mittag bei ihm. Irgendwie ist es dir gelungen, ihn zu täuschen, ihn zu beruhigen. Vielleicht hast du so getan, als würdest du gehen, hast vielleicht das Automatikschloss ausgehakt und dich wieder in die Wohnung geschlichen, nachdem der alte Mann sich hingelegt hatte. Ich weiß nicht genau wie, aber irgendwie ist es dir gelungen, ihn zu überraschen ...«

»Ich habe absolut keine Ahnung, was du dir da zusammenfaselst«, sagte Benjamín.

»Dein Auto hast du in einiger Entfernung vom Haus geparkt. Hattest du schon vor deinem Besuch bei ihm beschlossen, wie du vorgehen würdest?«

»Ich glaube, ich habe nichts mehr mit dir zu bereden«, sagte Benjamín.

»Dein Großvater hat Hólmbert mehr geschätzt als seine anderen Kinder, er hat ihm die Firma vermacht. Wusste er Bescheid über seinen Sohn, wusste er, was für ein Scheusal er war?«

»Mein Vater ist kein Scheusal«, widersprach Benjamín. »Er ist ein schwerkranker Mann und hat es verdient, in Frieden sterben zu dürfen.«

»Im Gegensatz zu Thorson?«

Benjamín starrte Konráð an.

»Hast du über deinen Vater Bescheid gewusst?«, fragte Konráð. »Hast du gewusst, was er getan hat? Kennst du seine Vergangenheit? Wahrscheinlich tust du das. Sonst wärst du nicht zu Thorson gegangen.«

»Das hat doch alles keinen Sinn«, erklärte Benjamín. Er drehte sich auf dem Absatz um und ging in Richtung Skuggasund. Konráð blieb stehen und sah ihm nach. Er hatte eine Theorie und wollte sie mit Benjamins Hilfe überprüfen. Er wusste nicht, ob sie sich als haltbar erweisen würde, aber er musste sie unbedingt mit dem einzigen Menschen testen, der sie möglicherweise bestätigen konnte.

»Ich bin gar nicht überzeugt, dass dein Vater das Scheusal gewesen ist«, rief er hinter Benjamín her.

Benjamín marschierte weiter.

»Hast du das gehört? Ich glaube nicht, dass dein Vater das Scheusal gewesen ist!«

Benjamín verlangsamte seine Schritte, und als er die Lindargata überquert hatte, blieb er stehen. Eine ganze Weile stand er bewegungslos dort, die Hände in den Manteltaschen vergraben und ein wenig vornübergebeugt, so als sei er tief in Gedanken. Konráð sah ihn nur von hinten. Er versuchte, sich den Kampf in Benjamíns Innerem vorzustellen. Zum Schluss senkten sich Benjamíns Schultern resignierend. Er drehte sich langsam um.

»Was meinst du damit?«, fragte er.

»Ich glaube, dass dein Vater vielleicht nur ein nützlicher Unschuldiger in dieser Inszenierung war«, sagte Konráð.

»Was ... wieso ... Weshalb sagst du das?«

»Er ist nämlich nicht der Einzige, der in Frage kommt«, sagte Konráð. »Er war vielleicht mitschuldig, weil er wusste, was passiert war, aber ich bin mir nicht sicher, ob tatsächlich er es war, der Rósmunda hierher gebracht hat.«

Benjamín ging wieder auf Konráð zu.

»Wovon redest du?«

»Über das Familiengeheimnis. Über deinen Vater, und über deinen Großvater. Die Polizei wusste damals bei der Ermittlung nicht, dass die beiden genau zu der Zeit, als Hrund verschwand, zusammen im Nordosten des Landes unterwegs waren. Diese Informationen lagen ihnen nicht vor. Sogar Thorson hat erst kürzlich davon erfahren. Und damals wusste man auch nichts davon, dass Rósmunda sich vor eurem Haus fürchtete. Hätte Thorson das seinerzeit gewusst, wäre die Sache sicherlich anders gelaufen. Ich kann mir vorstellen, dass es ihm außerordentlich wichtig war, die Wahrheit herauszufinden, bevor es zu spät war. Und diese Wahrheit wollte er an die Polizei weitergeben. Aus diesem Grund hat er deinen Vater besucht, und aus diesem Grund hast du Thorson besucht.«

»Du kannst nicht … Du weißt doch nicht … hast gar nichts …«

»Ich weiß genug«, sagte Konráð. »Genug, um deine Verbindung zu Thorson zu beweisen, und genug, um den alten Mordfall wieder aufzurollen.«

»Du kannst doch nicht …«

»Doch, das kann ich. Das Spiel ist aus, und das weißt du auch. Was du getan hast, steht in völligem Widerspruch zu deinem Charakter. Trotzdem hast du es getan, und nun musst du es auch gestehen. Vor allem vor dir selber.«

»Ich … Wir …«

Benjamín sah Konráð an, als wolle er um Verständnis bitten. Konráð konnte sehen, dass er nicht mehr wütend oder beleidigt war. Sein Widerstand schien zu erlahmen, und an dessen Stelle traten bittere Schuldgefühle. Das Bewusstsein dessen, was er getan hatte, brach über ihn herein. All das, was er versucht hatte zu rechtfertigen und so tief in sein Unterbewusstsein abgedrängt worden war, sodass es beinahe zu einem anderen gehörte als zu ihm, zu einem anderen Selbst.

»Sag mir, was geschehen ist«, sagte Konráð. »Du müsstest diese Bürde nicht tragen, aber du hast sie aus Loyalität gegenüber deiner Familie auf dich genommmen. Ich kann deine Beweggründe verstehen. Ich kann deinen Standpunkt verstehen, aber du bist zu weit gegangen. Du bist ganz einfach zu weit gegangen.«

»Der alte Mann wollte alles ans Licht zerren.«

»Ja.«

»Ich konnte das nicht zulassen, das konnte ich einfach nicht. Vielleicht … Vielleicht, wenn es nur mein Großvater gewesen wäre. Aber mein Vater … Mein Va-

404

ter war nicht weniger ... Ich bin diesem Mann im Krankenzimmer meines Vaters begegnet und habe ihm die Tür gewiesen. Aber dann redete er über Rósmunda und darüber, dass mein Vater ... ich wusste nicht, was ich tun sollte.«

Benjamín war nicht mehr imstande weiterzureden, die Konfrontation ging über seine Kräfte.

Er schwieg lange und starrte auf die Straße. Zum Schluss zog er einen Umschlag aus der Tasche und reichte ihn Konráð.

»Den habe ich in Thorsons Wohnung gefunden«, sagte er. »Ich konnte nicht anders, ich musste ihn mitnehmen.«

Konráð nahm den Umschlag entgegen, er war an Thorson adressiert. Er überflog den Inhalt und sah, dass er von Thorsons ehemaligem Kollegen Flóvent stammte. Aus dem Brief ging hervor, dass Hólmbert der Kriminalpolizei damals außerordentlich wichtige Informationen gegeben hatte.

»Ich konnte nicht anders, ich musste ihn mitnehmen«, wiederholte Benjamín. »Als ich ... Nachdem ich ... das getan hatte.«

Neunundvierzig

Thorson hörte ein Klopfen an der Tür. Er ging in die Diele und öffnete. Vor ihm stand der Sohn von Hólmbert. Es war kurz nach Mittag, und Thorson hatte vorgehabt, sich etwas hinzulegen, das tat er meist um diese Tageszeit. Doch diesen Besuch hatte er fast schon erwartet.

»Ich möchte um Entschuldigung für mein Verhalten in dem Heim bitten«, sagte der Mann und stellte sich als Benjamín vor. Er wirkte jetzt vollkommen ruhig. »Ich hätte dich nicht so zurechtweisen oder dir drohen dürfen«, fuhr er fort. »Ich bin dazu erzogen worden, älteren Menschen Respekt zu erweisen, und ich hoffe, du wirst es mir nachsehen können. Was du gesagt hast, hat mich erschreckt, aber trotzdem war mein Verhalten unverzeihbar. Es ist meiner nicht würdig, es war beschämend, und ich möchte dich dafür um Entschuldigung bitten.«

»Ich habe nur gesagt, was ich für die Wahrheit halte«, entgegnete Thorson.

»Natürlich, das verstehe ich. Ich hoffe, du verzeihst mir. Ich möchte dieser Sache auch sehr gerne auf den Grund gehen, und wenn du die Polizei zu Hilfe nehmen musst, bin ich damit einverstanden. Ich sage dir von meiner Seite aus volle Unterstützung zu.«

»Gut zu wissen.«

»Ich war wirklich erschrocken, als ... Dürfte ich vielleicht einen Augenblick hereinkommen? Es ist mir unangenehm, hier draußen auf dem Flur darüber zu reden.«

»Bitte sehr.«

»Vielen Dank«, sagte Benjamín und ging mit Thorson ins Wohnzimmer, wo sie sich setzten.

»Was ich dir im Beisein deines Vaters gesagt habe, ist leider höchstwahrscheinlich wahr«, sagte Thorson. »Natürlich erinnert sich keiner mehr an diese Fälle, aber ich tue es. Und wenn sich mein Verdacht bestätigt, dann müssen sie noch einmal neu aufgerollt werden.«

»Ja, selbstverständlich, das sehe ich jetzt auch so, nachdem ich darüber nachgedacht habe. Natürlich muss das genau untersucht werden, da bin ich völlig deiner Meinung. Ich nehme an, du hast bereits mit der Polizei geredet.«

»Ich habe die Absicht, das ziemlich bald zu tun. Ich weiß, wie schlimm das für dich ist. Du wirst wahrscheinlich mit deinen Geschwistern und deiner Mutter darüber sprechen müssen.«

»Ja, gewiss«, sagte Benjamín. »Mein Vater ist sehr krank. Er wird es nicht mehr mitbekommen, wenn das aufs Neue polizeilich untersucht wird. Zweifellos kann er aus gesundheitlichen Gründen nicht mehr vor Gericht gestellt werden. Er hat nicht mehr lange zu leben. Mir fiel ein ...«

»Ja?«

»Ich habe darüber nachgedacht, ob ich dich bitten kann, Verständnis zu zeigen und es dabei bewenden zu lassen«, sagte Benjamín. »Wenn es stimmt, was du sagst, findest du dann nicht, dass der Gerechtigkeit Genüge getan worden ist? Er hat gelitten. Meine Mutter leidet. Für mich ist es qualvoll zuzusehen, wie dieser starke und zuverlässige Mann, der er immer war, von dieser furchtbaren Krankheit zerstört wird.«

»Eine solche Gerechtigkeit schwebt mir eher nicht vor«, sagte Thorson. »Alles, was du sagst, ist richtig, dein Vater ist ein sehr kranker Mensch. Du wirst es wahrscheinlich seltsam finden, aber um ihn ist es mir in dieser ganzen Sache am wenigsten zu tun. Ich denke vielmehr an den jungen Jónatan und den Kriminalpolizisten, mit dem ich damals zusammengearbeitet habe. Jónatan hat es verdient, dass die Wahrheit ans Licht kommt. Und Flóvent hätte gewollt, dass ich dafür sorge, seinen Ruf und seine Ehre zu retten. Wir haben damals die Ermittlung an einem Punkt abgebrochen, an dem wir eigentlich hätten beginnen müssen. Ich musste Island verlassen, und Flóvent war nach Jónatans Tod nie mehr derselbe. Das galt für uns beide. Es ist nicht zu spät...«

»Dass die Wahrheit ans Licht kommt?«

»Ja.«

»Daran kann ich wohl nichts ändern?«

»Leider nein.«

»Aus meiner Sicht ist das, was du glaubst, vollkommen abwegig«, sagte Benjamín. »Ich verstehe nicht, wie du zu diesem Schluss gekommen bist – aber das ist deine Sache. Ich wollte dich nur bitten, ihn zu verschonen, und auch uns, seine Nachkommen.«

»Ich kann nur das tun, was richtig ist«, sagte Thorson. »Wie schlimm es auch für euch sein mag.«

»Was ist schon richtig? Hältst du es für richtig, unser Leben zu zerstören?«

Benjamín zögerte, bevor er weitersprach.

»Ich bin ein sehr wohlhabender Mann«, sagte er. »Wenn du einverstanden wärest, würde ich Geld für wohltätige Zwecke stiften ... Oder falls es dir an etwas mangelt ...«

Thorson schüttelte den Kopf.

»Das soll kein Eingeständnis sein«, fuhr Benjamín fort. »Ich weiß nur eins, wenn das an die Öffentlichkeit kommt, wenn die Polizei sich wieder damit befasst, dann zerreißen sich die Leute wieder die Mäuler darüber, und es wird sehr schwierig werden, einen solchen Schaden wieder zu beheben. Ich bin Direktor eines großen Unternehmens, und meine Familie hat eine prominente Stellung in der Gesellschaft. Verdächtigungen dieser Art wären verheerend für uns.«

Thorson wusste nicht, wie er darauf reagieren sollte.

»Und du bist sicher, dass es mein Vater war, der den Mädchen Gewalt angetan hat?«, fragte Benjamín.

»Ich bin überzeugt davon, und eine genaue Untersuchung wird das ans Licht bringen. Zumindest im Fall von Rósmunda. Im Fall von Hrund ist die Lage komplizierter, denn ihre Leiche wurde nie gefunden, und insofern kann man nicht genau wissen, was passiert ist.«

»Ich verstehe. Na schön, dann muss ich wohl darauf gefasst sein, bald Besuch von der Polizei zu bekommen. Und bitte entschuldige noch einmal mein Benehmen in dem Pflegeheim, ich bin einfach wütend geworden, als du deine Anschuldigungen vorgebracht hast. Ich hoffe, du bist nicht nachtragend.«

»Danke, dass du gekommen bist«, sagte Thorson. »Und danke für dein Verständnis. Ich glaube, es ist für alle am besten, wenn diese Dinge ein für alle Mal geklärt werden.«

»Ja, da hast du vielleicht recht.«

Thorson schickte sich an aufzustehen, um Benjamín zur Tür zu bringen, aber der sagte ihm, er solle ruhig sitzen bleiben, er würde schon alleine hinausfinden. Sie gaben sich zum Abschied die Hand.

»Du bist dir ganz sicher?«, fragte Benjamín ein letztes Mal.

»Ja, das bin ich. Es tut mir leid«, antwortete Thorson.

»Nun gut, dann also auf Wiedersehen«, sagte Benjamín und ging zur Diele.

Thorson hörte, wie sich die Tür hinter ihm schloss. Er blieb noch eine Weile im Sessel sitzen und dachte über den Besuch nach und darüber, ob er nicht das einzig Richtige tat, indem er den Fall aus der Vergessenheit hervorholte und dafür sorgte, dass die wahren Schuldigen benannt wurden. Nach dem Besuch im Pflegeheim und jetzt nach dem Besuch von Benjamín fühlte er sich ungewöhnlich müde und erschöpft. Er dachte daran, wie gelegen der Tod von Jónatan Hólmbert gekommen war, er hatte die Gelegenheit beim Schopf ergriffen und Jónatan die Schuld zugeschoben, um die Aufmerksamkeit von sich selber abzulenken.

Thorson sah aus dem Fenster, das in den Garten ging, und beschloss bei nächster Gelegenheit mit seinen neugewonnenen Informationen zur Polizei zu gehen.

Als er in sein Schlafzimmer kam, nahm er das

Foto seines Geliebten zur Hand. Mit dem Bild waren schlimme Erinnerungen an das Versteckspiel verbunden, das sie die ganze Zeit hatten spielen müssen, und an die gesellschaftliche Ächtung. Er hatte das Foto schon immer in seiner Nachttischschublade aufbewahrt, auch jetzt noch, obwohl sich die Zeiten geändert hatten. Es rief ihm die früheren Zeiten in Erinnerung, die Vorurteile, die ihnen entgegengebracht wurden. Er nahm es praktisch jeden Tag einmal aus der Schublade und dachte an die Leiden, die gemeinsamen Stunden und die Liebe, der er seitdem nachgetrauert hatte.

Thorson spürte die Müdigkeit am ganzen Körper. Er legte das Foto in die Schublade zurück und legte sich ins Bett. Er dachte an Rósmunda, und er dachte an Benjamín, der ihn mit Geld bestechen wollte, an dessen Vater Hólmbert und an den Großvater, den Abgeordneten. Und dann sah er wieder Jónatan blutüberströmt auf der Straße liegen, während die Schneeflocken in seine aufgerissenen Augen rieselten.

Der Abgeordnete und sein Sohn? Hatte der Abgeordnete von den Vergehen seines Sohnes gewusst? Hatte er ihn gedeckt? Oder der Sohn den Vater?

Thorson wurde von Schläfrigkeit übermannt.

Oder der Sohn den Vater?

Thorson verspürte das beängstigende Gefühl, keine Luft zu bekommen. Gleichzeitig sah er den Abgeordneten vor sich, von dem Flóvent ihm erzählt hatte, und wusste, dass nicht nur Hólmbert als Mörder von Rósmunda in Frage kam, sondern genauso gut sein Vater. Der Besitzer des Hauses, das Rósmunda fürchtete, der im Nordosten des Landes unterwegs gewesen war, als

Hrund verschwand. Er war eine hochgestellte Persön-lichkeit und ein viel zu angesehener Mann, als dass sich diese Mädchen getraut hätten, ihn zu belangen.

Thorson in seiner Atemnot erwachte vollends, als sein Kopf ins Bett gedrückt wurde. Er versuchte, den Mund zu öffnen, um Atem zu holen, und wurde von dem schrecklichen Gefühl des Erstickens überwältigt. Er schlug um sich, um Luft zu bekommen, spürte aber, dass er dieser Kraft nichts entgegenzusetzen hatte.

Fünfzig

Benjamín blickte lange in die Nische, in der Rósmunda gefunden worden war.

»Mein Vater war mitschuldig«, sagte er schließlich. »Nicht er hat Rósmunda getötet, aber er hat meinen Großvater bei der Leiche überrascht, und er hat ihm dabei geholfen, sie hierher zu bringen. Mein Vater ist insofern nicht weniger schuldig als mein Großvater. Er stand vor einem schweren Dilemma, als die Polizei in unser Haus kam – sollte er die Wahrheit über seinen Vater sagen oder es vorziehen zu lügen und die Schuld seinem Freund in die Schuhe schieben.«

»Er hat es vorgezogen zu lügen.«

»Was hättest du getan? Was hättest du an seiner Stelle getan?«

Benjamín vermied Konráðs Blick und starrte in die Nische, als würde er dort eine tote und kalte Rósmunda sehen.

»Er hat herausgefunden, was sein Vater getan hatte, und musste sein ganzes Leben lang damit leben. Er musste immer darauf bedacht sein, dass die Wahrheit nie ans Licht käme, insofern fühlte er sich sein Leben lang wie ein Gefangener.«

»Und weswegen hast du davon erfahren?«

»Wegen der Krankheit«, sagte Benjamín.

»Wegen der Krankheit? Wegen Alzheimer?«

»Mein Vater hielt alles geheim, bis die Krankheit Besitz von ihm ergriff. Sie führte mit der Zeit dazu, dass er nicht mehr Herr der Erinnerungen war, die er in sich hatte verschließen müssen. Eine nach der anderen drang nach außen, auch die allerschrecklichsten. Er fing an, über Dinge aus früheren Zeiten zu sprechen, von denen ich nie zuvor gehört hatte. Manchmal merkte er gar nicht mehr, worüber er sprach. Ich kannte natürlich die Geschichte von Jónatan, genau wie die ganze Familie, aber darüber wurde nie gesprochen. Nicht über ihn oder das, was passiert war. Niemals. Doch dann auf einmal fing mein Vater an, über Jónatan zu reden, und er war immer sehr niedergeschlagen, wenn er sich an ihn erinnerte. Mein Großvater hatte den armen Jungen nach diesen Geschichten über die verborgenen Wesen ausgefragt, nur um diesen Aberglauben dann für so etwas Unsägliches zu verwenden. Mein Vater weinte viel, dieser Mensch, der sich nie gestattete, irgendwelche Gefühle zu zeigen. Das hat mich natürlich neugierig gemacht, und nach und nach konnte ich ihm die ganze Wahrheit entlocken. Auf diese Weise erfuhr ich die Wahrheit über meinen Großvater und meinen Vater und wurde auf einmal mit einer Familientragödie konfrontiert. Und einer noch größeren Tragödie, was die Schicksale der beiden jungen Frauen und das Schicksal von Jónatan betraf. Ich wusste nicht, was ich mit diesem Wissen anfangen sollte, es war alles einfach zu viel für mich. Mir kam es so vor, als müsste ich alles darauf anlegen, nichts davon nach außen dringen zu lassen. Ich hatte das Gefühl, die Verantwortung dafür zu tragen, dass nichts von alledem bekannt würde, und da befand ich mich auf einmal in genau der gleichen Lage wie mein Vater. Er hat sein Leben lang mit seinem Gewissen kämpfen müssen. Und dann stand ich eines Tages im Zimmer meines Vaters vor diesem alten Mann, der praktisch alles herausgefunden hatte – bis auf die Tatsache, dass er glaubte, mein Vater habe das getan, wofür eigentlich mein Großvater verantwortlich war. Und er wollte den Fall neu aufrollen. Deswegen bin ich zu ihm gegangen – nicht, um ihm etwas anzutun, sondern um mit ihm zu reden.«

»War nicht einfach die Versuchung zu groß? Wenn es den alten Mann nicht mehr gäbe, wärst du auch die ganze Sache los.«

»Ich weiß nicht, was da über mich gekommen ist«, sagte Benjamín, und plötzlich brach seine Stimme bei dem Gedanken an das, was er getan hatte. Konráð sah, dass er mit den Tränen kämpfte und deswegen so verbissen in die Nische starrte, als würde er sich nicht trauen, je wieder einem anderen Menschen in die Augen zu blicken. »Ich fand ... Er war alt, und ich fand, dass ich alle meine Probleme los wäre, wenn ich ihn zum Schweigen bringen könnte. Aber so war es nicht. Ich habe seitdem schreckliche Albträume. Er hat versucht, sich mit seinen schwachen Kräften zu wehren, und ich wollte schon aufhören, aber dann ... Dann war es auf einmal zu Ende, es ging ganz schnell ...«

Benjamín stöhnte auf.

»Ich ... Ich möchte, dass es ein Ende hat«, sagte er. »Ich will keine Geheimnisse mehr. Ich möchte nicht, dass mein Sohn sich auch wieder in dieses Lügengespinst verstricken muss. Es muss endlich ein Ende damit haben.«

»Hast du gesagt, dass dein Vater deinen Großvater bei Rósmundas Leiche überrascht hat?«

»Ich kann nur vermuten. Wahrscheinlich hat er Rósmunda und meinen Großvater zusammen gesehen, in unserem Haus. Meine Großmutter besuchte gerade Verwandte in Stykkishólmur, und nur Großvater und mein Vater waren zuhause. Rósmunda war völlig verstört, sie hat meinen Großvater klipp und klar vor die vollendete Tatsache gestellt, dass er sie geschwängert hatte. Für sie sei nur eine Abtreibung in Frage gekommen. Sie erwähnte auch ein anderes Mädchen oben im Norden, von dem sie gehört hatte. Rósmunda war sich sicher, dass diese junge Frau ebenfalls ihm in die Hände geraten sein musste. Sie wollte meinen Großvater anzeigen, damit alle wüssten, was für ein Mensch er sei. Erst da hat mein Vater herausgefunden, dass sein Vater Rósmunda Gewalt angetan hatte.«

»Sie vergewaltigt hatte?«

»Ja. Sie hatte ein paar fertige Kleider für meine Großmutter gebracht, und Großvater ließ sie ins Haus. Irgendwie hat er es geschafft, sie nach unten in den Waschkeller zu locken, und dort hat er sie gepackt und ihr Gewalt angetan.«

»Und dein Vater hat nichts davon gewusst?«

»Nein, von der Vergewaltigung hat er erst später erfahren. Großvater hat ihm nämlich die volle Wahrheit erst dann gesagt, als mein Vater ihn einige Monate später bei Rósmundas Leiche überraschte. Er erlitt einen furchtbaren Schock, das Mädchen lag in Großvaters Büro auf dem Boden. Er habe sie nur zum Schweigen bringen und nicht töten wollen, erklärte er meinem Vater gegenüber, sie sei einfach ganz plötzlich erstickt.

Er bat seinen Sohn Hólmbert, ihm zu helfen. Das heißt, er hat es ihm strikt befohlen. Die Familie müsse jetzt zusammenstehen, beschwor er ihn, ihre Ehre stünde auf dem Spiel. Das Mädchen sei außer sich gewesen, und er habe sich wehren müssen. Mein Vater hatte gleich den Verdacht, dass etwas Ähnliches auch schon drei Jahre vorher auf dieser Reise in den Norden geschehen war. Dort war sein Vater eines Abends in einem ganz seltsamen Zustand zurückgekommen, und an seinem Hals waren Schrammen und Wunden, die er versuchte zu verdecken. Als mein Vater ihn danach fragte, wollte er nicht darauf eingehen. Die Geschichte von Hrund und ihrem Verschwinden konnte mein Vater aber nie vergessen. Als er meinen Großvater dann bei Rósmundas Leiche überraschte, fragte er ihn auch nach Hrund, und am Ende hat Großvater alles zugegeben. Er sagte, er habe Hrund nicht getötet, aber er gab zu, sie vergewaltigt zu haben.«

»Und er hat ihr gedroht, damit sie schwieg.«

»Ja. Er befahl seinem Sohn, ihn nicht zu verraten, er bettelte ihn an, und er drohte ihm. Mein Vater entschloss sich, Stillschweigen zu bewahren, und daran hat er sich sein Leben lang gehalten. Seiner Mutter wegen. Der Familie wegen.«

»Und was war mit diesen Elfengeschichten?«

»Großvater kannte die Volkssagen sehr gut und den ganzen Volksglauben, der damit verbunden ist. Nicht zuletzt durch Jónatan. Hrund war empfänglich für so etwas, aber mit Rósmunda war es eine andere Sache.«

»Deinem Vater und deinem Großvater hat es also nichts ausgemacht, die Schuld auf Jónatan zu schieben?«

»Die Idee hatte mein Vater, als dieser Polizist ihnen damals die Nachricht von Jónatans Tod überbrachte. Jónatan stand ohnehin unter Verdacht, aber mein Vater spürte, dass die Ermittler sich ihrer Sache nicht ganz sicher waren. Er sorgte dafür, dass sie Gewissheit bekamen, er brauchte ja nur die Verdachtsmomente zu bestätigen. Jónatan war tot, und so gesehen spielte es für ihn keine Rolle mehr.«

»Warum haben sie Rósmunda zum Nationaltheater gebracht?«

»Das ging aus dem, was mein Vater sagte, nicht ganz klar hervor. Vielleicht, weil das Gebäude von vielen als Elfenburg interpretiert wurde, und das passte zu der Lüge mit den Elfen. Mein Großvater wusste natürlich, dass sich damals dort die ausländischen Soldaten mit isländischen Mädchen trafen. Das war insofern praktisch, als er den Verdacht auf sie lenken konnte. Mein Vater hat aus einiger Entfernung zugesehen, er stand am Skuggasund und hat abgewartet, bis der Soldat und sein Mädchen die Leiche entdeckten. Dann ist er gegangen.«

»Und zum Dank für sein Schweigen wurde er von deinem Großvater reichlich belohnt.«

»Er erbte die Firma«, sagte Benjamín.

»Und du? Hast du dich nicht auch in der gleichen Lage befunden, als dir klar wurde, dass du Thorson töten musstest?«

Benjamín gab ihm keine Antwort auf diese Frage.

»Du hast doch auch nur an die Ehre deiner Familie gedacht, auch wenn es mit der ja wirklich nicht weit her ist.«

»Es war einfach unvorstellbar für mich, dass diese

Vergangenheit ans Licht gezerrt wird«, sagte Benjamín. »Dass all dies über meine Familie bekannt würde, was mein Großvater und mein Vater getan hatten. Der alte Thorson hatte vor, zur Polizei zu gehen. Ich sah eine Gelegenheit und habe sie ergriffen. Es gibt keine Entschuldigung für das, was ich getan habe.«

»Du hast geglaubt, du könntest es für immer und alle Zeiten geheim halten?«

»Ich fühlte mich einfach entsetzlich in die Enge getrieben, genau wie mein Vater vor mir. Es war eine ganz und gar unmögliche Situation.«

»Aus meiner Sicht hättet ihr beide aber sehr viel besser mit der Situation umgehen können«, sagte Konráð. Seine Worte rührten an einen wunden Punkt bei Benjamín. Konráð griff nach seinem Arm, führte ihn zum Auto und setzte sich ans Steuer. Auf der Lindargata warf er wie immer einen Blick in Richtung seines früheren Zuhauses und fuhr dann weiter zum Polizeidezernat, wo Marta auf neue Nachrichten wartete.

Einundfünfzig

Konráð und Birgitta und ein paar wenige alte Kollegen kamen zu Thorsons Beerdigung. Sie fand an einem grauen Regentag auf dem Friedhof in Fossvogur statt. Dort hatte er sich schon vor vielen Jahren eine Grabstätte an der Seite des Menschen reservieren lassen, den er geliebt hatte. Die Zeremonie war kurz, der Pastor sprach ein paar Segensworte, sie sangen das unverzichtbare Trauerlied von Hallgrímur Pétursson, und Männer vom Bestattungsinstitut trugen den Sarg von der Kapelle zum Grab. Nachdem Konráð die Wahrheit von Benjamín erfahren hatte, hatte er Birgitta besucht und ihr gesagt, wie und vor allem warum Thorson sterben musste. Dass sein Tod mit einer schmachvollen Familiengeschichte zusammenhing, die Benjamín geheim halten wollte, und dazu hatte er Thorson zum Schweigen bringen müssen. Er erzählte ihr von Rósmundas Schicksal und von einem Mädchen im Öxarfjörður, das nie gefunden worden war und wohl auch nie mehr gefunden werden würde.

»Sie sind alle schuldig, drei Generationen, jeder auf seine Weise«, sagte Birgitta, als sie an Thorsons Grab standen. »Großvater, Sohn und Enkel.«

»Ich glaube, Benjamín hat wirklich nicht gewusst, was er tun sollte, als Thorson plötzlich bei seinem

Vater auftauchte und entschlossen war, die Familienschande aufzudecken. Er sagt, er sei nicht in der Absicht zu Thorson gegangen, ihn zu töten. Es sei ein plötzlicher Entschluss gewesen, ein Anfall von Wahnsinn, weil er sich eingebildet hatte, das Problem würde mit Thorson verschwinden.«

»Und was war denn mit dem Großvater?

»Dem zufolge, was Benjamín von seinem Vater erfuhr, hat der Großvater wohl schon immer sehr geringschätzig über Frauen gedacht. Es waren andere Zeiten damals. Die Männer haben sich sehr viel mehr herausgenommen. Und es war noch dazu eine ganz besondere Zeit. Benjamín glaubt, dass das Mädchen im Norden und Rósmunda für den Großvater vielleicht so etwas wie die Verkörperung dieses sogenannten ›Zustands‹ waren. Weshalb, das können wir nicht mehr nachvollziehen. Er weiß auch nicht, ob es vor diesen beiden auch schon andere junge Frauen gegeben hat, die ihm in die Hände gerieten und ebenfalls darüber geschwiegen haben.«

»Stefán hat nie aufgehört, an Rósmunda zu denken«, sagte Birgitta, als sie den Friedhof verließen. »Sogar nach all diesen Jahren.«

»Nein, er hat sich nie damit abgefunden, dass der Fall nie richtig aufgeklärt wurde«, sagte Konráð. »Er hat sich mit der früheren Lösung nie zufriedengegeben.«

Spät am Abend schaute Konráðs Schwester Beta noch bei ihm vorbei, und er konnte ihr jetzt die ganze Geschichte erzählen. Sie saßen in der Küche, und Beta hörte Konráð zu, ohne ein Wort zu sagen. Als er fertig war, saß sie noch eine ganze Weile schweigend und nachdenklich da.

»Ich kann mir vorstellen, was für ein Schock es für diesen Benjamín gewesen sein muss, als sein Vater anfing, über Rósmunda zu sprechen, als auf diese Weise das entsetzliche Familiengeheimnis zum Vorschein kam«, sagte sie.

»Er hat einfach nicht gewusst, wie er sich verhalten sollte«, sagte Konráð. »Und dann tauchte auf einmal dieser Thorson bei seinem Vater auf, und auf einmal drohte die ehrbare Fassade zusammenzubrechen.«

»Weil die dreckige Familienschande zum Vorschein kommen musste.«

»Ja.«

»Und sein Vater war ein wichtiger und angesehener Mann, er ist sogar Minister gewesen.«

»Er wollte unbedingt seinen Vater schützen und den Ruf der Familie.«

»Genau wie du immer deinen Vater zu verteidigen versuchst?«

»Das tu ich keineswegs immer«, entgegnete Konráð.

»Wirklich seltsam, dass er auch etwas mit dieser furchtbaren Geschichte zu tun hat«, sagte Beta.

»Ja, er hat sich in vieles hineinziehen lassen.«

»Ich werde nie vergessen, als Mama mir sagte, dass man ihn in der Einfahrt zum Schlachtverband erstochen aufgefunden hatte und niemand wusste, wer es getan hatte. Mir war es irgendwie vollkommen egal. Ich glaube sogar, ich war erleichtert. Ich habe ihn kein bisschen vermisst. Er hat Mama schlecht behandelt, genau wie viele andere Menschen. Mama hat immer gesagt, dass er auf dem besten Weg war, dich auch auf die schlechte Bahn zu bringen.«

»Das stimmt nicht«, sagte Konráð. »Er hatte seine Fehler, aber er hatte auch seine guten Seiten. Ich weiß, wie er sich unserer Mutter gegenüber verhalten hat, dass er sie praktisch aus dem Haus getrieben hat.«

»So etwas nennt man Gewalt in der Ehe, Konráð. Sie ist so weit wie möglich in den Osten geflohen, bis nach Seyðisfjörður«, erklärte Beta. »Er hat dich hierbehalten, um sich an ihr zu rächen. Das passt genau zu seinem Charakter. Er war kein angenehmer Mensch. Er hat getrunken und war gewalttätig, und er war kriminell.«

»Das weiß ich. Ich habe es ja mit ansehen müssen, genau wie du, und das war schrecklich. Ich habe ihm nie verziehen, wie er Mama behandelt hat.«

»Aber trotzdem hast du ihn immer verteidigt! Du versuchst immer, irgendwelche Entschuldigungen für ihn zu finden. Genau wie dieser Benjamín es getan hat, und vor ihm sein Vater.«

»Das ist nicht dassel…«

»Doch!«, sagte Beta. »Ihr seid doch alle gleich, ihr dämlichen Männer! Ihr seid nicht imstande, der Wahrheit ins Auge zu blicken. Ihr könnt es nicht, und ihr traut euch nicht.«

»Jetzt mach aber mal halblang«, sagte Konráð.

»Danke gleichfalls!« Beta stand auf. »Glaubst du, dass wir irgendwann noch mal zu wissen bekommen, was da beim Schlachtverband passiert ist?«

Sie hatten sich in früheren Jahren schon öfter als einmal den Kopf über diese Frage zerbrochen, aber mit der Zeit verblasste das Ereignis, und inzwischen war es selten geworden, dass sie darüber rätselten, wer ihren Vater erstochen hatte und warum. Beta war sehr viel härter in ihrem Urteil. Sie fand, dass der Vater es sich in irgendeiner Form selber zuzuschreiben hatte. Konráð war nicht ihrer Meinung.

»Nein, das glaube ich nicht«, sagte er.

»Immer noch nicht?«

»Nein.«

Zweiundfünfzig

Flóvent stand unweit der Tribüne für die Abgeordneten und blickte auf den gerade gewählten ersten Präsidenten der Republik Island, der seine Rede an das Volk hielt, das bei strömendem Regen um die Tribünen herum ausharrte, aber auch in der Schlucht und entlang der Öxará bis zum See von þingvellir. Zu Tausenden hatten sich die Menschen aus dem ganzen Land hier versammelt, um die neuerworbene Freiheit, die Unabhängigkeit des Landes und die jüngste Republik in Europa zu feiern. Der dänische König hatte ein Glückwunschtelegramm geschickt, obwohl er es unpassend fand, dass Island mitten im Krieg aus der Realunion austrat. Die alliierte Invasion in die Normandie hatte begonnen. Große Verluste auf Seiten der Alliierten an der französischen Küste waren gemeldet worden, und Flóvent hatte oft an Thorson denken müssen. Er hoffte inständig, dass er die blutigen Kämpfe überleben würde.

Die Rede des neuen Staatspräsidenten schallte über die alte Thingstätte. Flóvent war an diesem Tag stolz darauf, ein Isländer im nunmehr eigenen Land zu sein, auch wenn er Unruhe verspürte und Furcht vor der Zukunft. Er erlebte eine unsichere und gefährliche Zeit, der Weltkrieg tobte, und immer noch hielt eine ausländische Militärmacht Island besetzt.

Flóvent konnte von seinem Platz aus die Riege der Abgeordneten auf den Rängen hinter dem Präsidenten sehen, darunter auch Hólmberts Vater in Hut und Mantel und mit steinerner Miene. Ihre Blicke kreuzten sich für einen Augenblick, und der Abgeordnete ließ sich zu einem Nicken herab.

Flóvent hatte versucht, nicht allzu viel an das Schicksal von Jónatan zu denken, er versuchte nach Kräften, die Erinnerung an die Geschehnisse zu verdrängen, weil sie ihm schwer zu schaffen machten. Es war ihm aber nicht sonderlich gut gelungen. Er stampfte mit den Füßen auf und blickte in die Ferne jenseits des Sees. Auch die Bilder von zwei toten jungen Frauen ließen ihn nicht los. Die eine in einer Nische hinter dem Nationaltheater, und die andere auf den klobigen Felsen am Dettifoss. Ganz so, als wollten sie ihn bitten, sie nicht zu vergessen, sondern Mahnwache für sie zu halten, weil sie auch eine Zierde gewesen wären – für diese neue freie Nation.

Dreiundfünfzig

In einer tiefen Lavaspalte fernab befahrener Wege herrschen ewige Dunkelheit und Kälte, und das schwere Dröhnen des Wasserfalls ist dort nicht mehr zu hören. Die Spalte verengt sich mit zunehmender Tiefe, und die rauen Felswände sind schroff und gefährlich. In diese Tiefe trauen sich weder Fuchs noch Rabe. An den Felsen wachsen Moose, und tiefer unten treten sickernde Quellwasser aus und verwandeln die Spalte in ein schönes Märchenschloss, wenn sich die Felswände bei starkem Frost mit dickem Eis überziehen. Am Grund der Spalte herrscht kaltes Schweigen, weder Wind noch Vogellaute können es durchdringen, und es gewährt der unseligen Elfentochter, die in diesem Schloss zu Gast ist, den ewigen Schlaf.

»Ein aufregender und perfekter Krimi. Die Einbindung in die Zeitgeschichte ist meisterhaft gemacht.« FRETTABLAÐIÐ

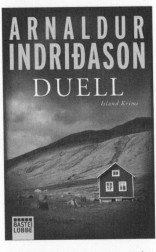

Arnaldur Indriðason
DUELL
Island Krimi
Aus dem Isländischen
von Coletta Bürling
432 Seiten
ISBN 978-3-404-17220-7

Reykjavík 1972. Der russische Schachweltmeister Boris Spasski tritt mitten im Kalten Krieg gegen seinen amerikanischen Herausforderer Bobby Fischer an. In der aufgeheizten Stimmung wird ein Jugendlicher in einem Kino brutal erschlagen. Warum bloß ermordet jemand einen Fünfzehnjährigen? Der Junge schien doch nur die Tonspur eines Films aufnehmen zu wollen ... Die Leitung der Ermittlung in diesem brisanten Fall liegt in den Händen von Marian Briem, bereits bekannt aus den bisherigen Indriðason-Krimis.

Platz 1 der isländischen Bestsellerliste

Bastei Lübbe

»Ein Krimi, kühl und fesselnd wie Island selbst […] Unbedingt lesen!«

FÜR SIE

Arnaldur Indriðason
NORDERMOOR
Island Krimi
Kommissar Erlendur,
Fall 3
Aus dem Isländischen
von Coletta Bürling
320 Seiten
ISBN 978-3-404-14857-8

Was zunächst aussieht wie ein typisch isländischer Mord – schäbig, sinnlos und schlampig ausgeführt –, erweist sich als überaus schwieriger Fall für Erlendur von der Kripo Reykjavik. Wer ist der tote alte Mann in der Souterrainwohnung in Nordermoor? Warum hinterlässt der Mörder eine Nachricht bei seinem Opfer, die niemand versteht? – Während schwere Islandtiefs sich über der Insel im Nordatlantik austoben, wird eine weitere Leiche gefunden ...

Nordermoor wurde mit dem Nordischen Preis für Kriminalliteratur 2002 ausgezeichnet!

Bastei Lübbe

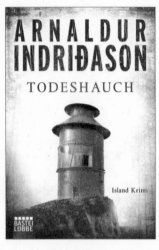

Arnaldur Indriðason
TODESHAUCH
Island Krimi
Kommissar Erlendur,
Fall 4
Aus dem Isländischen
von Coletta Bürling
368 Seiten
ISBN 978-3-404-15103-5

In einer Baugrube am Stadtrand von Reykjavík werden menschliche Knochen gefunden. Wer ist der Tote, der hier verscharrt wurde? Wurde er lebendig begraben? Erlendur und seine Kollegen von der Kripo Reykjavík werden mit grausamen Details konfrontiert. Stück für Stück rollen sie Ereignisse aus der Vergangenheit auf und bringen Licht in eine menschliche Tragödie, die bis in die Gegenwart hineinreicht. Während Erlendur mit Schrecknissen früherer Zeiten beschäftigt ist, kämpft seine Tochter Eva Lind auf der Intensivstation um ihr Leben ...

Todeshauch wurde mit dem Nordischen Preis für Kriminalliteratur 2003 ausgezeichnet!

Bastei Lübbe

Arnaldur Indriðason
KÄLTEZONE
Island Krimi
Kommissar Erlendur,
Fall 6
Aus dem Isländischen
von Coletta Bürling
416 Seiten
ISBN 978-3-404-15728-0

In einem See südlich von Reykjavík wird ein Toter entdeckt. Der Wasserspiegel hatte sich nach einem Erdbeben drastisch gesenkt und ein menschliches Skelett sichtbar werden lassen, das an ein russisches Sendegerät angekettet ist. Ein natürlicher Tod ist ausgeschlossen. Hat man sich hier eines Spions entledigt?

Erlendur, Elínborg und Sigurður Óli von der Kripo Reykjavík werden mit der Lösung des Falls beauftragt. Ihre Nachforschungen führen sie in das Leipzig der Nachkriegsjahre, wo eine tragische Geschichte um Liebe, Verlust und berechnender Grausamkeit ihren Anfang nahm ...

Kommissar Erlendur Sveinsson ermittelt in seinem sechsten Fall.

Bastei Lübbe